青弓社
103
ライブラリー

フェイクニュースの生態系

藤代裕之［編著］

青弓社

フェイクニュースの生態系　目次

第2部　対抗

第3部　未来

装画——伊野孝行
装丁——Malpu Design［清水良洋］

はじめに

藤代裕之

日本国内のフェイクニュースがどのように生まれ、なぜ広がるのかを初めて明らかにするのが本書である。これまでも海外事例の紹介や個別事象の検討はおこなわれてきたが、本書では複数の事例とデータを用いて立体的にとらえ、フェイクニュースの生態系を浮かび上がらせる。フェイクニュースは、ソーシャルメディア時代にニュースが生成され、拡散する、ニュースの生態系そのものの構造問題である。

フェイクニュースは見抜けない

フェイクニュースという言葉で何をイメージするだろうか。ドナルド・トランプ前アメリカ大統領の姿だろうか、新型コロナウイルス感染症で話題になったトイレットペーパー不足だろうか。熊本地震の際にソーシャルメディアに投稿された「ライオンが逃げた」や大手インターネット企業DeNAが不正確な医療情報を大量に作って公開していた「WELQ（ウェルク）」問題かもしれない。いずれにせよ、フェイクニュースは社会的な問題として広く知られるようになった。

これらが話題になるたびに、メディア関係者から取材依頼がある。その際の問いはおおむね二つに分けられる。一つは「フェイクニュースを見抜く方法を教えてほしい」という、身に付けるべきメディアリテラシーとは何かを問うものだ。もう一つは、フェイクニュースを発信する人や組織はどのようなもので、意図は何かというものだ。

筆者の回答は「ほとんどの人にフェイクニュースは見抜けない」、そして「フェイクニュースを誰が、なぜ流しているのかはわからない」である。確かにメディアリテラシーは重要で、発信者が誰なのかも興味深くはある。ジャーナリストや研究者にとっては必要な観点だが、これらの問いは現時点では有効とはいえない。フェイクニュースを取り巻く状況は、もはや個人で対処できる範囲を超えているからだ。

二〇二〇年のアメリカ大統領選挙では、ディープフェイクと呼ばれる人工知能（AI）が作り出した偽動画が拡散した。(1) 動画にかぎらず偽コンテンツを制作する技術は日々発達していて、人間には真偽の判別が困難になっている。また、フェイクニュースの背後には、ソーシャルメディアを情報戦争の兵器として利用している国家の存在もある。(2)

このような状況をふまえ、フェイクニュースを見抜くためにメディアリテラシーを高めることは、むしろ人々を危険にさらすことになると指摘されている。

二〇二一年二月、「ニューヨークタイムズオンライン」のオピニオン欄に“Don't Go Down the Rabbit Hole - Critical thinking, as we're taught to do it, isn't helping in the fight against misinformation.（ウサギの穴に飛び込むな――批判的思考は間違った情報との戦いを助けない）”という謎めいたタイトルの記事が掲載された。小説『不思議の国のアリス』（ルイス・キャロル、一八六五年）では、主人公アリスがウサギの穴から不思議の国に迷い込む。そこで、“Go Down the Rabbit Hole” というフレーズは、別世界に行く、本来の目的から逸脱する、そしてインターネットで何かを調べたり読んだりするのに長時間を費やしてしまう、といった意味合いでも使われる。つまり、メディアリテラシーに代表される批判的思考でフェイクニュースを見抜こうとしても、陰謀論などに陥ることになるので注意しろ、という主張だ。

それはなぜか。個人やフェイクニュースという個別の問題ではなく、私たちが日常的にふれているニュースの生態系そのものが汚染されているからだ。

個人ではなく生態系の問題

フェイクニュースとは情報汚染（Information Pollution）であり、生態系の問題としてとらえる必要がある。こう提示するのは、フェイクニュース対策に取り組むファースト・ドラフトのクレア・ウォードルだ(3)。汚染されている生態系では、正確な判断を求めて情報を探せば探すほど、フェイクニュースや陰謀論を発見してしまうことになる。フェイクニュースや陰謀論にたどり着いてしまえば、自分が見たい情報しか見えなくなるフィルターバブルやエコーチェンバーと呼ばれる現象が、その信念をさらに強固なものにする(4)。ソーシャルメディア研究の第一人者であるダナ・ボイドも、汚染された生態系におけるメディアリテラシーの危険性を指摘している(5)。

汚染された生態系を生き抜くことを個人のリテラシーにだけ求めることは、「フェイクニュースを見破れないのが悪い」「だまされるのは情報弱者である」といった自己責任論を助長しかねない。

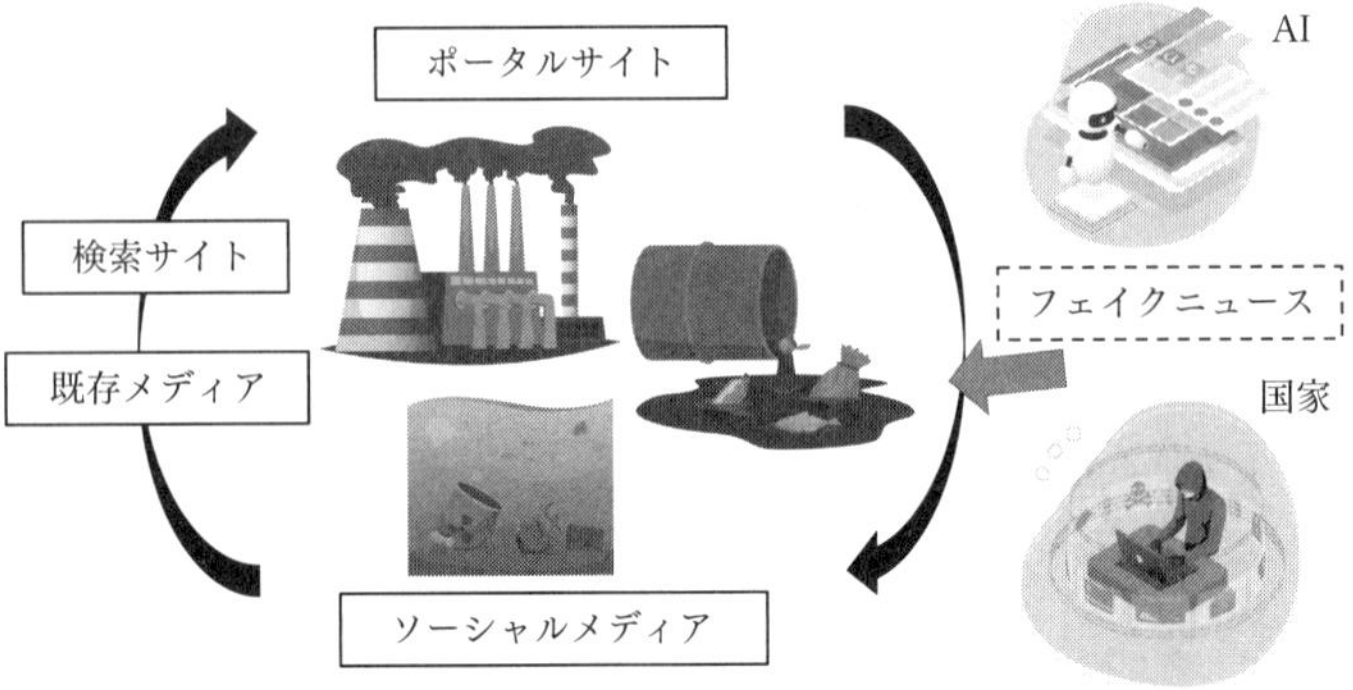

図1　現状のニュース生態系のイメージ。汚染が生態系を循環している

実際、ネットの悪影響の責任は、企業ではなく個人にある、と考える人のほうが多くなっている(6)。しかしながら、いまや子どもから高齢者まで多くの人々がソーシャルメディアを使い、ニュースにふれる時代になっている。個人ではなく、生態系の問題としてとらえて、解決の道を探る必要があるのだ。

　例えば、自然の生態系は、植物や動物などの生き物と水や空気などで構成され、互いに影響を与え合っている。生態系を守るために、汚染物質の解明と排出源の特定がおこなわれ、法律によって工場や自動車の排ガスは規制され、下水道整備なども進められている。また、企業活動が生態系にどのような影響を及ぼすのかを事前に評価するアセスメントがおこなわれる。ゴミ削減、リサイクル活動など、身近で日常的な個人の取り組みも推進されている。生態系に対する影響が大きい企業の責任を明確にすることで、個人がやるべきことも見えてくる。

　では、ニュースの生態系はどのように構成されているのだろうか。日頃、情報やニュースを得ているメディアを思い浮かべてほしい。インターネットで大きな影響力をもっている

「Yahoo!」のようなポータルサイト、「Google」などの検索サイト、新聞やテレビほかの既存メディア。そしてメッセンジャーアプリの「LINE」、動画サイトの「YouTube」、「Twitter」や「Facebook」などのソーシャルメディアを使う私たち自身もそこに含まれている。

解決の道を探るには、汚染物質の解明と排出源の特定が出発点になる。つまり、フェイクニュースを特定し、どのように生成され、なぜ拡散するのかを明らかにする必要があるのだ。

ミドルメディアに注目して解明する

注意しなければならないのは、ソーシャルメディアだけを見ても生態系の解明にはつながらないということだ。自然の生態系が多様な相互作用によって成り立っているように、ニュースの生態系もまた多様なプレーヤーによる相互作用によって成り立っている[7]。

さらにテレビやラジオといった既存メディアがフェイクニュースの拡散を助け、分断をあおる役割を担っていると指摘しているのは、ハーバード大学のヨハイ・ベンクラーらだ[8]。既存メディアもフェイクニュースの生態系と無関係ではない。

本書では、国内のニュース生態系で、情報の流れを大きく左右するミドルメディア[9]に着目する。ミドルメディアは、マスメディアとソーシャルメディアをつなぎ、ニュースの生成や拡散を担ってきた。ミドルメディアに着目することで、ソーシャルメディアも既存メディアもカバーすることができる。

本書は、「構造」「対抗」「未来」の三部で構成している。

第1部「構造」では、前提になるフェイクニュースを定義したうえで、その生態系の構造を解明する。第1章「フェイクニュースとは何か」（耳塚佳代）で、あいまいなフェイクニュースの定義を整理し、本書での議論の見取り図にする。第2章「フェイクニュースはどのように生まれ、広がるのか」（藤代裕之／川島浩誉）では、フェイクニュースの生成・拡散の過程を追跡し、フェイクニュース・パイプラインの存在を明らかにする。ミドルメディアが、フェイクニュースの生成と拡散に重要な役割を果たしている。第3章「汚染されたニュース生態系」（藤代裕之）では、生態系の浄化を期待される既存メディアが間違った情報を生み出して拡散していることを指摘する。フェイクニュースは、ソーシャルメディア時代におけるニュース生態系そのものの問題である。

第2部「対抗」では、フェイクニュースに対抗する取り組みがニュース生態系にどのような影響を与えているのかを確認する。第4章「フェイクニュースは検証できるのか」（藤代裕之）では、新聞社がフェイクニュースを検証する過程を調査して、記事化の難しさを浮き彫りにする。第5章「ファクトチェックが汚染を引き起こす」（藤代裕之）では、近年注目されているファクトチェックが、選挙候補者を攻撃する「武器」として利用されるなど、むしろ汚染を引き起こしている現実を示す。現状の生態系の浄化を目指すだけでは根本的な解決は見通せない状況である。

第3部「未来」では、新たなニュース生態系について考える。第6章「フェイクニュースのなかを生きる若者」（藤代裕之）では、フェイクニュースを見たという若者の接触実態を解明することで、現在地を確認する。第7章「汚染とメディアリテラシー」（耳塚佳代）では、汚染されたニュース生態系でのリテラシーの危険性をふまえて、新たなリテラシー構築を考える。第8章「新たなニュース生態系の確立に向けて」（藤代裕之）では、本書が明らかにする汚染の構造と複合的な要因をふまえ、フェイクニュース生態系での汚染の連鎖を断ち切るために、プラットフォームを運営する企業、既存メディア、個人のそれぞれの役割を確認する。そのうえで、多様なメディアと多様な考えの人々によって構成され、相互作用が生み出す豊かなニュース生態系を実現するために私たちは何ができるのか、を考える。

注

（1）ディープフェイクについては、「ニューヨークタイムズ」の動画 “Deepfakes: Is This Video Even Real?”（https://www.youtube.com/watch?v=1OqFY_2JE1c）［二〇二一年七月十日アクセス］や、WIRED「ＡＩで進化する「フェイク動画」と、それに対抗するＡＩの闘いが始まった」（https://wired.jp/2018/09/14/deepfake-fake-videos-ai/）［二〇二一年七月十日アクセス］を参照。

（2）中東専門ジャーナリストが、イスラエルやロシアによる情報操作を取材で浮かび上がらせている。David Patrikarakos, *War in 140 Characters: How Social Media Is Reshaping Conflict in the Twenty-First Century*, Basic Books, 2017.（デイヴィッド・パトリカラコス『140字の戦争――ＳＮＳが戦場を変えた』江口泰子訳、早川書房、二〇一九年）

（3）Claire Wardle, “Fake news. It's complicated,” First Draft, 2017（https://firstdraftnews.org/latest/fake-news-complicated/）［二〇二一年七月十日アクセス］

（4）フィルターバブルについては、Eli Pariser, *The Filter Bubble: What the Internet is Hiding from You*, Penguin Press, 2011.（イーライ・パリサー『フィルターバブル――インターネットが隠していること』井口耕二訳〔ハヤカワ文庫〕、早川書房、二〇一六年）を、エコーチェンバーについては、Cass R. Sunstein, *Republic.com*, Princeton University Press, 2001.（キャス・サンスティーン『インターネットは民主主義の敵か』石川幸憲訳、毎日新聞社、二〇〇三年）を参照。

（5）Danah Boyd, "Did Media Literacy Backfire?," *Journal of Applied Youth Studies*, 1(4), 83, 2017.

（6）日本経済新聞社「数字で見るリアル世論――郵送調査2020」（https://vdata.nikkei.com/newsgraphics/postal-mail-research-2020/）［二〇二一年七月十四日アクセス］。「ネットの悪影響の責任は?」の質問に対し、「ネットを閲覧する個人」という回答が五八%、「それぞれのページを管理する個人や企業」が五四%、「サービスを提供する大手企業」が四八%となっている。

（7）社会学者の遠藤薫は「間メディア」という考えを提唱し、既存メディアとソーシャルメディアを対立的ではなく、相互に作用する関係性としてとらえている。遠藤薫編著『インターネットと〈世論〉形成――間メディア的言説の連鎖と抗争』（東京電機大学出版局、二〇〇四年）などを参照。

（8）Yochai Benkler, Robert Faris and Hal Roberts, *Network Propaganda: Manipulation, Disinformation, and Radicalization in American Politics*, Oxford University Press, 2018.

（9）ミドルメディアについては、第2章「フェイクニュースはどのように生まれ、広がるのか」（藤代裕之／川島浩誉）を参照。マスメディアと既存メディアは同じ意味で使われることもあるが、本書では原則としてテレビや新聞などを既存メディア、ニュース生態学のなかで大きな影響力をもつメディアをマスメディアとしている。

第1部　構造

第1章　フェイクニュースとは何か

耳塚佳代

1　フェイクはニュースを装っている

本章では、二〇一六年のアメリカ大統領選挙を機に社会問題化し、日本国内でも使われるようになったフェイクニュースという言葉の定義を整理し、ニュース生態系との関係を確認する。

国内の新聞・雑誌記事が横断検索可能なサービス「G-Search」を利用し、全国紙を対象に「フェイクニュース」を検索した結果は二〇二一年二月現在で千三百七件、二〇一六年以前は〇件。「偽ニュース」を検索した結果は六百十四件で、一六年以前は二十四件になっている。記事内容を確認すると、フェイクニュースは多様な意味で使われていることがわかる。ドナルド・トランプ前アメリカ大統領の話題のような政治に関するものや、二〇年に新型コロナウイルス感染症が拡大すると、ワクチンやウイルス拡大の要因に関してもフェイクニュースという言葉が使われるようになっている。

フェイクニュースは、『デジタル大辞泉』（小学館）では「主に、ウェブサイトやSNSで発信・拡散される、真実ではない情報。時に、マスメディアが発信する不確実な情報についていうこともある[1]」としていて、オーストラリアの『マッコーリー辞典』では「政治目的や、ウェブサイトへのアクセスを増やすために、サイトから発信される偽情報、デマ。ソーシャルメディアによって拡散される間違った情報[2]」としている。

一言でフェイクニュースといっても、意図的に作成した偽情報、だます目的で作られたのではないが誤った情報、プロパガンダ、陰謀論、うわさ・流言、メディアによる誤報、などさまざまな種類の情報を指して使われている。また、一つのコンテンツのなかに事実とそうではない情報が混在していることもあり、正しい情報と偽情報の境界線はしばしばあいまいだ。

このように、フェイクニュースという言葉の定義は定まっていないものの、フェイクニュースの最大の特徴ともいえる点がある。それは、「本物のニュースを装っている」ということだ。計算社会科学の研究者であるノースウエスタン大学のデイヴィッド・レイザーらが執筆に名を連ねた「フェイクニュースの科学（The science of fake news）」では、フェイクニュースを「ニュースメディアのコンテンツを模倣しているが、組織としてのプロセスや意図が欠如した、捏造された情報[3]」と定義している。つまり、ニュース記事の体裁を取っているものの、情報の正確さや信頼性を担保するための編集理念に基づいていない情報、ということだ。目新しく、驚きや怒りなどの感情を刺激するニュースと見分けがつかないからこそ、人はフェイクニュースにだまされるのであり、ニュース生態系全体に汚染が広がっているのである。

『オックスフォード英語辞典』は、客観的事実よりも感情や個人的信念が世論形成で重視されるという意味合いの「post-truth」（ポスト真実）を二〇一六年の「今年の言葉」に選んでいる。[4] 日本でも、広告であることを隠しておこなうステルスマーケティング問題や「WELQ（ウェルク）」問題があり、ユーザーが信頼できる情報を入手することの難しさが浮き彫りになった。世界はフェイクニュース時代に突入し、さまざまな対策が試みられている。

偽情報・誤情報をめぐる国際的な議論では、対策を推進するための前提として情報区分の整理が進められている。なかには、フェイクニュースという言葉の使用そのものを避けるべきだという指摘もある。その背景の一つには、フェイクニュースという言葉が政治的に利用され、政治家や権力者にとって都合が悪い情報を否定したり、既存メディアをおとしめたりする手段になっていることが挙げられる。[5] フェイクニュース対策の必要性についての議論が、言論の自由に対する政治介入を正当化する口実として利用されている。

国内に目を向けてみると、依然としてフェイクニュースという用語がさまざまな情報を含んで使用されている。本章ではまず、フェイクニュースの歴史を振り返るとともに、フェイクニュースに関連する研究を紹介し、国際的な議論の流れに基づいた情報区分を整理したい。

2　古くて新しい問題

偽情報や誤情報の流通は、ソーシャルメディア時代に特有の新しい問題ではない。インターナショナル・センター・フォー・ジャーナリスト（ICFJ）が発行している『「フェイクニュース」と偽情報の歴史をまとめた手引(6)』によると、その歴史は古代ローマにまでさかのぼる。紀元前四四年ごろ、オクタウィアヌス（のちのローマ帝国初代皇帝アウグストゥス）は、政敵マルクス・アントニウスの評判を失墜させるため「アントニウスは女性関係にだらしなく、酒におぼれたどうしようもない人物だ」という趣旨のスローガンを入れ込んだ硬貨を鋳造し、偽情報キャンペーンを展開した。現代の「Twitter」などでみられるハッシュタグの拡散を思い起こさせる手段だ。

センセーショナルで極端な情報は、少なくとも印刷技術によってニュースという概念が生まれた約五百年前にもヨーロッパでは流通していた。そして十九世紀末のアメリカでは、発行部数を争う新聞社が、読者の注目を引くために扇情的な話題や偽情報を盛んに発信した。いわゆる「イエロージャーナリズム」の時代である。当時、アメリカの世論に大きな影響を与えていたのが、新聞王と呼ばれたウィリアム・ランドルフ・ハーストがオーナーを務める「ニューヨークジャーナル」と、優れたジャーナリズムに贈られるピュリツァー賞で知られるジョセフ・ピュリツァーの「ニューヨークワールド」だ。当時、紙の原材料コストの低下と広告収入増加を背景に、新聞社はコストをかけずに発行部数を増やすことができた。さらにピュリツァーは、目を引く見出しや写真、イラスト、漫画などを取り入れ、これまで新聞を読むことがなかった労働者階級や移民にまで読者層を広げていった。[7] 目を引く見出しは、いまなら中身がない、あおったタイトルである釣り見出しだといえる。

読者獲得競争が過熱するなか、ハーストは、戦争が起きれば人々が情報を求め、さらに新聞が売れるのではと考えた。アメリカ海軍の戦艦の爆発事故が起きた際、ハーストは「スペインの仕業だ」と根拠がない記事を掲載して、一八九八年にアメリカとスペインの間に戦争を引き起こした。世論操作と「ニュースの捏造」がエスカレートし、戦争にまで発展してしまった事例である。

また、偽情報は戦争の手段としても利用されてきた。例えば第一次世界大戦中のイギリスやアメリカ、第二次世界大戦中のナチス・ドイツが、世論を操作するプロパガンダの手段として偽情報を流布させた。[8] メディア史を研究する佐藤卓己は、『流言のメディア史』で「果たして「フェイクニュース」や「ポスト真実」は、二十一世紀のいまを象徴することばだろうか」[9] と問いを投げかけ、日本でも既存メディアを中心に捏造されたニュースが多くあったことを紹介している。ニュースとは「客観的な、事実に基づいた」ものであるという考え方が出てきたのは、実は百年ほど前とごく最近であり、むしろフェイクニュースの歴史のほうが長いともいえる。[10]

ソーシャルメディアが増幅

イギリスの新聞「ガーディアン」のコラムニスト、ナタリー・ナウゲレードが「プロパガンダは古代から存在しているが、ここまで効率的に拡散させるテクノロジーはいまだかつて存在しなかった[11]」と述べているように、インターネットの登場で、偽情報はこれまでにないほど早く、広く流通するようになった。

ソーシャルメディア時代になり、フェイクニュースという言葉が広く社会に浸透したのは、二〇一六年のアメリカ大統領選挙以降である。二〇一六年、大統領選挙に関する偽情報が旧ユーゴスラビアのマケドニア（現・北マケドニア）から大量に発信されていると新興インターネットメディアの「BuzzFeed」が報じたのをきっかけに、アメリカ国内で社会問題として浮上した。欧州でも選挙期間中の偽情報・誤情報が問題になり、懸念は世界にも波及した。インターネットの偽情報・誤情報は一九九〇年代半ばからすでに流通していたが、ソーシャルメディアの普及とともに、より大規模に世論を操作する動きが加速していることが、一六年ごろからあらためて認識されるようになった[12]。

古代ローマからソーシャルメディアが普及した現代社会まで、フェイクニュースの歴史を簡単に振り返ってみたが、どの時代でも、フェイクニュースはニュース生態系と密接に関連する問題だといえる。一方、『「フェイクニュース」と偽情報の歴史をまとめた手引』の事例の半分が二〇一六年以降の出来事であり、その要因についてソーシャルメディアによる話題の増幅を指摘している。ソーシャルメディアが登場する前と後とでは、ニュース生態系のありようは様変わりした。情報を発信できるのはマスメディアだけだったが、いまや誰でも簡単にコンテンツを作成・拡散できる。新聞やテレビだけではなく、インターネットメディアや、ソーシャルメディアによって発信者になった私たち自身も、フェイクニュースの生成に関与している。

二〇二一年一月六日にアメリカで起きたトランプ支持者らによる連邦議会襲撃事件は、以前から指摘されていたニュース生態系の汚染の深刻さがオフラインの世界にも影響を与えることをあらためて知らしめた事例だ。トランプは、自身が敗北した二〇年のアメリカ大統領選挙には不正があったとする根拠がない主張を続け、主に「Twitter」を使って扇動的なプロパガンダや偽情報を流し続けた。ソーシャルメディアのプラットフォームを運営する企業は表現の自由を理由に十分な対策をとらず、トランプとその支持者が選挙結果を覆そうとする動きはますますエスカレートしていった。BBCの報道によれば、襲撃事件の数週間から数カ月前には、議会での暴力を推奨する投稿がみられたという(13)。トランプは「議事堂に向かおう」とツイートし、これを襲撃の呼びかけだととらえた支持者たちが集結、「Twitter」には、#StormTheCapitol(国会議事堂に突入せよ)のハッシュタグが拡散した。支持者たちは、突入の模様や議事堂内で撮影した写真をソーシャルメディアに投稿した。

3　政治家による恣意的な利用

トランプのように、ソーシャルメディアの登場で大きな発信力をもったのが政治家だ。従来、マスメディアを通じてしかメッセージを発することができなかった政治家は、ソーシャルメディアを積極的に利用して、有権者に自らの主張を直接届けるようになった。バラク・オバマ元アメリカ大統領はソーシャルメディアを活用し、「初のソーシャルメディア大統領」とも呼ばれた。オバマが再選した際に「Twitter」に投稿したミシェル夫人と抱き合う写真は、五十万回以上リツイートされた。そして、トランプも巧みにソーシャルメディアを利用した——ただし、フェイクニュースによる情報操作に、である。

　フェイクニュースという言葉は、各国の権力者によって利用され、政治的な意味合いを帯びるようになっている。きっかけの一つは、トランプがアメリカのメディアを「フェイクニュース」と呼び、攻撃したことにある。トランプは、大統領に当選した数週間後の二〇一六年十二月、〇四年に始まったテレビ番組『アプレンティス』（ＮＢＣ）に大統領就任後も関わり続ける予定だと報じたアメリカのリベラル系ニュース専門局ＣＮＮに対し「ばかげていて、事実ではない——フェイクニュース！」と「Twitter」上で発言した。トランプが当選後にフェイクニュースという言葉を用いたのはこのツイートが最初である[14]。

Donald J. Trump
@realDonaldTrump
Reports by @CNN that I will be working on The Apprentice during my Presidency, even part time, are ridiculous & untrue - FAKE NEWS!
ツイートを翻訳
午前9:11 · 2016年12月10日 · Twitter for iPhone

図1　ドナルド・トランプが「フェイクニュース」という言葉を最初に用いたツイートのスクリーンショット[15]

記者を「フェイクニュース」と攻撃

　二〇一七年には、記者会見で、ＣＮＮのジム・アコスタ記者がロシアによるアメリカ大統領選挙介入に関連する質問をしようとしたところ、トランプは記者の発言を遮って「質問は許可しない、お前はフェイクニュースだ」「お前の組織は最低だ[16]」と発言した。この記者会見以降、トランプはアメリカのマスコミ、特にリベラルメディアのCNNや「ニューヨークタイムズ」を「フェイクニュース」と攻撃するようになり、主要メディアの間で議論を呼び起こした。その後も、自身に否定的な報道をする左派メディアを「フェイクニュース」と呼び、頻繁に「Twitter」上で攻撃した。

こうした流れは世界にも広がっている。フィリピンのロドリゴ・ドゥテルテ大統領も、政権に批判的な報道で知られるニュースサイト「ラップラー」を繰り返し「フェイクニュース」と非難している。また、イスラエル、カンボジア、セネガル、ドミニカ、中国、ベネズエラ、ロシアなど世界四十カ国以上の国家元首や政治家が、ジャーナリストや報道機関を攻撃する目的でフェイクニュースという言葉を使用している(17)。

フェイクニュースという用語の一般化は、インターネットで拡散される偽情報・誤情報の問題を社会的に認識させ、対策を促す役割を一定程度は果たしたといえる。しかし、これらの事例が示すように、フェイクニュースという言葉は、アメリカ大統領選挙で注目を浴びて以降、トランプが頻繁に用いるようになったことで本来の意味から逸脱し、世界中の政治家によって恣意的に利用されている。政府や当局が、自らに都合がいいようにフェイクニュースを定義すれば、言論統制や表現の自由を制限する目的でこの言葉が政治利用されかねない。ユーザーをだます目的で意図的に作成された偽情報、メディアによる誤報、権力者にとって都合が悪い情報などが同じカテゴリー内で扱われることで、「フェイクニュース問題」はより複雑化している。

政治家の恣意的な利用に対抗するための検証は、世界各国でおこなわれていて、その重要性は増している。有権者の投票で意思決定する民主主義で、フェイクニュースをもとにそれがおこなわれれば、民主主義の土台が崩れてしまうからだ。そのため、政治家によるフェイクニュースの恣意的な利用にはジャーナリズムが厳しい視線を注いでいる。しかし、社会を混乱させる偽情報・誤情報は、政治家から発信されるものだけではない。新型コロナウイルス感染症に関するうわさや、地震や台風などの災害時の偽情報などもその一例だ。インターネット上にはさまざまな種類の情報が存在しているが、ジャーナリスト、ユーザー、研究者など、どの立場からみるかによって異なる定義や情報区分がおこなわれている。そこで、これらの定義や情報区分を紹介しながら、フェイクニュースに関する議論の見取り図にする。

4　国際的な情報区分の整理

ジャーナリストからみた区分

欧米では二〇一七年以降、どうすればフェイクニュースという言葉を使わずに偽情報・誤情報問題に対応できるかが、ジャーナリストやファクトチェック団体の間で議論されてきた。本書の「はじめに」（藤代裕之）でもふれているように、ファースト・ドラフトのクレア・ウォードルは、フェイクニュースという言葉は世界各国の政治家によって報道の自由を制限する目的で利用されていることに加え、現在インターネットが直面している複雑な課題を議論するうえでは不十分だと指摘

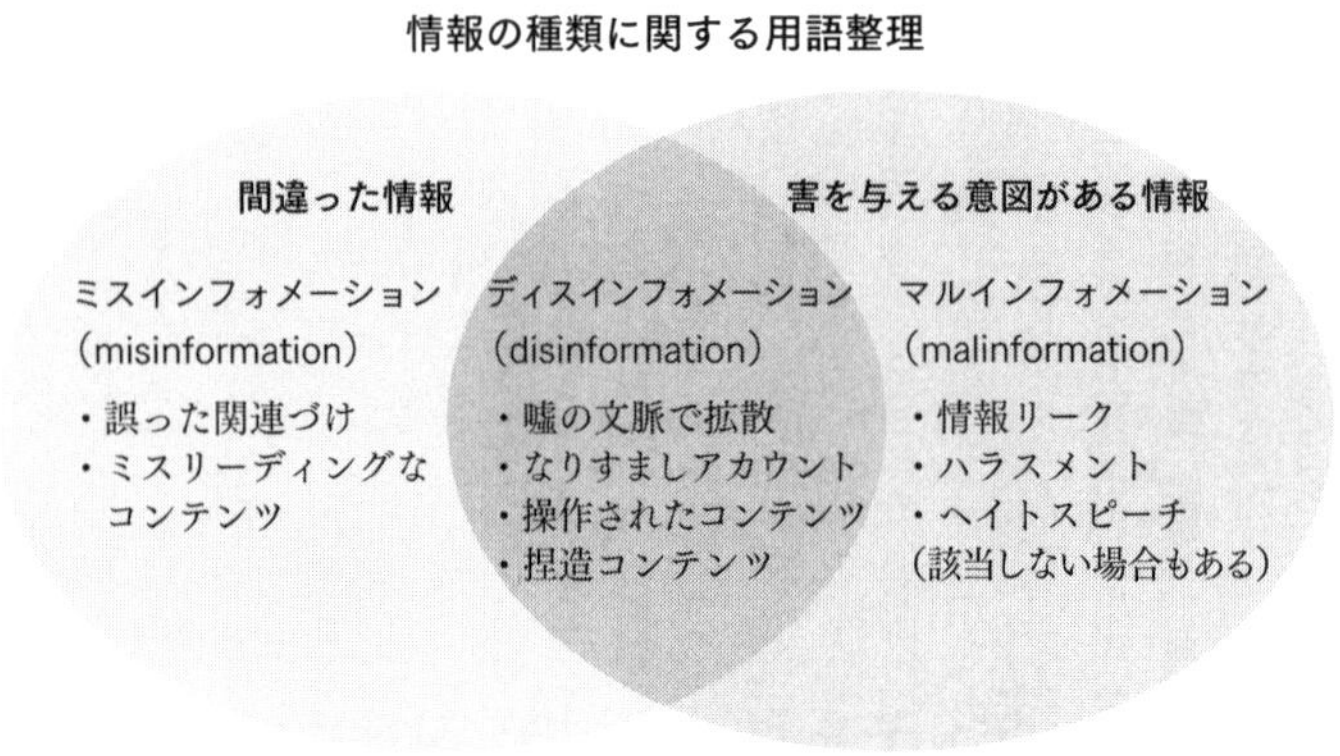
情報の種類に関する用語整理
間違った情報
害を与える意図がある情報
ミスインフォメーション
(misinformation)
・誤った関連づけ
・ミスリーディングな
コンテンツ
ディスインフォメーション
(disinformation)
・嘘の文脈で拡散
・なりすましアカウント
・操作されたコンテンツ
・捏造コンテンツ
マルインフォメーション
(malinformation)
・情報リーク
・ハラスメント
・ヘイトスピーチ
(該当しない場合もある)

図2　ミスインフォメーション、ディスインフォメーション、マルインフォメーションの区分。ユネスコのハンドブックを邦訳[20]（耳塚佳代／藤代裕之訳）

し、「情報汚染（Information Pollution）」や「情報秩序の混乱（Information Disorder）」という概念を用いて問題をとらえている[18]。アメリカ大統領選挙という重要な出来事によって、ソーシャルメディアが生み出したニュース生態系の問題が、フェイクニュースの問題として可視化されたと考えるのが適切だろう。

　ユネスコ（国際連合教育科学文化機関）が作成したメディアリテラシーとジャーナリズム教育のためのハンドブック“Journalism,'Fake News'& Disinformation”では、フェイクニュースにかわる情報分類として、ミスインフォメーション、ディスインフォメーション、マルインフォメーションの三つを提案している。ミスインフォメーションは、間違ってはいるが、害を与える意図がない誤情報。ディスインフォメーションは、害を与える意図で作成された偽情報。マルインフォメーションは、間違ってはいないが、害を与える意図がある情報流出を指す[19]。

　また、ファースト・ドラフトは、問題に対処するためには、どのような情報がどんな意図で作成されているの

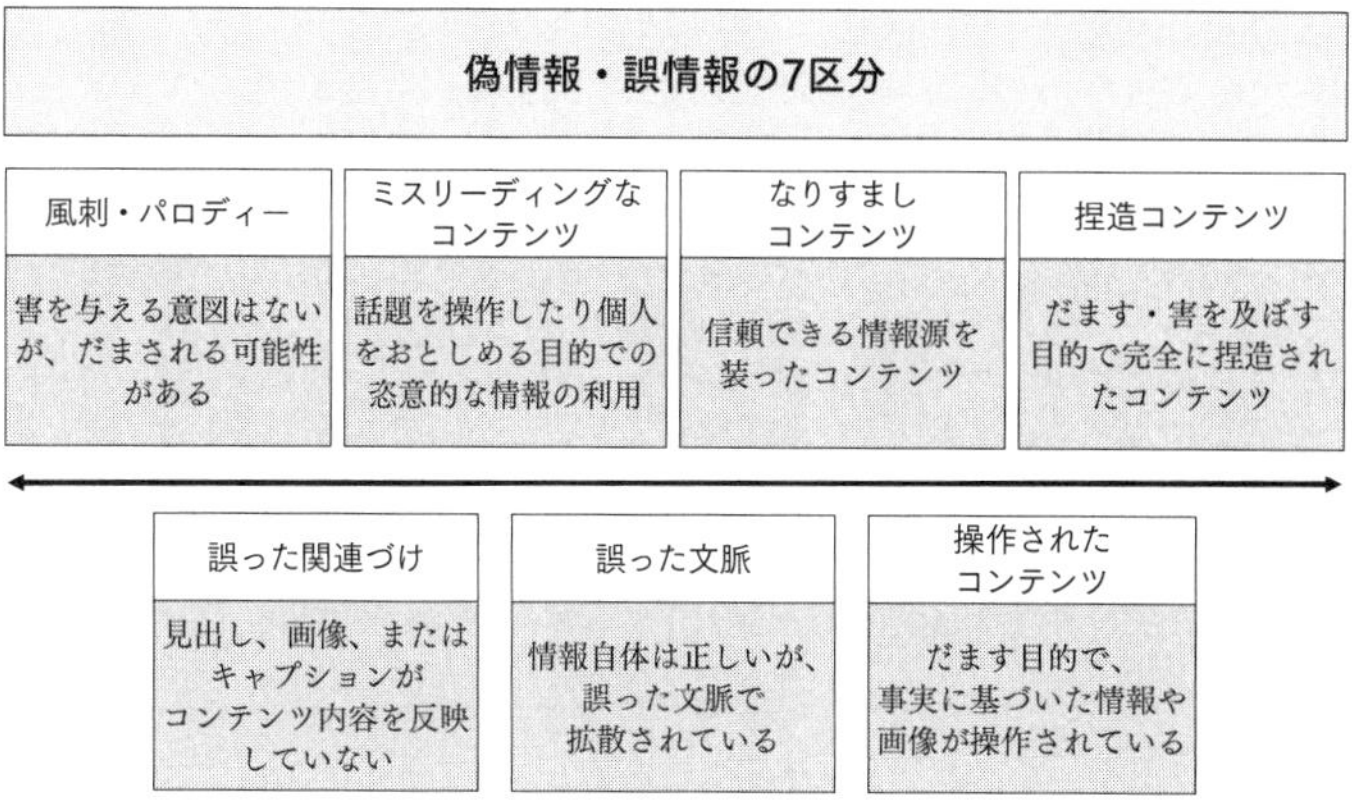

図3　ファースト・ドラフトによる偽情報・誤情報の7区分[21]（耳塚佳代／藤代裕之訳）

かを明確にする必要があるとし、偽情報・誤情報をさらに細かく七種類に分類している。この七区分には、だます意図で作成した「捏造コンテンツ」、事実に基づいた情報や画像に意図的に手を加えた「操作されたコンテンツ」、報道機関や他人のアカウントのふりをした「なりすましコンテンツ」、情報は正しいが文脈が異なる「誤った文脈」、個人をおとしめたり議論の方向性を操作したりする目的で拡散される「ミスリーディングなコンテンツ」、見出しや画像が記事の内容を反映していない「誤った関連づけ」、害を与える目的ではないがユーザーがだまされてしまう可能性がある「風刺・パロディー」が含まれる。

　情報分類の方法は一つではなく、最新の状況をふまえた議論が継続しておこなわれているが、問題に対処するための前提として、有害な情報をフェイクニュースとひとくくりにせず、整理して考えることが重要だという点では国際的なコンセンサスが形成されている。特に、ディスインフォメーション（偽情報）とミスインフォメーション（誤情報）の区別は明確になされていて、実際に報道するジャーナリストの間でもそうした認識は高まりつつある。

ユーザーからみた区分

偽情報・誤情報対策としてのメディアリテラシー教育でも、フェイクニュースという言葉をそのまま持ち込むだけでは、情報全般に対する不信をかえって増大させ、「ポスト真実」の流れを加速してしまう危険性がある。実際、メディアリテラシー教育者や研究者らは、フェイクニュースという言葉が安易に用いられることで、ユーザーは事実に基づいた報道やニュース記事さえを疑い、すべての情報に対してシニカルな態度を取るようになってしまう傾向があると指摘している。世界でおこなわれているいくつかの研究では、フェイクニュースという言葉の使用や、情報区分を明確にしないままでの議論が、メディアへの信頼や情報の真偽を判断するスキルに悪影響を与えることを示している。

アメリカのテキサス大学オースティン校でデジタルメディアの研究をおこなうエミリー・ヴァンダインらによると、ジャーナリストや政治家などによるフェイクニュースという言葉を含んだ「Twitter」投稿にふれたユーザーは、政治に関する知識やイデオロギーとは関係なく、事実に基づいたニュースとそうでないニュースを判断する能力が低下し、メディアへの信頼性も低くなる傾向がみられた[22]。また、アメリカの研究機関であるプロジェクト・インフォメーション・リテラシーがアメリカでおこなった調査では、対象になった学生らの三六％がフェイクニュースの脅威によってあらゆるニュースの信頼性を疑うようになったと回答している。[23]また、イギリスでも同様に、フェイクニュースが社会問題化して以降、若者の間でニュース全般への信頼度が下がっていることが明らかになっている。

ウォードルは、フェイクニュースという言葉が本来の意味を離れ、主要報道機関と関連づけられる傾向がユーザーの間で強まっていると指摘している。日本でも同様に、フェイクニュースという言葉がしばしばメディアを批判する軽蔑的な意味合いで使われるが、そもそも、日本のユーザーはどのような情報をフェイクニュースだと認知しているのだろうか。偽情報・誤情報というとインターネットやソーシャルメディアを思い浮かべる人も多いかもしれないが、インターネット上のコミュニティーでのコミュニケーション行動を研究する小笠原盛浩の調査によると、テレビのニュースが「フェイク」だと回答した人が多く、具体例としては森友学園や加計学園問題など既存メディアが報道した話題が挙げられた。また、既存メディアに言及した回答は、メディアへの不信を表明するものがほとんどだった。[24]

ユネスコのハンドブックによれば、「ニュース」とは公共の利益にかなう検証可能な情報を意味する。誤報や綿密な取材に基づかないニュースがあることも事実だが、質が高いニュース報道も数多くなされていて、そうした情報は私たちが日常生活で行動・判断する際の手助けになる。ユーザーからみると、細かい言葉の定義よりも、本来の意味での「ニュース」とそれ以外の情報を見分けるスキル、つまりニュースリテラシーが重要になってくる。

海外では、そうしたスキルを高めるための区分も作成されている。香港大学とニューヨーク州立

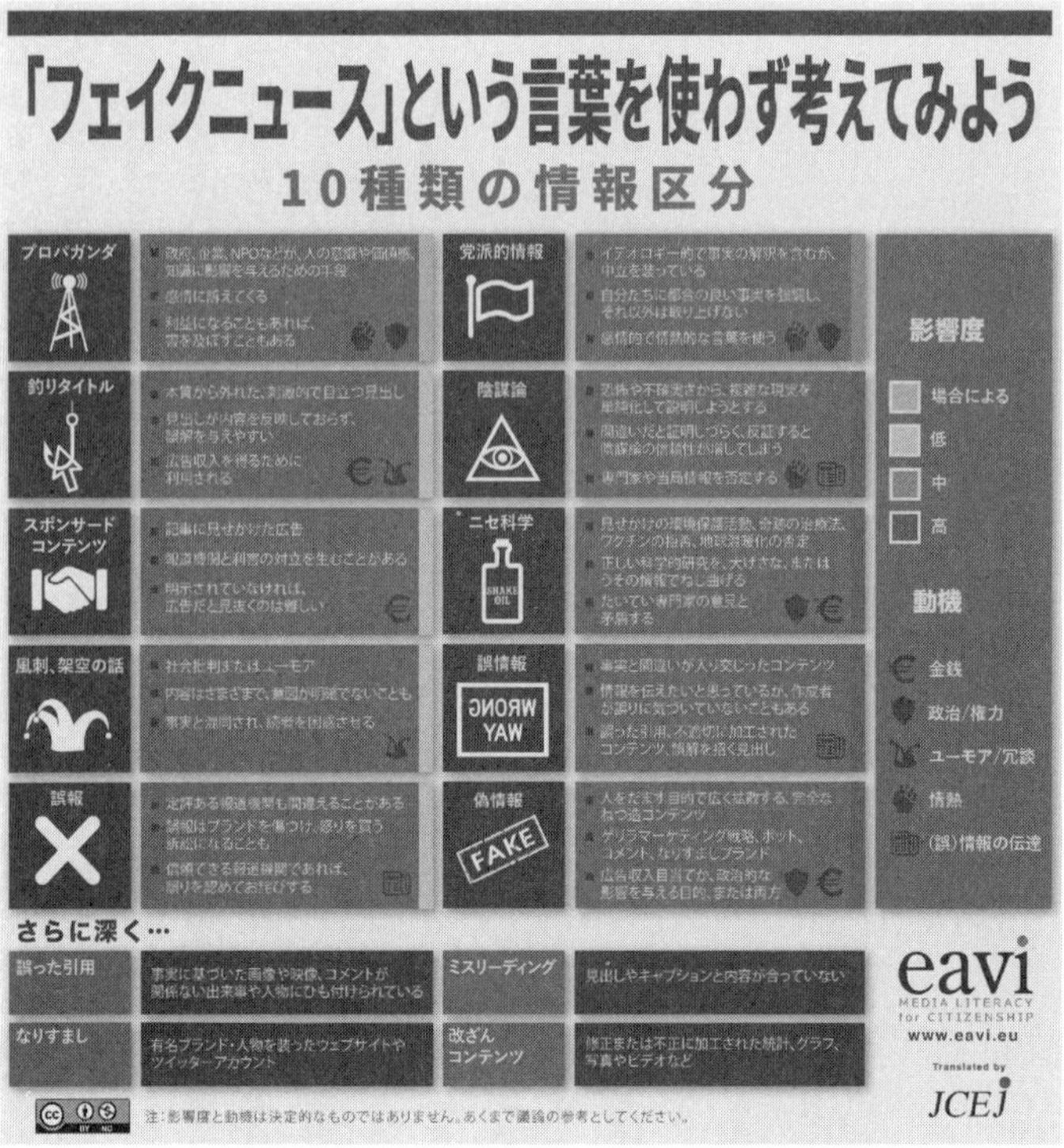

図4　EAVI による10種類の情報区分（日本ジャーナリスト教育センターによる邦訳[26]）

大学によるオンライン教材“Making Sense of the News: News Literacy Lessons for Digital Citizens”(25)には、プロパガンダや広告を含む「プロモーション」、パロディーや事実を誇張した「エンターテインメント」、事実検証を経ていないインターネット上の「一次情報」の領域に情報を分類し、質が高いジャーナリズムとそうでない情報を区別するスキルを学ぶ単元が組み込まれている。

ヨーロッパでメディアリテラシーを推進する団体EAVI（European Association for Viewers Interests）はさらに細かく整理して、「プロパガンダ」「釣りタイトル」「スポンサードコンテンツ」「風刺、架空の話」「誤報」「党派的情報」「陰謀論」「ニセ科学」「誤情報」「偽情報」の十種類の情報区分を提案している。

こうした知識をもつことはユーザーにとって有益だが、知識があったとしても、これらのさまざまな情報の違いや、どのような意図で情報が発信されているのかを実際に見抜けるかどうかはまた別問題だ。先にも述べたように、こうした情報の境界線はますますあいまいになっている。事実と嘘が入り交じったコンテンツも多く、はっきりと白黒を付けるのは難しい。訓練を受けたジャーナリストであれば、誰が、どういった意図で偽情報を発信しているのかを取材で突き止められるかもしれないし、教員などがこうした区分を理解したうえで教えることは大切だが、現在の汚染されたニュース生態系で、ユーザーが実際に区分を利用して情報を見分けるのはきわめて困難だといえる。

5 「新奇性仮説」が拡散の原動力

では、研究者らはフェイクニュースをどうとらえているのだろうか。定義は研究者によってさまざまだが、研究が進むことでその特徴が明らかになってきている。

フェイクニュースの研究は、ソーシャルメディアのデータをAPI（アプリケーション・プログラミング・インターフェース）などで取得し、拡散状況の把握や検出をおこなうアプローチが主流になっている。そのなかでも有名なのが、大規模な「Twitter」データを分析してフェイクニュースの拡散を調査した『ハイプ・マシーン』著者のマサチューセッツ工科大学シナン・アラルと、データサイエンス研究などで知られるダートマス大学のソロシュ・ボソウギらによる論文「事実に基づいたニュースと偽ニュースのインターネットでの拡散（The spread of true and false news online）」[27]だ。

科学誌「サイエンス」に掲載されたこの論文では、二〇〇六年から一七年に「Twitter」で拡散したうわさ約十二万件分のデータを分析している。六つのファクトチェック団体による検証データを用いて、フェイクニュースと事実を伝えたニュースの拡散にどのような差があるかを解析している。その結果、フェイクニュースは事実よりも早く広く拡散していて、特に虚偽の政治ニュースは拡散しやすかったことを明らかにした。

フェイクニュースを拡散していたアカウントは、ボット（自動投稿プログラム）ではなく人が主で、フォロワー数や「Twitter」の利用時間が少ないといった特徴があった。ツイートに含まれている感情を分析したところ、人々は驚きや嫌悪といった感情を抱いてフェイクニュースを拡散していた。この研究の重要な点は、フェイクニュースの拡散力の強さを知らしめたことだけでなく、アラルらが「新奇性仮説」と呼ぶ、新しく驚きがあるという元来ニュースがもっている特徴こそがフェイクニュース拡散の原動力であることを指摘したことである。本章の冒頭でもふれたように、フェイクニュースは、本物のニュースコンテンツを装い、私たちが何げなくチェックするソーシャルメディア上に紛れ込んでくるからこそ、見分けるのが困難なのだ。

6　複雑な定義が示す汚染の深刻度

このように、フェイクニュースは、古くて新しい問題であり、近年はさまざまな立場から整理されてきている。ソーシャルメディア時代とマスメディア時代で最も異なるのは、誰もが気軽に発信できるようになったことだ。政治家が偽情報を発信するようになったのも、ソーシャルメディアによってマスメディアを通さずに大きな発信力をもつようになったことが要因にある。例えば、トランプの「Twitter」アカウントのフォロワーはおよそ八千八百六十万である（二〇二一年一月現在は凍結されている）。トランプが大統領だったとき、マスメディアは速報で彼の発言を伝え、私たちユーザーがリツイートで拡散を手助けすることで、情報は瞬時に世界を駆け巡った。このようなニュース生態系の変容は、フェイクニュースの流通に関わるのは政治家や既存メディアだけでなく、インターネットメディア、プラットフォームを運営する企業、そしてソーシャルメディアを利用する私たち自身でもあることを意味している。

歴史を振り返ると、フェイクニュースの拡散はビジネスに支えられてきた。既存メディアの間では、トランプが発信する偽情報や根拠がない言説は慎重に報道すべきという議論が活発化したが、過激な発言を報道することで既存メディアが恩恵を受けてきたことも事実だ。トランプ報道で購読者数が増える現象は、メディア業界内で「トランプ・バンプ（Trump Bump）」と呼ばれた。[28] トランプによるソーシャルメディアを使った巧みな情報操作は二度にわたる世界大戦時のプロパガンダ流布を、それに便乗した既存メディアはまさにイエロージャーナリズムを思い起こさせる。

ソーシャルメディアを運営するプラットフォーム企業も、トランプのおかげで利益を得てきた。巨大なフォロワーをもつトランプが「Twitter」や「Facebook」で発言するたびに、プラットフォームは活性化し、メディアにも頻繁に取り上げられた。アメリカ連邦議会襲撃事件による死者が出たことで、「Twitter」や「Facebook」はトランプのアカウント凍結に踏み切ったが、死者が出てからでは遅すぎた。日本でも、規模は違うが構図は同様だ。二〇一七年には、「韓国人が日本人女児を強姦したが無罪判決を受けた」とするフェイクニュースが「Twitter」や「Facebook」で広く拡散した。このフェイクニュースサイトの運営者は、「BuzzFeed」日本版の取材に対して広告収入目当てだったと認めている。[29]

そして、インターネットユーザーである私たちも、ニュース生態系を構成する一部としてフェイクニュースの拡散を手助けしている。テクノロジーによってフェイクニュースの精度は増す一方、次々と打ち出される情報の区分は複雑さを増していて、事実に基づいたニュースとそれ以外の情報を見分けるのはきわめて困難だ。意図的にフェイクニュースをシェアするつもりがなくても、気づかないうちに汚染を拡大させてしまっているかもしれないのだ。

本章ではフェイクニュースの定義について整理してきた。フェイクニュースについて議論するにあたり、さまざまな情報の定義を確認することは重要であり、本書でも各章で用語の使い方が異なる場合は、そのつど補足している。原則として、報道機関やファクトチェック団体がフェイクニュースと判定したコンテンツをフェイクニュースと位置づけている。

本章で示したように、議論や定義がここまで専門的になっていることも情報汚染の深刻さを表しているといえる。汚染に立ち向かう際に重要なのは、フェイクニュースという言葉の定義を統一することではなく、ソーシャルメディア時代のニュース生態系の問題としてとらえ、生態系を構成する要素や汚染経路を可視化することである。

注

（1）Weblio 辞書「フェイクニュース」（https://www.weblio.jp/content/）［二〇二〇年一月二十日アクセス］

（2）“The Committee's Choice for Word of the Year 2016 goes to... ,” Macquarie Dictionary, 2017

(https://www.macquariedictionary.com.au/blog/article/431/)［二〇二〇年一月二十日アクセス］
（3）David M. J. Lazer, Matthew A. Baum, Yochai Benkler, Adam J. Berinsky, Kelly M. Greenhill, Filippo Menczer, Miriam J. Metzger, Brendan Nyhan, Gordon Pennycook, David Rothschild, Michael Schudson, Steven A. Sloman, Cass R. Sunstein, Emily A. Thorson, Duncan J. Watts and Jonathan L. Zittrain, "*The science of fake news*," *Science*, 359(6380), 2018, pp. 1094-1096.
（4）"Word of the Year 2016," OxfordLanguages, 2016（https://languages.oup.com/word-of-the-year/2016/）［二〇二〇年一月三日アクセス］
（5）John Brummette, Marcia DiStaso, Michail Vafeiadis, and Marcus Messner, "Read All About It: The Politicization of 'Fake News' on Twitter," *Journalism & Mass Communication Quarterly*, 95(2), 2018, pp. 497–517.
（6）Julie Posetti, Alice Matthews, *A Short Guide to the History of 'Fake News' and Disinformation*, International Center for Journalists, 2018.
（7）Richard L. Kaplan, "Yellow Journalism," The International Encyclopedia of Communication, 2008.
（8）Posetti, Matthews, *op. cit.*
（9）佐藤卓己『流言のメディア史』（岩波新書）、岩波書店、二〇一九年
（10）Jacob Soll, "The Long and Brutal History of Fake News," Politico Magazine, 2016（https://www.politico.com/magazine/story/2016/12/fake-news-history-long-violent-214535）［二〇二〇年一月二十日アクセス］
（11）Natalie Nougayrède, "In This Age of Propaganda, We Must Defend Ourselves. Here's How," The Guardian, 2018（https://www.theguardian.com/commentisfree/2018/jan/31/propaganda-defend-

russia-technology) [二〇二〇年三月五日アクセス]
(12) Claire Wardle, “Misinformation Has Created a New World Disorder,” Scientific American, 2019 (https://www.scientificamerican.com/article/misinformation-has-created-a-new-world-disorder/) [二〇二〇年七月十四日アクセス]
(13) 「トランプ氏支持者の連邦議会襲撃、警察の失態に疑問の声」BBC NEWS JAPAN (https://www.bbc.com/japanese/features-and-analysis-55582876) [二〇二一年七月十四日アクセス]
(14) The Editorial Board, “Who Will Tell the Truth About the Free Press?,” *The New York Times*, 2019 (https://www.nytimes.com/interactive/2019/11/30/opinion/editorials/fake-news.html) [二〇二〇年一月二十日アクセス]
(15) トランプによるツイート (https://twitter.com/realDonaldTrump/status/807588632877998081) (アカウント凍結のため現在は閲覧不可)
(16) Lizzie Plaugic, “Trump Calls CNN ‘Fake News’ and BuzzFeed ‘Garbage’ During Press Conference,” The Verge, 2017 (https://www.theverge.com/2017/1/11/14238768/trump-fake-news-press-conference-buzzfeed-cnn) [二〇二〇年一月十七日アクセス]
(17) The Editorial Board, op. cit.
(18) Francesca Giuliani-Hoffman, “F*** News’ Should Be Replaced by These Words, claire Wardle Says,” CNN Business,2017 (https://money.cnn.com/2017/11/03/media/claire-wardle-fake-news-reliable-sources-podcast/index.html) [二〇二〇年一月十三日アクセス]
(19) Claire Wardle, Hossein Derakhshan, *Information Disorder: Toward an Interdisciplinary Framework for Research and Policy Making*, Council of Europe report, 2017.

（20）ユネスコのハンドブック "Journalism, 'Fake News'& Disinformation: A Handbook for Journalism Education and Training," 2018, p. 44（https://en.unesco.org/fightfakenews）［二〇二一年七月十四日アクセス］

（21）ファースト・ドラフトによる情報の七区分。Claire Wardle, "Fake News. It's Complicated.," First Draft, 2017（https://firstdraftnews.org/latest/fake-news-complicated/）［二〇二〇年一月十三日アクセス］

（22）Emily Van Duyn, Jessica Collier, "Priming and Fake News: The Effects of Elite Discourse on Evaluations of News Media," Mass Communication and Society, 22(1), 2019, pp. 29-48.

（23）Alison J. Head, John Wihbey, P. Takis Metaxas, Margy MacMillan and Dan Cohen, *How Students Engage with News: Five Takeaways for Educators, Journalists, and Librarians*, Project Information Literacy Research Institute, 2018.

（24）小笠原盛浩「日本の有権者はいかにニュースをフェイクと認識したか」、清原聖子編著『フェイクニュースに震撼する民主主義――日米韓の国際比較研究』所収、大学教育出版、二〇一九年、一二二―一四七ページ

（25）Coursera のコース「Making Sense of the News: News Literacy Lessons for Digital Citizens」（https://www.coursera.org/learn/news-literacy/home/welcome）［二〇二〇年一月十二日アクセス］

（26）ＥＡＶＩのインフォグラフィック "Infographic: Beyond Fake News – 10 Types of Misleading News – Seventeen Languages," EAVI, 2017（https://eavi.eu/beyond-fake-news-10-types-misleading-info/）［二〇二一年七月十四日アクセス］、ＪＣＥＪによる翻訳版「『フェイクニュース』という言葉を使わず考えよう――EAVI のメディアリテラシー教材日本語版を作成しました！」「#JCEJ 活動日記」、二

○一九年（http://jcej.hatenablog.com/entry/2019/03/27/104845）［二〇二一年七月十四日アクセス］

（27）Soroush Vosoughi, Deb Roy and Sinan Aral, "*The Spread of True and False News Online*," *Science*, 359(6380), 2018, pp. 1146-1151.

（28）バンプ（Bump）には、上昇、増加という意味がある。

（29）籏智広太／伊藤大地「「ヘイト記事は拡散する」嫌韓デマサイト、運営者が語った手法」「BuzzFeedNews」、二〇一七年（https://www.buzzfeed.com/jp/kotahatachi/korean-news-xyz-2）［二〇二一年七月十四日アクセス］

第2章　フェイクニュースはどのように生まれ、広がるのか

藤代裕之／川島浩誉

1　フェイクがニュースになる

フェイクニュースは「本物のニュースを装っている」。だとすれば、いつ、どのようにして、フェイクがニュースになるのかという疑問が生まれてくる。本章では、二〇一七年の衆議院議員選挙をケースに、フェイクニュースにはどのようなものがあり、それはニュース生態系のなかでどのような過程で生まれ、広がるのかを明らかにする。

解明のヒントになるのが、「はじめに」（藤代裕之）で紹介したヨハイ・ベンクラーらが『ネット

ワーク・プロパガンダ』[1]のなかで明らかにしたプロパガンダ・パイプラインである。

パイプラインの構造

プロパガンダ・パイプラインは、アメリカのオルタナ右翼活動家がニュース生態系を利用して、インターネットの周縁にある不確実な情報を、既存メディアや政治的エリートなどの中心部に到達させることで、多くの人々に届ける経路のことである。インターネットの掲示板などでは玉石混交の話題が日々交わされている。そこで話題になった憶測や陰謀論が政治系のニュースサイトで記事化され、それをテレビや新聞が取り上げる、というように話題が伝播していく構造があることをベンクラーらは指摘している。その構造を、オルタナ右翼の代表的な人物であるマイク・セルノビッチの以下のような言葉で紹介している。

「もし「ドラッジ・レポート」に掲載されれば、『ハニティ』にも載る。『ハニティ』に載れば、CNNでブライアン・ステルターが話す[2]」

ここで語られている「ドラッジ・レポート」とは、保守系のまとめサイトで、ビル・クリントン元大統領の不倫スキャンダルを報じたことで知られている。ミドルメディアに位置づけられる。『ハニティ』（二〇〇九年―）は、保守系ニュース専門局のフォックス・ニュースの番組名で、司会者のショーン・ハニティはドナルド・トランプ前アメリカ大統領の熱心な支持者だ。二〇一六年のアメリカ大統領選挙の期間中にはトランプを番組で何度も取り上げるだけでなく、対抗馬だったヒラリー・クリントンに対する陰謀論を広めた。一方のステルターは、リベラル系ニュース専門局C

NNのキャスターで、*Hoax: Donald Trump, Fox News, and the Dangerous Distortion of Truth*（『でっちあげ――トランプとフォックス・ニュースと危険な事実の歪曲』）などの著書を書いている反トランプ・反フォックス派の人物だ。不確実な情報がまとめサイトに掲載されれば、テレビ番組で取り上げられて、それが論争になり、さらに多くの人々の目に届くということだ。

パイプラインは、二〇一六年十二月に起きたピザゲート事件にもみることができる。アメリカ・ワシントンのピザ店が小児性愛者と児童売買の拠点になっているというフェイクニュースを信じた男性が、ライフル銃を持って店に押し入ったことで社会に衝撃を与えた事件だ。既存メディアの調査報道で、このときのフェイクニュースの生成から拡散までの実態が明らかになっている。「ニューヨークタイムズ」や「ワシントンポスト」の報道[3]によると、背景の一つになったのは、ヒラリーが国務長官時代に私用メールアドレスを公務に使っていた問題だ。ソーシャルメディアでは、メールにはヒラリーが小児性愛者グループに関係があるものが含まれているといううわさが広がった。そこに、告発サイトの「ウィキリークス」が、ヒラリーの選挙対策責任者の流出メールを公開。その流出メールのなかに事件現場になったピザ店主の名前があった。

うわさと流出メールという断片的な情報に、掲示板サイトの「4chan」や「reddit（レディット）」「Twitter」の利用者によって憶測や陰謀論が加えられ、ピザ店の地下室（実際には存在しない）は児童売買拠点とされた。次に、オルタナ右翼のニュースサイトがこの話題を取り上げるようになる。「Twitter」には、#pizzagate というハッシュタグが出現し、これが海を越えてトルコに飛び火した。トルコの政府系メディアが報道したことで、ハッシュタグが拡散した。こうして、間違った情報に多くの人がふれるようになると、ピザ店は抗議活動や脅迫を受けるようになり、事件につながっていった。

パイプラインの危険性

掲示板や投稿サイトでは、日頃から憶測や陰謀論が乱れ飛んでいる。それは、一部の利用者にとっては楽しむための材料であり、多くの人にとっては取るに足らない内容でしかない。しかしながら、話題がさまざまなサイトを移動していくにつれてニュースとして形作られ、多くの人に影響を与えるようになる。これがパイプラインの危険性だ。

パイプラインに関わるニュースサイトについてベンクラーらは、ページビューを稼ぐために、画像や記事で嫌悪感を掻き立て、読者に怒りを感じさせ、分断をあおっていると指摘している。ページビューを稼ぎ、広告収入を得るというビジネス的な側面は、アメリカ大統領選挙で問題になったフェイクニュースも同様だ。

インターネットメディアの「BuzzFeed」のメディアエディターであるクレイグ・シルバーマンは、旧ユーゴスラビアにあるマケドニア（現・北マケドニア）の若者がトランプ陣営に有利になるようなフェイクニュースを作り出していたことをいち早く明らかにした。若者たちは、オルタナ右翼のニュースサイトなどを参考にしながら、フェイクニュースを作れば金を稼ぐことができると学んだ。「ローマ教皇がトランプを支持した」「ヒラリーがイスラム国に武器を売却した」などのトランプ有利のフェイクニュースは、多くのページビューを稼いだ。

であると指摘している。[4]

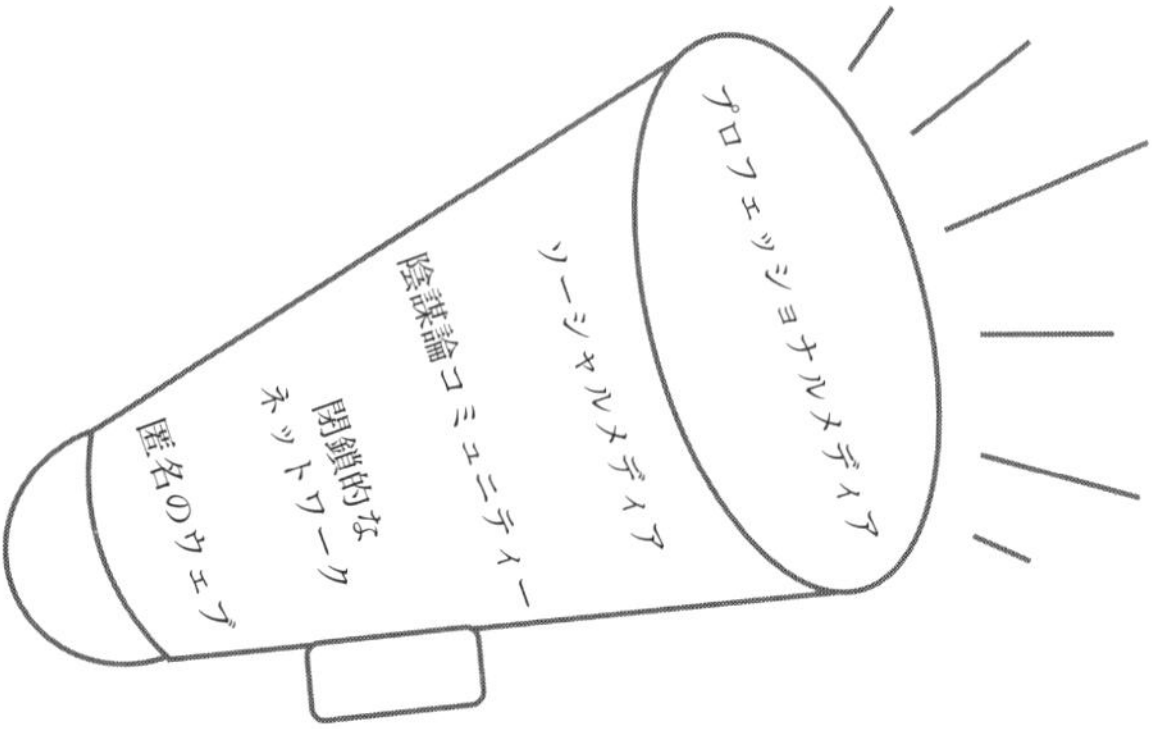

図1　クレア・ウォードルの「拡散のトランペット（The ‘Trumpet of Amplification’)」をもとに筆者作成

ファーストドラフトのクレア・ウォードルは、ピザゲートのような不確実情報が報道機関で取り上げられるまでを「拡散のトランペット」という図にまとめている。「ウィキリークス」のような匿名ウェブサイト、メッセンジャーアプリのような表からは見えないネットワーク、「reddit」のような陰謀論が語られるコミュニティー、ソーシャルメディアの順に広がっていくとしている。「拡散のトランペット」はパイプラインと同様の構造を示している。ウォードルが「拡散のトランペット」で注意を促しているのは、フェイクニュースに対抗する動きについてである。既存メディアのようなプロフェッショナルメディアが、フェイクニュースに対抗するために記事を書く場合には、不確実な情報は（セルノビッチが言うように）露出することが目標であり、ニュース生態系の汚染を狙っているため、うわさを権威づけたり、より拡散してしまったりしないように注意して取り扱うべき

2　国内のニュース生態系の特徴

ベンクラーらやウォードルの指摘から、インターネットの周縁にある不確実な情報がニュースとして形作られ、多くの人が話題にするようになる生態系の構造があることを確認した。このニュース生態系は国や地域で異なることに注意を払う必要がある。

アメリカは国土が広く、メディアも多岐にわたる。三大ネットワークと呼ばれる地上波テレビだけでなく、ケーブルテレビ、ラジオも多くの視聴者を抱えている。有力紙「ニューヨークタイムズ」や「ワシントンポスト」の紙版の部数は百万部に満たないが、電子版の有料購読者は「ニューヨークタイムズ」で五百万人を突破し、新聞社のデジタルシフトが進んでいる。アメリカのシンクタンクであるピュー・リサーチ・センターのレポートによると、アメリカの成人の半分がソーシャルメディアでニュースに接触していて、なかでも「Facebook」「YouTube」「Twitter」が上位になっている。(5)

ポータルサイトの影響力

日本国内では、地上波テレビが依然として影響力をもっている。また、新聞の発行部数は世界有数で、全国に配布されている。「読売新聞」は約七百万部、「朝日新聞」は約五百万部、「毎日新聞」や「日本経済新聞」は約二百万部発行しているが、デジタルでの取り組みは遅れている。インターネットでは、ポータルサイトの「Yahoo!」が大きな影響力をもっている。

各国のデジタルニュースの利用状況を調査しているロイタージャーナリズム研究所の“Digital News Report 2021”(6)によると、アメリカでオンラインのニュース週間接触率は、ニュース専門局のCNNのオンライン版が一八%でトップ、次は「Yahoo! ニュース」が一六%。「ニューヨークタイムズオンライン」「ワシントンポストオンライン」「フォックスニュースオンライン」、ローカルテレビのニュースサイト、インターネットメディアの「ハフィントンポスト」や「BuzzFeed」などが一〇%台となっている。ニュースの取得先は、オンラインが六六%、テレビが五二%、ソーシャルメディアが四二%の順で、新聞は一六%である。日本国内は、オンラインのトップはポータルサイトの「Yahoo! ニュース」で五四%と大きな割合を占めている。そこから、NHK、日本テレビ、テレビ朝日などのテレビのオンラインサイトが一〇%前後である。新聞の「朝日新聞デジタル」「読売新聞オンライン」は数%しかない。ニュースの取得先として、オンラインとテレビは拮抗状態にあり約六〇%、ソーシャルメディアは二七%、新聞は二四%である。

このような傾向は、新聞通信調査会の調査(7)でも示されている。ニュース接触率は、四十代以下はインターネットが一位、五十代以上は民放テレビのニュースが一位になる。インターネットニュースを見るときにアクセスするのは、ポータルサイトが八〇・九%と圧倒的に多く、ソーシャルメディアが三八・二%、キュレーションアプリが一五・四%、新聞社やテレビ局の公式サイトが一四・七%である。ニュース生態系で大きな影響力をもつマスメディアとは、テレビとポータルサイト、次に新聞ということになる。

テレビや新聞が運営するオンラインサイトが競い合い、ソーシャルメディアも存在感があるアメリカと比べると、国内のオンラインではポータルサイトが圧倒的な影響力をもっているといえる。このようなニュース生態系についてデジタルメディアの利用や社会への影響を研究している木村忠正は、マスメディア、ミドルメディア、ソーシャルメディアが交錯する広大なメディア空間が発展し、ミドルメディアがニュースを取り上げて増幅することで社会的関心が高まることも珍しくない[8]と指摘している。

話題の中核ミドルメディア

筆者が定義したミドルメディアは、ソーシャルメディアの情報を集約してマスメディアに紹介するニュースサイトやまとめサイトのことである[9]。ブログや掲示板などのソーシャルメディアの利用者が拡大していくと、そこで語られている話題に注目して記事化するインターネットメディアが出現する。代表的なものが「ネットで話題」という切り口で、バズっている（拡散している）話題や炎上を取り上げるものだ。また、芸能人やスポーツ選手が自身のソーシャルメディアに投稿した内容を取り上げるものもある。ソーシャルメディアの書き込みは膨大であり、すべてをカバーすることが難しい。そこで、ミドルメディアがそのなかから一部を取り上げ、ポータルサイトに記事として配信するようになった。また、テレビの話題を取り上げてソーシャルメディアに拡散することもある。つまり、ミドルメディアは①ソーシャルメディアの話題をマスメディアに届ける、②マスメ

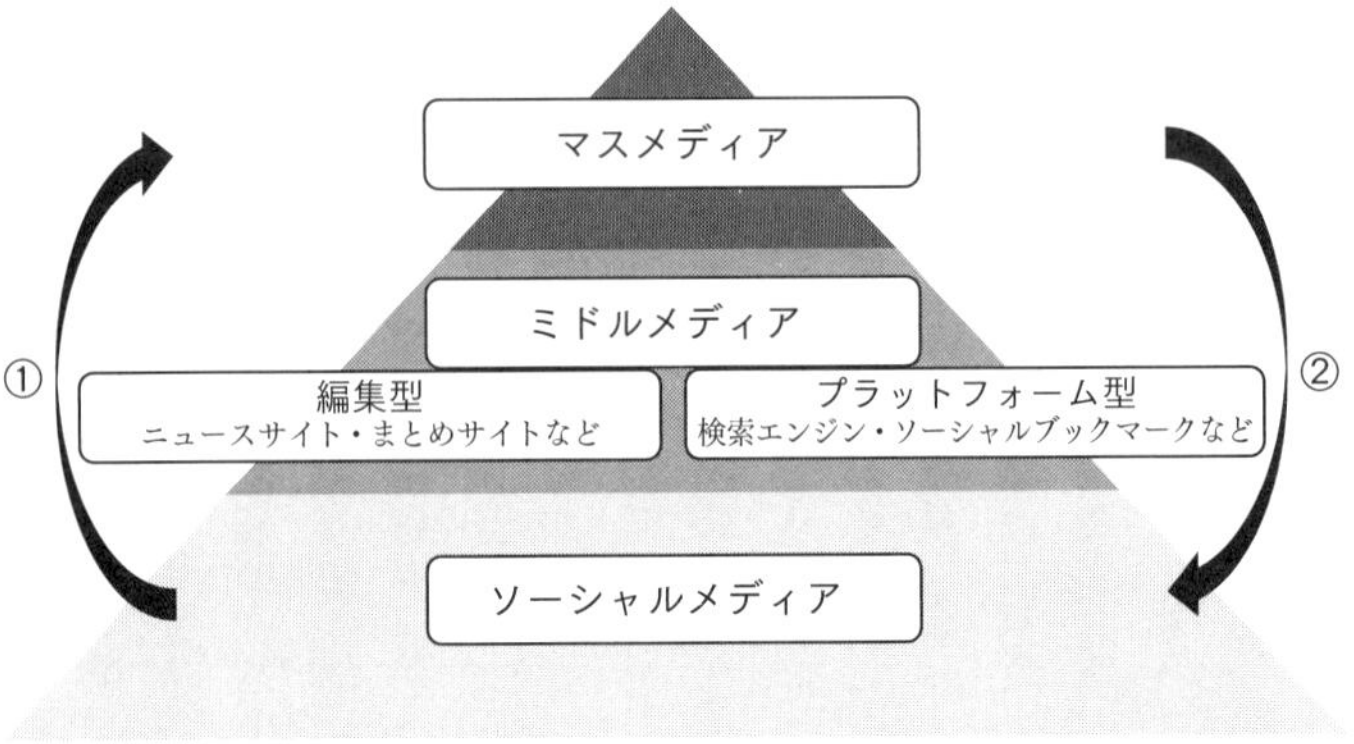
マスメディア
ミドルメディア
①
編集型
ニュースサイト・まとめサイトなど
プラットフォーム型
検索エンジン・ソーシャルブックマークなど
②
ソーシャルメディア

図2　ニュース生態系におけるミドルメディアの役割

ディアの話題をソーシャルメディアに届ける、という役割をもつ。ミドルメディアはニュース生態系におけるメディア間の相互作用の中核といえる。

このミドルメディアの発達の背景には、ポータルサイトの方針変更がある。当初、ポータルサイトが扱うニュースは、新聞社などの既存メディアのものが中心だったが、二〇〇六年にライブドア事件が起きたことで、ポータルサイトの「ライブドア」から既存メディアの一部が記事を引き揚げた。それをきっかけに、ブログやニュースサイトなどミドルメディアの記事がポータルサイトで扱われるようになった。ポータルサイトに記事が掲載されると、ニュースサイトのページビューが増加し、広告収益が得られることになり、国内では多様なミドルメディアが誕生することになった。

ポータルサイトが配信先を既存メディアから拡大したことで、既存メディアが取り上げなかった多様なニュースがインターネットに生み出される「ニュースの拡張」が起きた。そのなかでも、既存メディア批判は経営的に脆弱なインターネットメディアにとって、手軽にページビューを稼ぐことができる格好のテーマで、既存メディアを攻撃することがビジネスになっていく。

このようなインターネットにおけるニュースの歴史的背景をふまえ、ミドルメディアがフェイクニュースの生成・拡散の核になっているという仮説を立てた。

3　ミドルメディアが生成する

調査手法

フェイクニュースという言葉の定義があいまいな状況は第1章「フェイクニュースとは何か」(耳塚佳代)で述べたとおりだが、フェイクニュースの対策や研究は報道機関やファクトチェック団体が検証したデータを「フェイクニュース」と位置づけておこなわれている。つまり、フェイクニュースの研究をおこなうためには、報道機関やファクトチェック団体の協力が不可欠ということになる。

国内でフェイクニュース研究が遅れているのは、検証の取り組みが広がりに欠けていたからだ。本格的にフェイクニュースの検証が報道機関やファクトチェック団体によっておこなわれたのは二〇一七年の衆議院議員選挙のときである。ファクトチェック推進団体であるファクトチェック・イニシアティブ（FIJ）が一七年六月に設立され、検証プロジェクト[10]への参加を呼びかけたことでインターネットメディアの「BuzzFeed Japan」などが取り組んだ。筆者が代表運営委員を務める日本ジャーナリスト教育センター（ＪＣＥＪ）も、新聞・テレビ十九社の記者と協力して検証プロジェクト(11)を実施した。

本章では、ＪＣＥＪから提供された検証データをもとに、フェイクニュースとされたコンテンツの種類、生成・拡散の実態を明らかにしていく。ここでは、ＪＣＥＪの検証プロジェクトに参加した記者がフェイクニュースだと判定したコンテンツをフェイクニュースと位置づける。判定基準は、二〇一七年のフランス大統領選挙でおこなわれたクロスチェックの取り組みに準拠している。クロスチェックでは、参加したメディア二社以上で真偽を確認した場合、サイトに結果を公表している。ＪＣＥＪの検証プロジェクトでも、参加する複数の記者が「フェイクニュースである」と判定したものをフェイクニュースと判定した。なお、筆者はＪＣＥＪの代表運営委員を務めているが、どの不確実情報を真偽確認するかはプロジェクトに参加する記者に任されていて、判定作業にも関わっていない。

フェイクニュースの可能性が高い不確実な情報は、筆者が所属する大学の学生九人が収集し、記者に提供した。収集期間は、衆議院が解散した二〇一七年九月二十八日から選挙投開票翌日の十月二十三日までである。ソーシャルメディアで情報を収集する学生には実施前に検索方法を学習してもらった。

作業は一日一時間、同時刻に三人がおこなった。フェイクニュースの定義はあいまいなため、できるかぎり多くの不確実情報を集めることを目標にし、「選挙 デマ」「党名 うわさ」「政党名」「候補者名」というキーワードで「Twitter」の書き込みや「Google」でニュースサイトなどを検索した。学生が期間中に収集した不確実情報は二百七十五件で、重複を除外した百九十五件を記者にメールで送付した。

記者が判定したフェイクニュースの一覧

二人以上の記者がフェイクニュースであると判定した十五件を表１に、記者の判定理由と判定人数を表２にまとめた。

十五件の内訳は、サイトが五件、ツイートが十件である。日付は対象になる不確実情報が学生によって確認された日とした。なお、リスト化するにあたり発信者や情報源の再確認を二〇一八年六月二十日から三十日の間に実施している。フェイクニュースの情報源などを確認するために、各サイトとサイトからリンクされているＵＲＬも同時期に確認した。

学生が収集した不確実情報を政党別に分類すると、自由民主党四十七、希望の党四十五、立憲民主党二十七、日本共産党十九、民進党十六、日本維新の会六、公明党三だった。これが記者が判定したフェイクニュースでは、立憲民主党八、希望の党四、民進党二、幸福実現党一と、野党側が多くなった。特に民進党（立憲民主党）の辻元清美に関するものが四件と突出していた。「野党四党の半分は元南北朝鮮人ですよ☝しかも密航を祖とする割合が高い」や「外国人が選挙に参加している！　これあかんでしょ！」などの排外的な内容もあった。

選挙公約に関連しているのは、番号３と４で、４は希望の党を結成した小池百合子と共産党の小

タイトル・投稿文
辻元清美が「大発狂」とネットで話題に　記者の質問に無言――突然、意味不明の言葉を発し…
野党4党の半分は元南北朝鮮人ですよ☝しかも密航を祖とする割合が高い、日本人成りすましと言っても良いと思うがな、その在日朝鮮人帰化議員立候補は野党からしか出馬できない 自民党一部は戦後背乗りや GHK 推薦のスパイ要員として言葉に障壁が無い朝鮮人を入閣させた。
【# 衆院選2017 】民進党・安住「憲法改正は前から賛成だ」希望の党で公認候補を目指す民進議員が変節～ネットの反応「民進党の議員どもの正体が見えて面白いな」「この発言覚えとけよｗ ブーメランになるからｗ」
希望の党 # 共産党 # 小池
【悲報】辻元清美 行方不明！公務全てキャンセルし誰も連絡が取れない状況！
【ワロタｗ】辻元清美、希望公認申請していたｗｗｗｗｗｗｗｗｗｗｗｗｗ
一回の選挙をやるのに、血税600億円が投じられている。選挙に行かない人はお金をドブに捨ててるのと同じ。ただし、期日前投票はダメですよ！白票とすり替えられたり、票を破棄されたりする時間的余裕を与えるからです！ # 衆議院選挙 # 選挙
立憲民主党のアカウントが検索できない件　不適切な内容を表示しないのチェックを外すと表示されます。何でだろ (^^; # 立憲民主党 # 不適切な内容を表示しない
@machicarmen ↓の画像は、辻元清美が万景峰号をピースボートにチャーターした時、総連から電話が有り、金正日に逢えると聞かされ、号泣してる場面です。帰化しても北朝鮮に忠誠を誓う辻元清美。
立憲民主党とは【ロシア】ベストライセンス社の商標登録で枝野幸男あ然！！
枝野氏の「立憲民主党」ですが、立憲の意味は「憲法を制定すること」なんですよね。「護憲民主党」ならわかりますが、立憲は、自分たちで憲法をつくって、それを守っていこう、という意味なので、矛盾していますね。# 幸福実現党 # 憲法改正
皆さんおはようございます本日は10／5木曜 市場移転予定日から332日目です　# 小池都知事 の市場移転延期に因る損害額の算出です　1日6575万×332日＝218億2900万円 資産価値減損17億9280万円 皆さん # 希望の党 なんぞ信用すれば、国家予算がドブ捨てされます
拡散希望　かん英紀立憲民主党大阪13区の選挙事前運動に李信恵がいる。 外国人が選挙に参加してる！　これあかんでしょ！
明らかに公職選挙法に違反しています。 日本国籍を有していないものが立候補することは 禁じられています。 議員クビ＋公民権停止とすべきであります。
在日外国人に政治活動を行う権利無し！選挙運動（ビラ配りやポスター貼り演説など）も違法！公職選挙法第百三十七条の三、第二百五十二条又は政治資金規正法第二十八条の規定により選挙権及び被選挙権を有しない者は選挙運動をすることができない！外国籍の選挙運動は違法行為にあたる！

表1　JCEJ の検証プロジェクトで記者がフェイクニュースと判定したサイトとツイートの一覧

番号	日付	種類	投稿者
1	9月29日	サイト	J-CAST ニュース
2	9月30日	Twitter	ヒゲ仙
3		サイト	アノニマスポスト
4	10月1日	Twitter	市民連合わかやま・くまの
5	10月2日	サイト	政経ワロスまとめニュース♪
6		サイト	もえるあじあ (・∀・)
7	10月3日	Twitter	WARP
8	10月4日	Twitter	もと (^^;
9		Twitter	santarou 0805
10		サイト	RUMBLE――サラリーマンの為の成長読本
11		Twitter	釈量子
12	10月5日	Twitter	nori
13	10月12日	Twitter	和田瑞季
14	10月13日	Twitter	嘘と素通りのエレベーター
15	10月14日	Twitter	月光3569

表2　記者のフェイクニュースの判定理由と判定人数

番号	日付	判定理由	判定人数
1	9月29日	「報道ステーション」の該当部分では、辻元氏は記者の質問に立ち止まって回答しており「意味不明」ではない。放映時間内での「無言」状態は数秒程度である。	5
2	9月30日	自民党党則に帰化議員が出馬できないというルールの記載はない。野党の半分が朝鮮人である根拠はない。	2
3		無所属で出馬と事務所に確認。	3
4	10月1日	希望の党は原発ゼロを公約にしており原発「賛成」は誤り。	2
5	10月2日	高槻市役所で会見しており行方不明ではない。	2
6		希望の党に公認申請していないことを、議員事務所や民進党大阪府連に確認。	3
7	10月3日	高松市選挙管理委員会と仙台市選挙管理委員会の開票不正は開票ミスの隠蔽が目的。「期日前投票が白票とのすりかえや票の破棄を促す」を意味するものではない。期日前投票と不正は無関係。	2
8	10月4日	ツイッターで「CDP2017」は検索できる。	2
9		辻元清美氏のブログや国際問題評論家の吉田康彦氏のウェブサイトから、万景峰号ではないと判断。	3
10		ベストライセンス株式会社から出願はされているが、登録はされていない。	3
11		立憲主義は「憲法に基づいて法権力を行使する」の意味であり、「憲法を制定すること」ではない。	2
12	10月5日	東京都に確認。構図に間違いはないが、額の根拠が希薄だったり不明確である。	2
13	10月12日	公職選挙法では外国人の選挙運動を禁じられていない。	4
14	10月13日	公職選挙法では日本国民であれば出馬できる。また、二重国籍解除は努力規定である。	3
15	10月14日	13と同様。総務省選挙課は「公選法は外国人の選挙運動を制限していない」と指摘。	4

池晃の顔写真を並べ、憲法改正や原子力発電所といった選挙争点への賛成・反対を書き込んだ独自の表が画像で添付されていた。このような公約に関するものは有権者の投票に影響を与える可能性もあるが、辻元と北朝鮮、立憲民主党とロシアを結び付ける言説や、期日前投票が白票とすり替えられるといった荒唐無稽な陰謀論に対して、記者からは「不確実な情報は取るに足らないようなものので、フェイクニュースとして対応するべきか悩ましい」（全国紙記者）という声があった。

「ネットの反応」を組み合わせる

フェイクニュースと判定された五件のサイトはいずれもミドルメディアだった。ニュース記事の体裁を取っていたのは番号1と10の二件。残りは記事とネットの反応を組み合わせるまとめサイトの体裁を取っていた。

ミドルメディアはベンクラーらが指摘するプロパガンダ・パイプライン同様に、①ソーシャルメディアの話題をマスメディアに届ける役割でフェイクニュースを生成していると考えられる。そこで、ミドルメディアがどのような書き込みをどのように取り上げているのかを確認する。

・「J-CASTニュース」（番号1）

二〇一七年九月二十八日のテレビ朝日『報道ステーション』（二〇〇四年―）で、辻元清美が「私は〔民進党：引用者注〕執行部ですので発言はしていません」と発言したという放送内容を引用し、文章で「意味不明の言葉をキレ気味に話した。カメラは車道に移り、車に乗り込む場面が映ると辻元さんはドアをドンと強く閉めた」と放送内容を補足していた。この放送に対し、「Twitter」や掲示板で、「辻元が希望に入ったりしたら笑うよね。赤松も入るのかな?」「この人は絶対に無所属でしょう!」「辻本《(ママ)》↓共産党へ行けばいいやんか」などの書き込みがあったことを紹介している。

具体的なツイートや掲示板へのリンクや画像はなく、もとになった書き込みを特定することはできなかった。

・「アノニマスポスト」(番号3)
二〇一七年九月三十日の「朝日新聞デジタル」の記事のテキストをコピーし、冒頭には民進党安住淳の顔写真を掲載。次に希望の党に細野豪志が合流したことを報道した朝日放送『キャスト』(二〇一一年―)の画面キャプチャー二枚を掲載。次にインターネットの反応として、「この嘘つきーーーーーっっっ!!!」「何でもアリやなｗｗ」「民進党の議員どもの正体が見えて面白いな」といった書き込みを紹介している。

反応の投稿名は「名無し」とサイトでは記載され、具体的なツイートや掲示板へのリンクや画像はなく、もとになった書き込みを特定することはできなかった。

・「政経ワロスまとめニュース♪」(番号5)
二〇一七年九月二十九日付の「産経新聞ＷＥＳＴ」の記事のテキストをコピー。そのあとに、掲示板の書き込みを掲載。「生コンの奴らと一緒に祖国に帰れよｗ」「共産党に逝け」「落選すればただの人」といった書き込みを紹介している。

書き込みの引用元は掲示板「2ちゃんねる」のスレッド「政治ニュース+」である。

・「もえるあじあ（・∀・）」（番号6）

二〇一七年九月二十八日のテレビ朝日『報道ステーション』で放送された辻元のキャプチャー写真に、民進党の有田芳生のツイートをリンク。そのあとに、掲示板の投稿を掲載して「今日の笑いどころ　辻元希望公認申請していた@共同」と共同通信社が報じたかのような書き込みを赤字で紹介している。「産経新聞WEST」の記事もリンクしている。

書き込みの引用元は掲示板「2ちゃんねる」とみられるが、確認時点で記事が消えていてスレッドを確認することができなかった。

・「RUMBL――サラリーマンの為の成長読本」（番号10）

出典不明のマトリョーシカの画像が冒頭にあり、参考として特許事務所のページ、「Wikipedia」の立憲民主党のページ、「Yahoo!」に配信された「毎日新聞」の政治記事のURLを提示しているが、URLの一部が削除されていてクリックすることはできない。

参考として提示されているこれらのコンテンツが記事のどこに反映されているのかは不明である。

多くのサイトが、既存メディアのニュースとそれに対する批判的なネットの反応を取り上げている。このネットの反応のほとんどは、もとになった書き込みを確認することができないため実態は不明であり、書き込みの量やネガティブ・ポジティブの割合などのデータも提示されていない。どの部分をどの順番で引用するか強調するかは、サイト運営者に委ねられていて、存在しない書き込みからネットの反応を捏造することも可能である。引用元が明らかでない場合は、検証は不可能である。

ミドルメディアの多くが正体不明

フェイクニュースを発信しているサイトは誰が運営しているのかについて、各社のサイトで確認する。「J-CAST ニュース」の運営元はジェイ・キャストで、所在地、役員名などがサイトに明記されている。[12] 事業内容に、オンラインニュースの配信・運営とあり、日本インターネット報道協会や日本マス・コミュニケーション学会にも加盟している。サイトの説明では「J-CAST ニュース」はポータルサイトに記事を配信していて、確認したところ表1の番号1の記事が「Yahoo!」「@nifty」「BIGLOBE」の各ポータルサイトに配信されていた。運営会社の概要ページがあったのは「J-CAST ニュース」だけであり、残りは運営元が不明で、ポータルサイトへの配信も確認できなかった。ミドルメディアは、実態不明のネットの反応を組み合わせてフェイクニュースを作っているが、そのミドルメディアもまた多くが正体不明である。

フェイクニュースと判定されたサイトがどのような種類のものとして判断されるのか、検索サイトに向けてページ内容の要約を伝えるメタタグの内容を確認した。[13]「アノニマスポスト」は「政治・経済・東アジア・外交・韓国・中国・北朝鮮・サヨク・沖縄基地問題・沖縄サヨク・偏向報道。反日マスコミ関連ニュースとネットの反応まとめブログ」、「政経ワロスまとめニュース♪」は「政治経済に関するまとめサイトです」、「もえるあじあ(・∀・)」は「アジア関係のニュース、ネタなどを日本人目線で軽く、見やすく、分かりやすくをモットーにまとめます」、「RUMBLE」は「サラリーマンの為の成長読本」と記載してあった。

まとめサイトの体裁は一見ニュース記事とは異なるが、このメタタグの内容だと検索サイトではニュースサイトだと判断する可能性がある。

4　ミドルメディアが拡散する

調査手法

次に、フェイクニュースと訂正情報の生成・拡散のプロセスを詳細にみていく。表1の番号1の辻元清美が「大発狂」したという内容のフェイクニュースとその訂正情報を対象に、掲示板、「Twitter」、インターネットメディアなどのニュース生態系の動きを確認する。

記事が「J-CAST ニュース」に掲載されたのは九月二十九日である。これがフェイクニュースであるという訂正情報は、十月四日にJCEJのサイトに掲載されている。フェイクニュースの対象になった辻元清美は十月十五日にオフィシャルサイトに「「辻元が大発狂する人」という印象は全国の多くの人に事実として信じられてしまいました」とスタッフ名義で記事を掲載し、「J-CASTニュース」編集長に抗議している[14]。

このフェイクニュースは、どのように生成され、どのように拡散していったのだろうか。そして、訂正情報はどのように拡散したのだろうか。フェイクニュースと訂正情報を比較する。

該当するフェイクニュースに関するキーワード「辻元 大発狂」を、「Twitter」で検索し、関連するツイートを収集した。収集期間は、二〇一七年九月三十日から十一月十四日で、収集した総ツイート数は七百十四件だった。同時期に対象になる辻元に関する別のフェイクニュース（番号5、6、9）が流れていたため、手作業でおこなった。次に、収集したツイートを「フェイクニュース」と「訂正情報」に分類した。ＪＣＥＪのサイトＵＲＬを含むもの、もしくは対象のフェイクニュースについて「フェイク」「事実ではない」という否定の言葉が入っているものを訂正情報と分類した。

その結果、七百十四件のツイートは、五百六十六件のフェイクニュースと百四十八件の訂正情報に分けられた。ツイートにＵＲＬが含まれている場合は、ＵＲＬ先のサイトの情報を収集し、さらに、ツイート中に含まれたＵＲＬのサイトに、別のサイトやツイートへのリンクがあった場合も情報を収集した。収集したサイトについては、重複を削除した。

得られたデータは以下のとおりである。

①フェイクニュースに言及しているツイート　五百六十六件
②フェイクニュースに関連するサイト　百二十六件

③訂正情報に言及しているツイート　百四十八件
④訂正情報に関連するサイト　二十五件

ミドルメディアの拡散量に差

マスメディア・ミドルメディアでの拡散量を示す。フェイクニュースでは、拡散力の平均が最も高いのはマスメディアである。これはすでに述べたように「J-CASTニュース」の記事が配信され、「Yahoo!ニュース」に掲載されたことによる。ミドルメディアの拡散力はマスメディアの十五分の一程度だが、掲載件数はマスメディア三に対し、ミドルメディアは百十一であり、多くのミドルメディアが取り上げたことで拡散している。訂正情報については、「東京新聞」とオンライン版「現代ビジネス」（講談社）の二件が取り上げているが、拡散力が弱い。ミドルメディアも取り上げている件数が十七件と少ない。

図3に、フェイクニュースと訂正情報の広がりを時系列で示す。円の大きさはツイートの量を示している。フェイクニュースは、発端であるツイートの直後にミドルメディアが話題を取り上げ、「J-CASTニュース」による記事がポータルサイトに配信されたことでツイート量が増加。さらに、記事が掲示板に転載され、それが再びミドルメディアに取り上げられるという連鎖が続いている。一方、訂正情報は、ＪＣＥＪのブログ、「東京新聞」の記事ともにミドルメディアに取り上げられていない。辻元のオフィシャルサイトの記事は、ミドルメディアのニュースサイトに転載されているが、関連するツイート量は少ない。

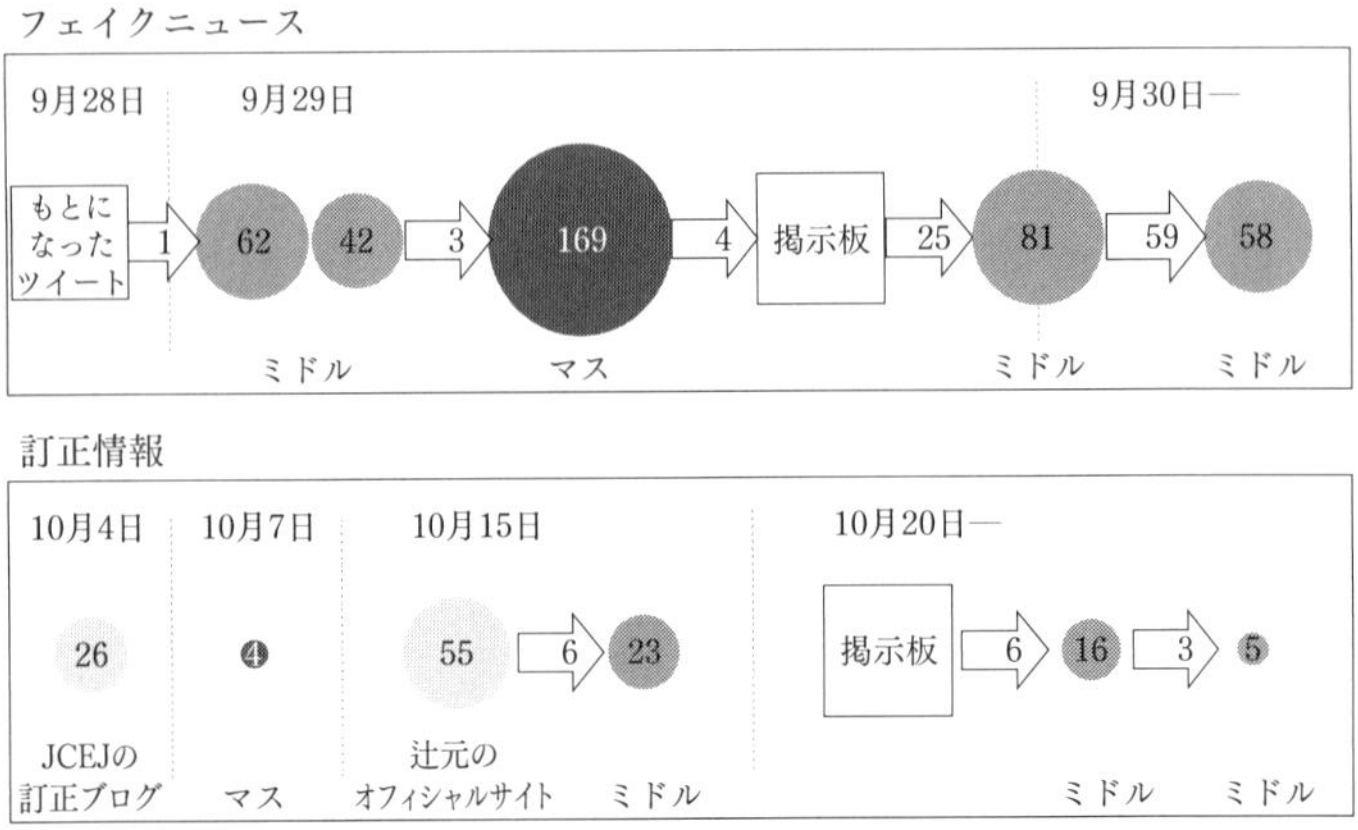
フェイクニュース
9月28日
9月29日
9月30日―
もとになったツイート
1
62
42
3
169
4
掲示板
25
81
59
58
ミドル
マス
ミドル
ミドル
訂正情報
10月4日
10月7日
10月15日
10月20日―
26
4
55
6
23
掲示板
6
16
3
5
JCEJの訂正ブログ
マス
辻元のオフィシャルサイト
ミドル
ミドル
ミドル

図3　フェイクニュースと訂正情報の拡散量の差。フェイクニュースのほうが拡散している

フェイクニュースが短い時間で連鎖的にミドルメディアに取り上げられているのに対し、訂正情報は連鎖しておらず、時間が空いている。

メディア間の相互作用で成長する

フェイクニュースの生成過程を確認する。フェイクニュースは、マスメディアであるテレビ朝日の『報道ステーション』の放送に対する反応ツイートから生まれている。このツイートには、実際のテレビ報道の一部を切り抜いた動画、番組名のハッシュタグが付けられていた。報道では、辻元が歩きながら記者団の質問を受け、「私は執行部ですので発言はしていません」と回答し、車のドアを閉める様子を映していた。車のドアを閉める音は特段大きくはないが、ツイートでは「バタンッ！」と強調する表現になっている。

・フェイクニュース生成の起点になったツイート

【私は執行部！バタンッ！】
記者：希望の党への合流は？
辻元：執行部なので発言してない💢
記者：希望の党の公認得られる？
無理でしょ！
#報道ステーション

このツイートをミドルメディアである「政経ワロスまとめニュース♪」が取り上げる。ここでタイトルに「大発狂」が付け加えられる。

・「政経ワロスまとめニュース♪」のタイトル
【報ステ】辻元清美が大発狂！民進党・前原代表を罠にハメた小池百合子の真の意図に気付いた模様ｗｗｗ希望の党の公認選別リストで左翼壊滅かｗｗｗ

この「大発狂」は「J-CAST ニュース」の記事タイトルに使われ、さらに「無言」というキーワードが付け加えられている。なお、動画では辻元が立ち止まって記者団に対して発言したことが確認できるため、「無言」は間違いである。この記事が、ポータルサイトの「Yahoo! ニュース」「@nifty ニュース」「BIGLOBE ニュース」に配信される。

・「J-CAST ニュース」のタイトル

辻元清美が「大発狂」とネットで話題に 記者の質問に無言――突然、意味不明の言葉を発し

……

このあと、掲示板である「2ちゃんねる」に複数のスレッドが立てられ、タイトルは少しずつ変容していく（図4参照）。タイトルに登場する火病はインターネットのスラングで、怒っていたり、興奮していたりする様子を表していて、韓国・朝鮮人に対して差別的な意味で使われることがある。掲示板で付加された火病かは、まとめサイトである「アルニダデスブログ」で取り上げられる。なお、ここには「J-CAST ニュース」の記事URLがリンクされている。「Yahoo! ニュース」に配信された記事は、掲示板、まとめサイトに広がっていく。「Yahoo! ニュース」の記事URLは、まとめサイトの「もえるあじあ（・∀・）」などにリンクされ、タイトルには【ワロタ】や車のドアを閉めた様子を強調する「バタンッ」が「バーーーーン」と大げさな表現になって付け加えられている。

・「もえるあじあ（・∀・）」のタイトル

【ワロタｗ】辻元清美、大発狂の場面が報ステで流れるｗ　記者に取り囲まれ意味不明な言葉を発し、車のドアをバーーーーン！！！！

その後もミドルメディアではタイトルが変化していくが、「大発狂」は継続して使われている。また、「YouTube」のある動画では、「J-CAST ニュース」の記事を合成音声によって読み上げていた。

フェイクニュースの生成過程を確認していくと、掲示板やミドルメディアを行き来しながら、タイトルに新たな言葉が付与されるなど、メディア間の相互作用で成長していくことがわかった。図4に記事タイトルとリンク関係などを示したが、不確実な情報がミドルメディアの記事にまとめられ、配信を通してインターネットで大きな影響力をもつポータルサイトに到達し、さらに掲示板やミドルメディアに広がっていく様子がわかる。「Yahoo! ニュース」からのリンクの多さは、ポータルサイトの影響力の強さを物語っている。

拡散力が弱い訂正情報

次に、訂正情報に関するタイトルの変遷を時系列で確認する。フェイクニュースに比べて訂正情報の拡散は少ない。図3にもあるように、最も拡散しているのは十月十五日の辻元のオフィシャルサイトによる発信である。フェイクニュースはポータルサイトに記事が配信されたが、「東京新聞」の記事は紙面に加えインターネットには公開されているがポータルサイトには配信されていない。また、記事内容は、ＪＣＥＪの検証プロジェクトにフォーカスしたもので、フェイクニュースの内容に詳しく言及していない。なお、記事は以下のような表現になっている。

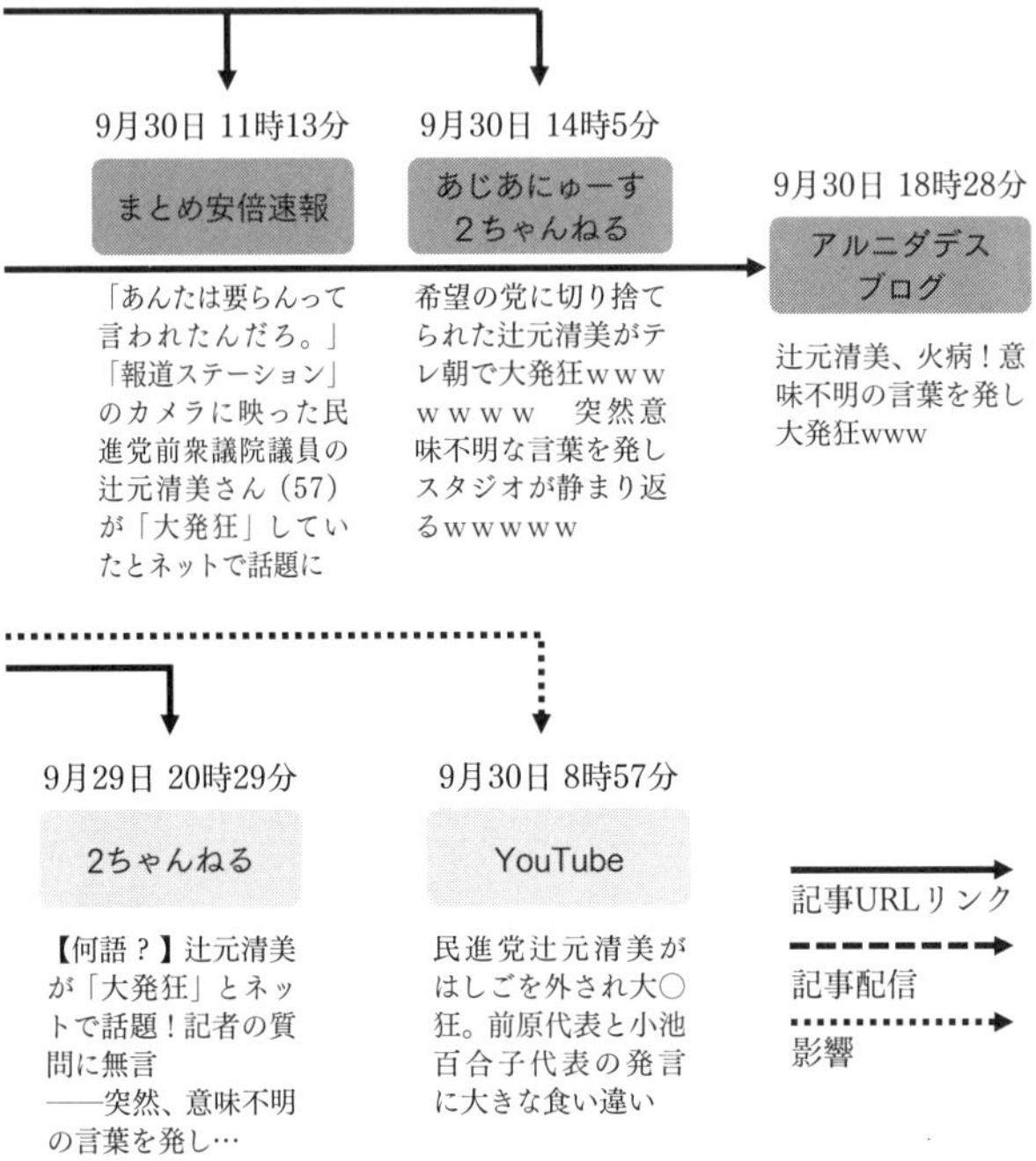
9月30日 11時13分
まとめ安倍速報
「あんたは要らんって言われたんだろ。」「報道ステーション」のカメラに映った民進党前衆議院議員の辻元清美さん（57）が「大発狂」していたとネットで話題に
9月30日 14時5分
あじあにゅーす2ちゃんねる
希望の党に切り捨てられた辻元清美がテレ朝で大発狂ｗｗｗｗｗｗｗ　突然意味不明な言葉を発しスタジオが静まり返るｗｗｗｗｗ
9月30日 18時28分
アルニダデスブログ
辻元清美、火病！意味不明の言葉を発し大発狂www
9月29日 20時29分
2ちゃんねる
【何語？】辻元清美が「大発狂」とネットで話題！記者の質問に無言
——突然、意味不明の言葉を発し…
9月30日 8時57分
YouTube
民進党辻元清美がはしごを外され大○狂。前原代表と小池百合子代表の発言に大きな食い違い
記事URLリンク
記事配信
影響

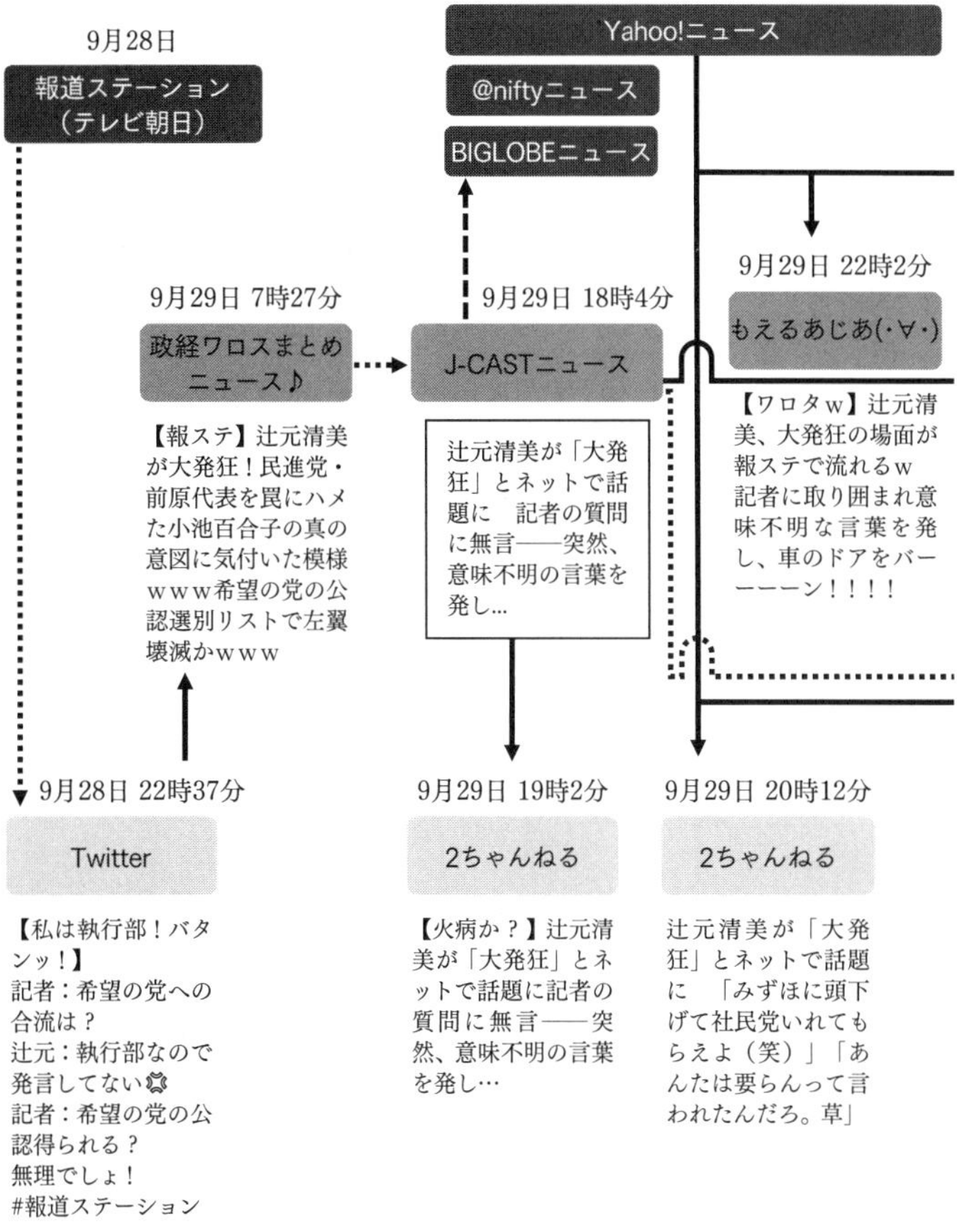

図4　フェイクニュースの生成・拡散過程。ミドルメディアを中核に、メディア間の相互作用で成長していく

これまでフェイクニュースと判定された二件のうち、一件は「辻元清美が『大発狂』とネットで話題に」と題した投稿。大阪10区から立憲民主党で出馬予定の前職辻元清美が「突然、意味不明の言葉」を発したと記されていたが、五人の記者が「大発狂した事実はない」と判断した。

この投稿は現在もネット上に残っているが、タイトルから「大発狂」の文字は削除されている。閲覧者は三日時点で約十五万八千人とされている。[15]

十月十九日の「現代ビジネス」はＪＣＥＪブログのＵＲＬをリンクしているが、記事タイトルは「新聞社説の分析でわかった「民進党がデマの標的になる理由」」で、こちらもフェイクニュースの内容に詳しく言及したものではなく、新聞の社説を分析した記事である。この段階では、ミドルメディアやマスメディアには訂正情報は広がっていない。

掲示板やミドルメディアに訂正情報が広がり始めるのは、辻元のオフィシャルサイトがフェイクニュースであることを指摘してからだ。オフィシャルサイトの記事は、ミドルメディアのニュースサイト「BLOGOS」に配信されている。翌日、「2ちゃんねる」に【朗報】というタイトルを付け加えてスレッドが立てられる。スレッドへの書き込みには、フェイクニュースであることを指摘するものもあるが、辻元に対して批判的なものやフェイクニュースが事実であると間違ったものもあり、訂正情報が拡散しているとは言いがたい。掲示板も同様の傾向だった。フェイクニュースに対

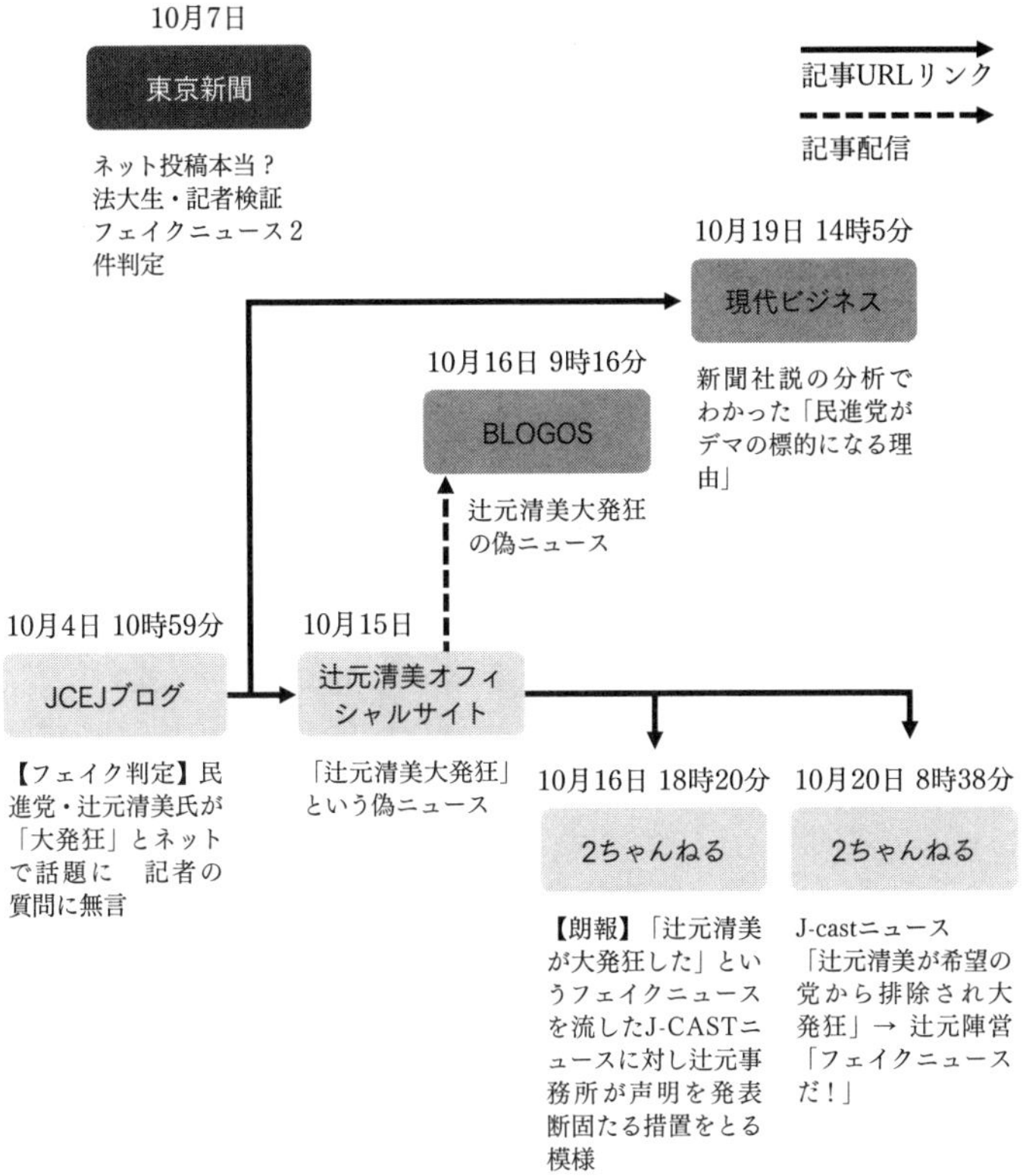

図5　訂正情報の生成・拡散過程。フェイクニュースに比べて訂正情報は広がりに乏しい

する訂正情報は拡散力が弱く、URLがリンクされていても訂正情報が広がっているとはかぎらない。

5 フェイクニュース・パイプラインの発見

ここまで、フェイクニュースの生成過程でのミドルメディアの役割の①ソーシャルメディアの話題をマスメディアに届けることがフェイクニュースを生成していると考えて調査してきた。調査の結果、フェイクニュースは、マスメディアのニュースに対するソーシャルメディアの批判的・否定的反応を加えることで生成されていた。従来はミドルメディアの役割として指摘されてきた①や②ではなく、③マスメディアの話題とソーシャルメディアの話題を組み合わせるという役割によって生成されていた。

プロパガンダ・パイプラインでは、周縁的な不確実情報がオルタナ右翼のニュースサイトに取り上げられ、既存メディアや政治的なエリートなどの中心部に到達していたが、国内ではソーシャルメディアの不確実な情報が、ミドルメディアでの記事配信を通して大きな影響力をもつポータルサイトに到達していた。この経路をフェイクニュース・パイプラインと呼ぶことにする。

フェイクニュース・パイプラインは、フェイクニュースをポータルサイトに運んでいるだけではない。ポータルサイトに到達したフェイクニュースは、ミドルメディアや掲示板へとさらに話題を

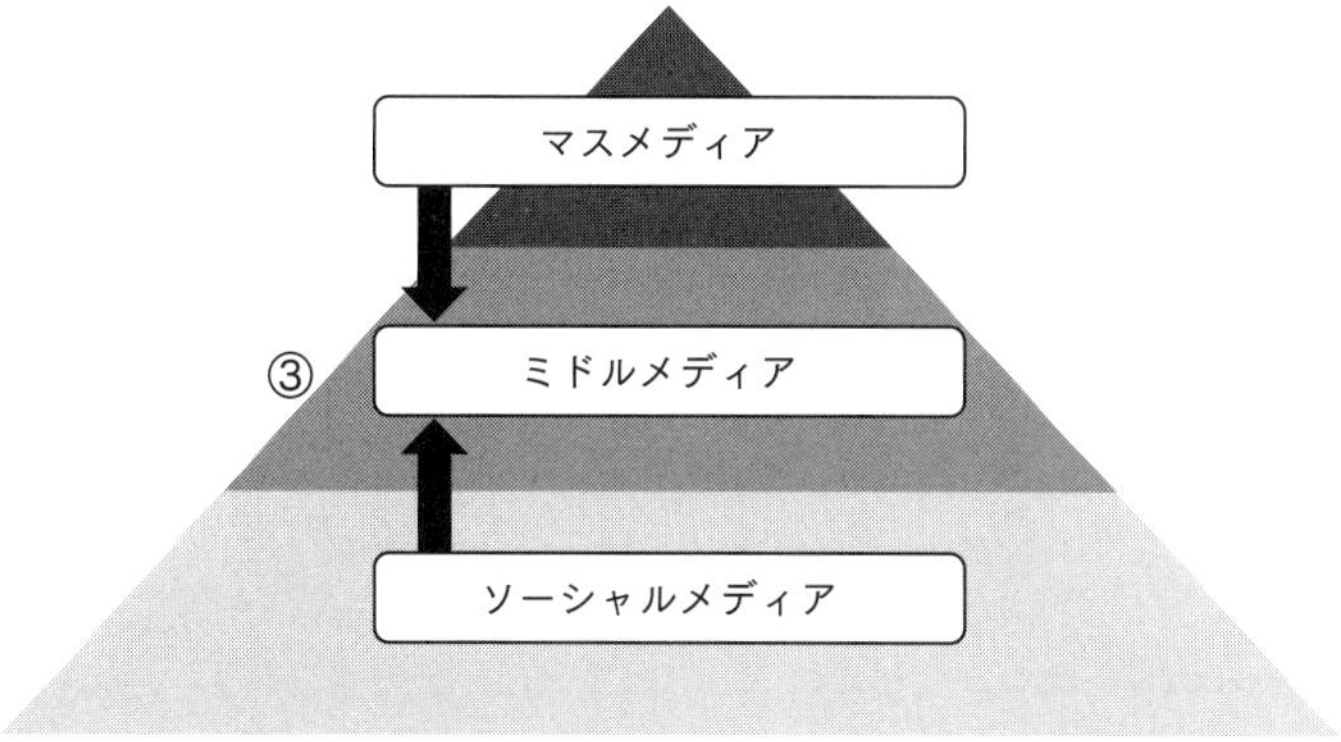

図6　フェイクニュースはミドルメディアの③マスメディアの話題とソーシャルメディアの話題を組み合わせる役割により生成されている

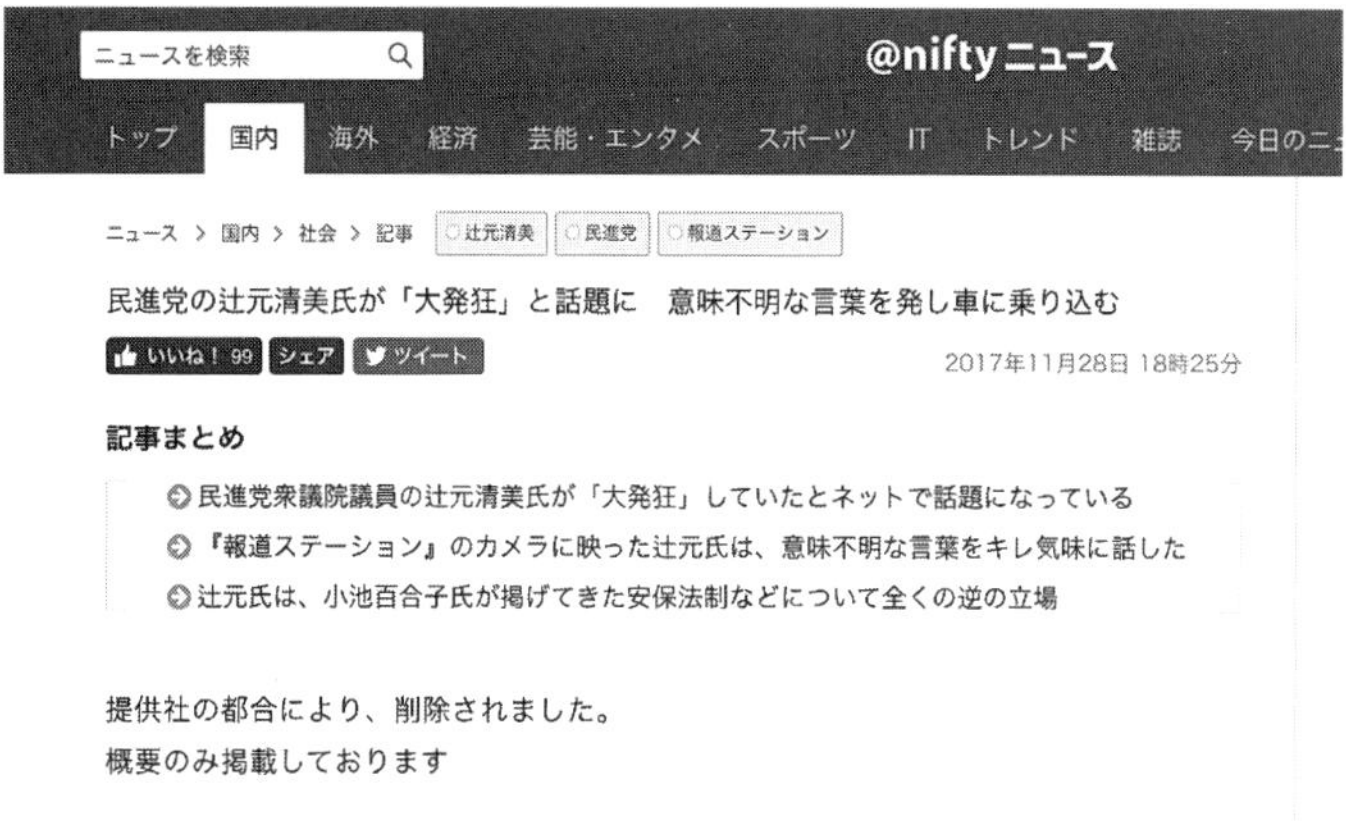

図7　「@nity ニュース」に残っていたタイトルと概要。配信された記事は削除されているが、概要は残っているため間違った情報が拡散し続ける

拡散させていた。これはミドルメディアの②マスメディアの話題をソーシャルメディアに届ける役割による。

記事内容は同じだが、「J-CAST ニュース」ではなく、「Yahoo! ニュース」のURLをミドルメディアや掲示板が利用していることも注目に値する。「Yahoo! ニュース」からのリンクの多さは、ポータルサイトが取り上げたニュースは話題性が高くページビューを稼ぐことができるためとミドルメディアが判断していると考えられる。

フェイクニュース・パイプラインによってミドルメディアにまとめられ／記事化され、ポータルサイトに到達したフェイクニュースは、図4で見たように再びミドルメディアによって取り上げられる。それが掲示板や「Twitter」などのソーシャルメディアに拡散していく。ミドルメディアが中核になり、マスメディアとソーシャルメディアの共振を引き起こし、ニュース生態系を循環することで汚染はより深刻化する。

フェイクニュースであると明らかになったあともポータルサイトの対応は不十分だ。「@nifty」では、記事は削除されているものの「大発狂」という文字を含むタイトルと概要が残されていた。キャプチャー内にあるサイトの日付は十一月二十八日で、辻元が指摘してから一カ月以上残っていた。ポータルサイトにタイトルと概要が残ると、検索サイトで表示されたり、ソーシャルメディアへの拡散の起点になったりするため間違った情報が拡散し続けることになる。

6　ポータルサイトの無責任

二〇一七年の衆議院議員選挙をケースにした分析でわかったことは、ミドルメディアとポータルサイトという国内のニュース生態系がフェイクニュースの生成・拡散に大きく影響しているということだった。そして、訂正情報の拡散力は弱く、具体的なフェイクニュースの内容に言及する記事化はおこなわれていなかった。

なぜ、実態不明のネットの反応を含んだニュース記事がポータルサイトに掲載されてしまうのか。これは、ポータルサイトを運営する企業が報道機関である既存メディアとは異なる特徴をもつためだ。ポータルサイトは、大きな影響力をもつメディアでありながら、コンテンツを掲載する場所＝プラットフォームであると主張し、その立ち位置と責任をあいまいにしてきた。[16]ポータルサイトは、新聞社やインターネットメディアと契約しているが、配信される一つひとつの記事の内容や事実関係を確認しているわけではない。二〇一五年には、広告であることを隠してニュース記事として配信するステルスマーケティング（ステマ）が「Yahoo! ニュース」でおこなわれていたことが発覚し、一部のインターネットメディアからの配信を停止した。ポータルサイト側の確認不足を利用し、広告をニュースとして配信できる仕組みは、フェイクニュース・パイプラインと同じ構造である。[17]

インターネットの論客である山本一郎は、ステマがおこなわれたのは、ポータルサイトが記事を安価で買い叩いたためだと指摘している。[18]フェイクニュースも同様である。取材コストを抑えながらページビューを稼ぐことができるニュース記事として、ネットの反応を記事化する手法が生み出された。だが、ネットの反応には不確実なものが入り交じる。

フェイクニュース・パイプラインが生み出されたのは、ポータルサイトが配信記事の取り扱いをミドルメディアにまで拡大したことに起因している。「ニュースの拡張」は多様なニュースを生み出したが、フェイクニュースも生み出した。国内のニュース生態系の構造そのものがフェイクニュースを生み出しているため、読者は常に脅威にさらされている。

生態系の浄化を担うべき既存メディアは、フェイクニュースに具体的に言及して訂正する記事を書いていない。ＪＣＥＪの検証プロジェクトには十九人が参加していたが、記事化したのは本章にも紹介している「東京新聞」などわずかであり、それもプロジェクトにフォーカスしたものだった。その要因として、取るに足りない不確実な情報をフェイクニュースとして対応するか悩ましいという記者の考えがある。なぜ、フェイクニュースを訂正する記事を書かないのかは、第４章「フェイクニュースは検証できるのか」（藤代裕之）で詳しく述べる。

本章で明らかになったのは、ニュースを生み出す仕組みそのものがフェイクニュースを生んでいるということである。フェイクニュースはページビューを求めるミドルメディア、無責任なポータルサイト、訂正記事を書かない既存メディアという、ニュース生態系のすきを突いて生成・拡散している。

注

（1）Yochai Benkler, Robert Faris and Hal Roberts, *Network Propaganda: Manipulation, Disinformation, and Radicalization in American Politics*, Oxford University Press, 2018.

（2）*Ibid*, p. 225.

（3）ピザゲート事件に関する調査報道は、「ニューヨークタイムズ」の“Dissecting the #PizzaGate Conspiracy Theories,”（https://www.nytimes.com/interactive/2016/12/10/business/media/pizzagate.html）〔二〇二一年七月十五日アクセス〕や「ワシントンポスト」の“Pizzagate: From rumor, to hashtag, to gunfire in D.C.”（https://www.washingtonpost.com/local/pizzagate-from-rumor-to-hashtag-to-gunfire-in-dc/2016/12/06/4c7def50-bbd4-11e6-94ac-3d324840106c_story.html）〔二〇二一年七月十五日アクセス〕などを参照。

（4）Claire Wardle, “5 Lessons for Reporting in an Age of Disinformation,” 2018（https://firstdraftnews.org/latest/5-lessons-for-reporting-in-an-age-of-disinformation/）〔二〇二一年七月十五日アクセス〕

（5）Pew Research Center, “News Use Across Social Media Platforms in 2020,” 2021（https://www.journalism.org/2021/01/12/news-use-across-social-media-platforms-in-2020/）〔二〇二一年七月十五日アクセス〕

（6）Reuters Institute “Digital News Report 2021”（https://reutersinstitute.politics.ox.ac.uk/sites/default/files/2021-06/DNR_2021_FINAL.pdf）〔二〇二一年七月十五日アクセス〕

（7）新聞通信調査会「メディアに関する全国世論調査」新聞通信調査会（https://www.chosakai.gr.jp/project/notification/）〔二〇二一年七月十五日アクセス〕

（8）木村忠正『ハイブリッド・エスノグラフィー――NC研究の質的方法と実践』新曜社、二〇一八年

（9）ミドルメディアに関しては、藤代裕之「誰もがジャーナリストになる時代――ミドルメディアの果たす役割と課題」（遠藤薫編著『間メディア社会の〈ジャーナリズム〉――ソーシャルメディアは公共性を変えるか』所収、東京電機大学出版局、二〇一四年、一〇三―一二三ページ）や藤代裕之『ネットメディア覇権戦争――偽ニュースはなぜ生まれたか』（〔光文社新書〕、光文社、二〇一七年）を参照。

（10）ファクトチェック・イニシアティブ「FIJファクトチェック 2017総選挙プロジェクト」（http://archive.fij.info/archives/election2017）〔二〇二一年七月十五日アクセス〕

（11）日本ジャーナリスト教育センター（JCEJ）のプロジェクト「#JCEJ 活動日記」（http://jcej.hatenablog.com/）〔二〇二一年七月十五日アクセス〕。

（12）ジェイ・キャストのウェブサイト（https://www.j-cast.co.jp/）〔二〇二一年七月十五日アクセス〕。

（13）Googleが公表している「検索エンジン最適化（SEO）スターターガイド」（〔https://support.google.com/webmasters/answer/7451184〕〔二〇二一年七月十五日アクセス〕）から。

（14）辻元清美オフィシャルウェブサイト「「辻元清美大発狂」という偽ニュース」、二〇一七年十月十五日（https://www.kiyomi.gr.jp/blog/13409/）〔二〇二一年七月十五日アクセス〕

（15）「ネット投稿本当？ 法大生・記者検証 フェイクニュース2件判定」「東京新聞」二〇一七年十月七日付夕刊

（16）前掲『ネットメディア覇権戦争』

（17）藤代裕之「ステマ問題で浮かび上がるネットメディアの構造問題」「宣伝会議」二〇一五年年十一月号、宣伝会議、八四―八五ページ

（18）山本一郎「「ヤフージャパン一人勝ち」と「報道記事の買い叩き」がステマ横行の原因」、二〇一五年（https://news.yahoo.co.jp/byline/yamamotoichiro/20151001-00050069/）［二〇二〇年一月二十七日アクセス（二〇二一年七月十五日現在は削除）］

［付記］本章は、藤代裕之「フェイクニュース生成過程におけるミドルメディアの役割――2017年衆議院選挙を事例として」（「情報通信学会誌」第三十七巻第二号、情報通信学会、二〇一九年、九三―九九ページ）と NewsIR 2019 での発表、Hirotaka Kawashima, Hiroyuki Fujishiro, "The Diffusion of Fake News through the 'Middle Media' - Contaminated Online Sphere in Japan" に加筆し修正したものである。

第3章　汚染されたニュース生態系

藤代裕之

1　メディアが汚染を引き起こす

第2章「フェイクニュースはどのように生まれ、広がるのか」（藤代裕之／川島浩誉）では、ニュースを生み出す仕組みそのものがフェイクニュースを生んでいたことを指摘した。テレビや新聞などの既存メディアはフェイクニュースと関わりが薄いようにみえたが、そうではない。

トイレットペーパー不足はソーシャルメディアが原因――。これは二〇二〇年に世界を大きく変えた新型コロナウイルス感染症に関するデマの典型として紹介される事例だが、実はその拡散には既存メディアが大きく関わっている。本章では、新型コロナウイルス感染症に関する「デマ」の事例から、ニュース生態系への既存メディアの関わりを分析する。

ＷＨＯ（世界保健機関）は新型コロナウイルス感染症について、ウイルスに関する流言などの大量の情報が氾濫し、現実社会に影響を及ぼすインフォデミックが起こっていると指摘した。[1] インフォデミックとは、インフォメーション（情報）と感染症の急速な流行拡大を指すエピデミックを組み合わせた造語で、情報が急拡大することを指す。インフォデミックが起きると不確実な情報によって公的機関の信頼性が失われるだけでなく、膨大な情報そのものが不安をあおって精神的な健康や憎悪の拡大に影響を及ぼす可能性がある。

国内でも新型コロナウイルス感染症に関する情報は錯綜し、お湯を飲めば感染予防に効果があるなどの間違った情報が広がって社会に混乱をもたらした。なかでも、トイレットペーパー不足に関するニュースは、商品がドラッグストアなどの店頭から消えて連日行列ができるなど、大きな混乱を引き起こしたといえる。

トイレットペーパー不足の原因はテレビ

「日本経済新聞」は三月に、ソーシャルメディア上の「デマ」がトイレットペーパーの買い占めや価格の高騰を引き起こしたと報じた。[2] その後、計算社会学を専門とする鳥海不二夫とデータ分析会社のホットリンクとの共同調査で、ソーシャルメディアの「デマ」が買い占めの原因だとする説を否定する記事を書いている。[3] 記事によれば、「Twitter」を調査したところ「デマ」の発端とされた投稿はほとんど拡散されていなかった。販売状況を確認できるPOSデータでは二十七日からトイレットペーパーの購入額が急増していて、「デマ」を否定する投稿が拡散したことがトイレットペーパー不足の原因だとしている。

トイレットペーパー不足に関するテレビ報道とツイートを調査したNHK放送文化研究所の福長秀彦は、不足を訴える投稿はソーシャルメディアに存在はしているが、買いだめの急加速を促したのは主としてテレビだと指摘している。[4] 市場調査会社のサーベイリサーチセンターの調査では、トイレットペーパー不足の情報源は、「テレビ」という回答が四六・七%と最も高い割合で、次に「人との会話・口コミ」が一五・九%、「Twitter」は八・〇%、「LINE」は〇・六%だった。[5] 鳥海は、トイレットペーパー不足について、ソーシャルメディアで拡散していない話題をメディアが「拡散している」と記事にしたことで、拡散が生まれる「非実在型炎上」が起きたと指摘している。[6]

これらの調査や指摘をふまえれば、ソーシャルメディアの「デマ」がトイレットペーパー不足の直接の原因という説は間違いで、ソーシャルメディアにほとんど存在していない話題を既存メディアが取り上げることで騒動が拡大したと考えられる。なぜこのような問題が起きるのだろうか。

2　コロナの「デマ」が明らかにした「ズレ」

トイレットペーパー不足を含む新型コロナウイルス感染症に関する「デマ」について、既存メディアの記事とソーシャルメディアの投稿を比較することで、ニュース生態系への関わりを明らかにする。なお、デマという言葉は、政治的な目的で意図的に流される嘘を指すことが多く、自然発生するうわさ・流言とは区別されているが、本章では、調査対象であるツイートや新聞記事でデマと表記されているものを「デマ」と記している。

調査手法

ツイートと記事のデータ収集期間は二〇二〇年三月一日から五月三十一日までの三カ月分である。記事の収集には、新聞社が提供している記事データベースを利用し「デマ」というキーワードで検索をおこなった。その結果、「読売新聞」が百五十六件、「朝日新聞」が百六十三件、「毎日新聞」が百二十一件、計四百四十件が表示された。新型コロナウイルスに関連する内容に限定するため、無関係の記事百四件を削除した。さらに読者投稿欄四十一件、海外に関する投稿三十一件を削除し、残った二百六十四件を分析に使用した。

ツイートは、ユーザーローカル社が提供している解析ツール「SocialInsight」を利用して、各月一万件の計三万件を収集した。収集したデータのうち、アカウント名、ユーザー名、投稿時間、投稿、リツイート数、「いいね」数を利用する。三万件のうち、分析に用いたのはリツイート上位一％の三百件で、これはリツイート上位の拡散しているツイートは人々の関心が高いと判断したためである。三百件から、新型コロナウイルス感染症に無関係なツイート九十八件、海外に関する投稿十一件の計百九件を削除した。残った百九十一件を分析に使用した。

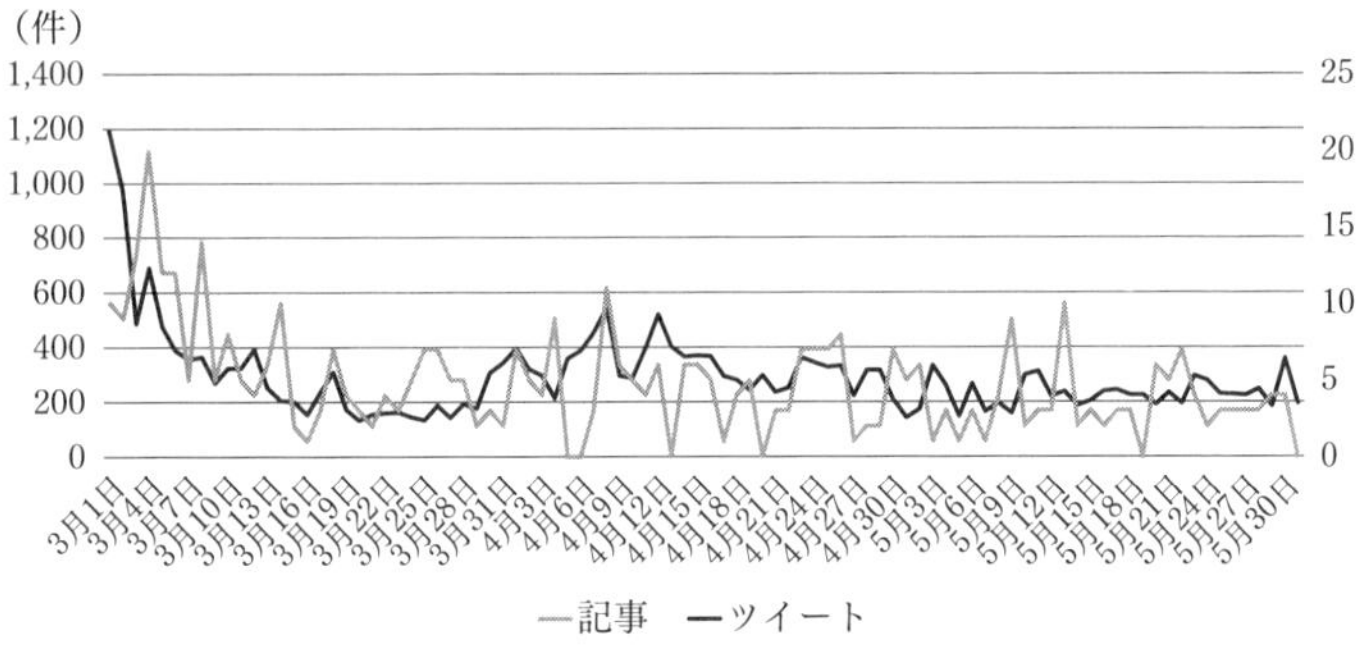

図1　「デマ」を含むツイートと「デマ」を含む記事の件数の推移

新聞と「Twitter」の話題を比較するため、「デマ」が流れているとされている場所や媒体、「デマ」を流したとされている人や組織などを調査した。確認していくと、記事とツイートの内容には大きな「ズレ」があることがわかってきた。

「デマ」を含むツイートと、新聞記事の推移を図1に示す。ツイートと記事が最も多いのは三月の上旬で、その後も断続的に「デマ」が出現する。ツイートと記事の量の推移は、おおむね同じような傾向を示している。

記事で「デマ」が流れているとされている場所や媒体は、「SNS・ソーシャルメディア」が五十八件、次に「インターネット」が五十三件、「Twitter」が十五件となっている。一方、ツイートでは「Twitter」が最も多く十九件、次は「インターネット」が八件となっている。記事にはインターネットに関連する言葉が多くみられるが、ツイートには、ワイドショー、テレビ、マスコミなどの言葉がみられる。

次に、記事で「デマ」を流したとされている人や組織は「米子医療生協」が四件で最も多い。これはトイレットペーパー不足の原因とされていながら、鳥海らの調査で実際にはほとんど

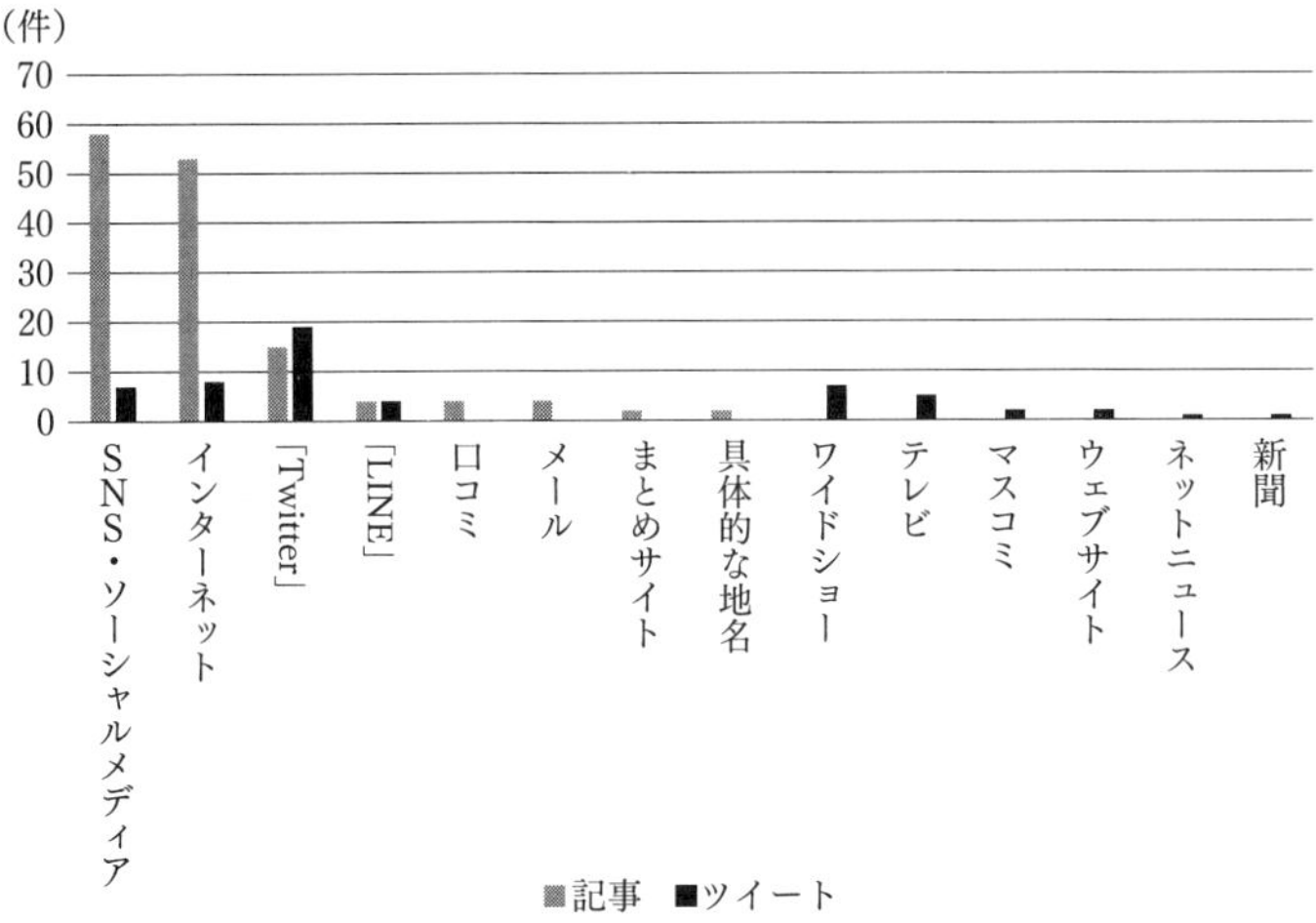

図2　「デマ」が流れているとされている場所や媒体

拡散されていないと指摘があったツイートに関連したものだ。

> 「新型コロナウイルスにかかわりトイレットペーパーが品薄になる」という旨の虚偽情報を職員がＳＮＳで発信したとして、鳥取県米子市の「米子医療生活協同組合」が謝罪した。職員には厳正な対応をするという。主にＳＮＳ上でこうしたデマが広がり品薄、品切れ状態が続いている。[7]

その次は「熊本県副知事」で三件。熊本県副知事は、日本赤十字社医療センターの医師をかたり、外出を自粛するよう呼びかける内容の誤情報をメッセンジャーアプリの「LINE」で伝えた。

> 熊本県の田嶋徹副知事は十四日夜、新型コロナウイルスに関するデマ情報を、無料通信

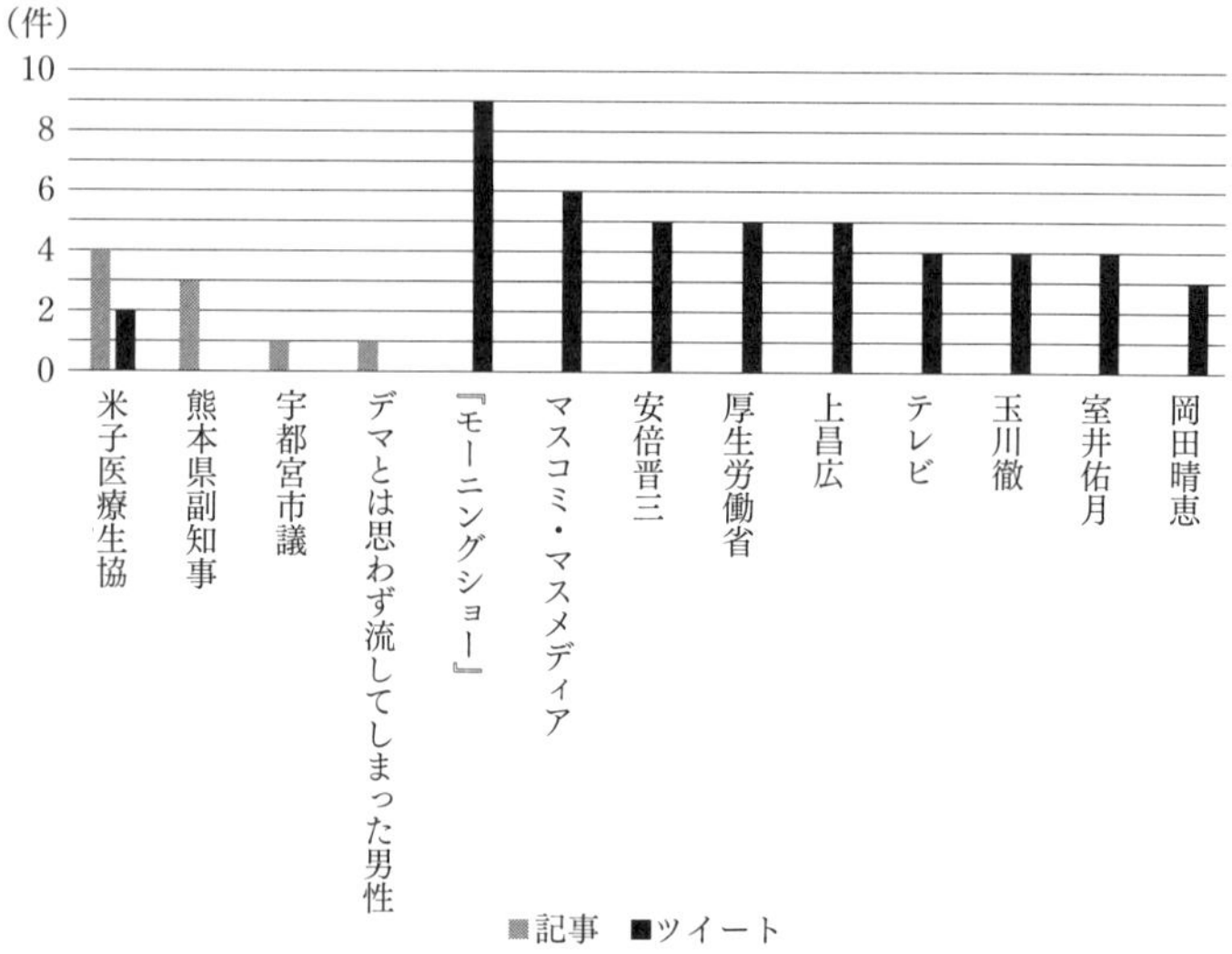

図3　「デマ」を流したとされている人や組織

アプリLINEを通じて県幹部と友人ら約十人に広めていたことを明らかにした。(8)

これら以外で、「デマ」を流した人や組織が具体的に書いてある記事は非常に少ない。

一方、ツイートではさまざまな人や組織が「デマ」を流したと書かれている。多数あるため、三件以上のツイートで書かれているものを図3に記載した。最も多いのは『モーニングショー』で九件、これはテレビ朝日系列で放送されている情報番組『羽鳥慎一モーニングショー』（二〇一五年―）のことである。次いで「マスコミ・マスメディア」「安倍晋三首相」「厚生労働省」、医師の「上昌広」が五件となっている。ツイートでは、マスメディアの番組名、政治家やタレント、テレビに登場する医師などの具体的な名前が登場している。

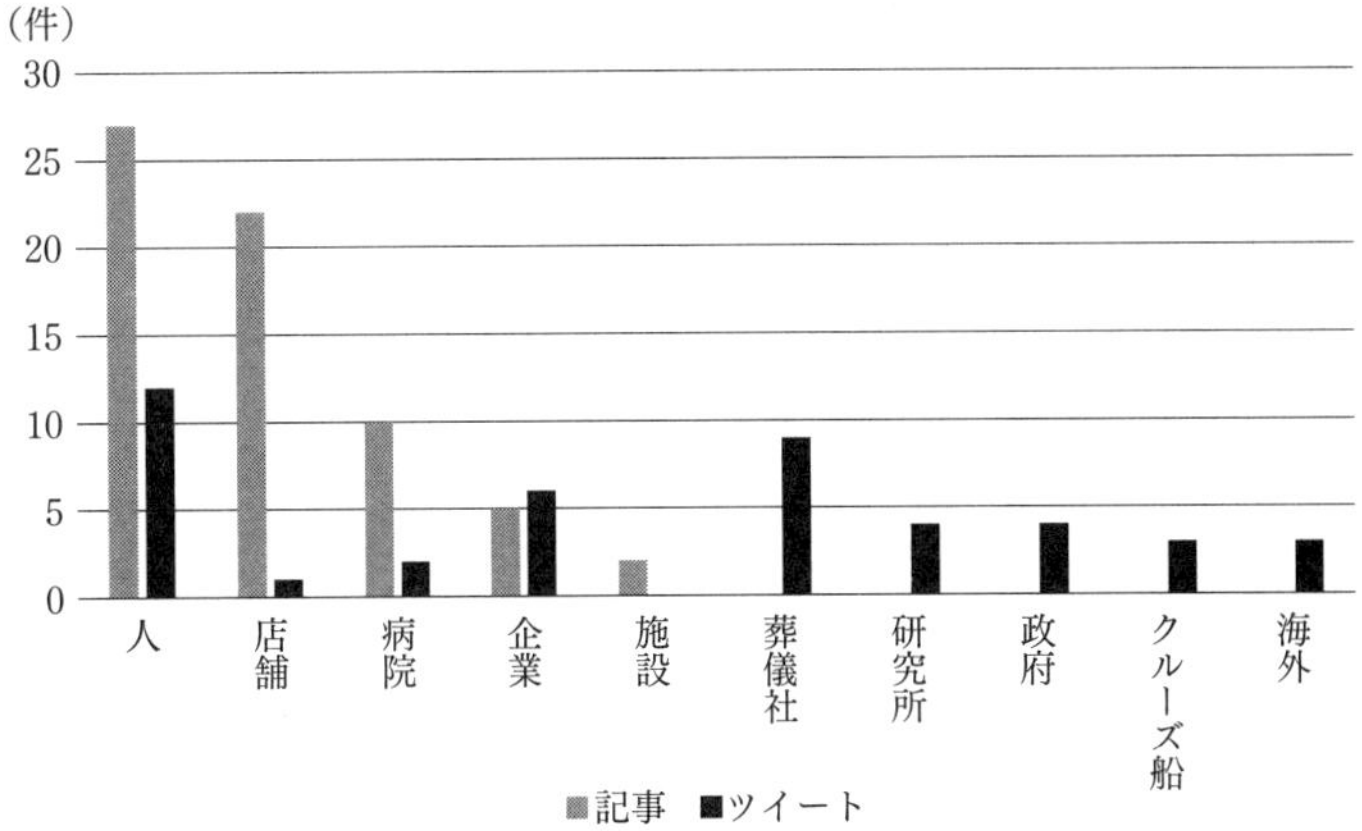

図4 「デマ」の対象になっている人や組織

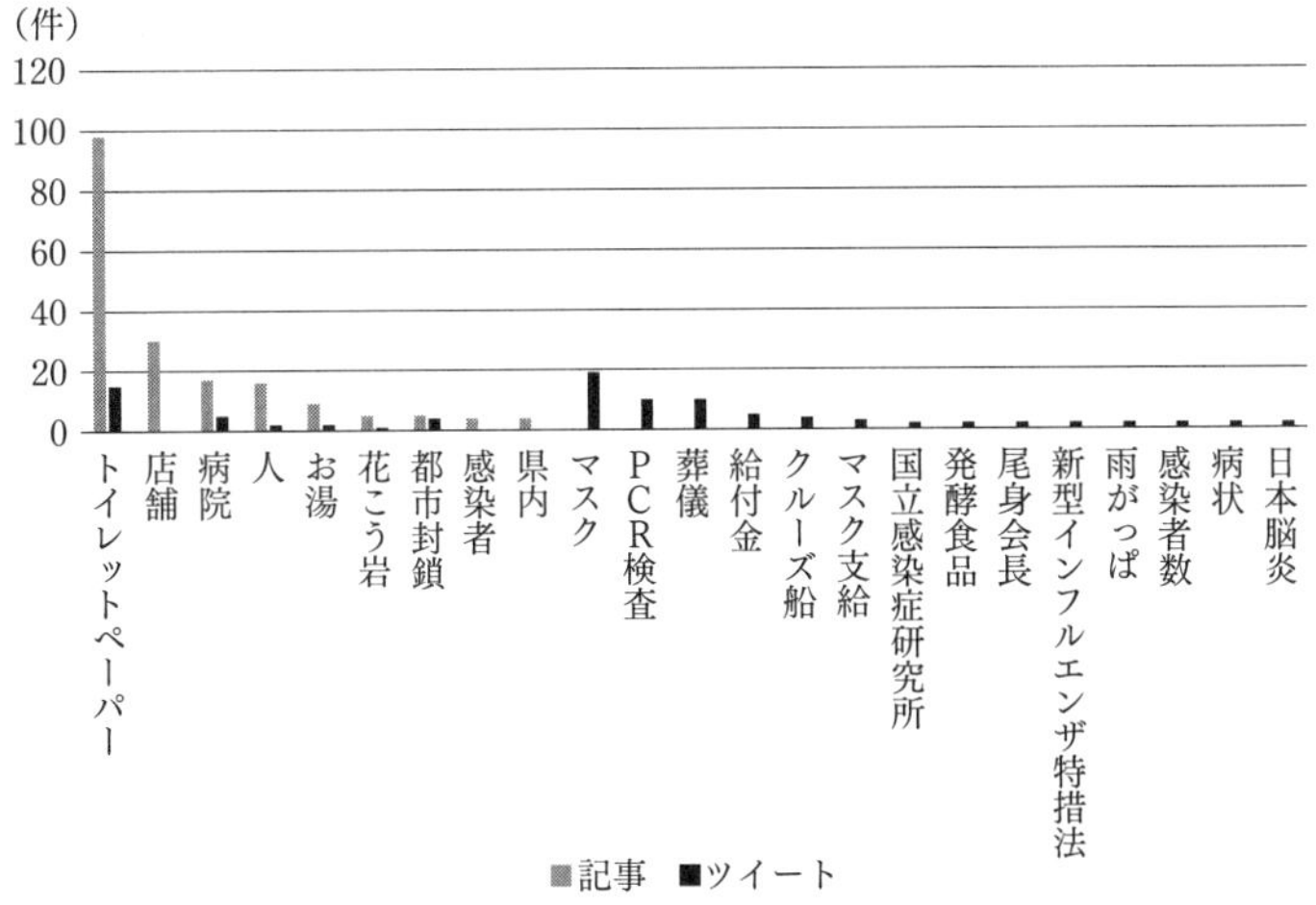

図5 「デマ」が指す話題

記事とツイートの「デマ」は異なる

「デマ」の対象になっている人や組織などは、記事では「人」「店舗」「病院」、ツイートでは「人」「葬儀社」「企業（マスクメーカー）」「研究所」「政府」などがある。

「デマ」が指す話題については、記事では「トイレットペーパー」が最も多く、その次に「店舗」「病院」と続く。「店舗」はスーパーや飲食店などで感染者が出たという「デマ」、「人」は別の人物と間違えられて感染したことが広がっている「デマ」、「病院」は医療機関で感染者が出たという「デマ」である。

表1　記事とツイートで重複があった項目

	記事	ツイート
トイレットペーパー	98	15
病院	17	5
人	16	2
お湯	9	2
都市封鎖	5	4
花こう岩	5	1

ツイートでは「マスク」が最も多く、「トイレットペーパー」が二番目に多かった。新聞と大きく異なるのは、話題の種類が多様であることだ。「PCR検査」「葬儀」「給付金」「クルーズ船」「マスク支給」「国立感染症研究所」などがある。

記事とツイートで重複があった話題は「トイレットペーパー」「病院」「人」「お湯」「都市封鎖」「花こう岩」の六件だった。新聞が取り上げている「デマ」は「Twitter」で拡散している「デマ」の一部、それもトイレットペーパーの話題に大きく偏っていることがわかる。

記事でもツイートでも、最も多かったのはトイレットペーパーの話題である。ツイートは三月初めをピークに減少して四月以降はみられないが、記事では五月末まで継続的にみられる。

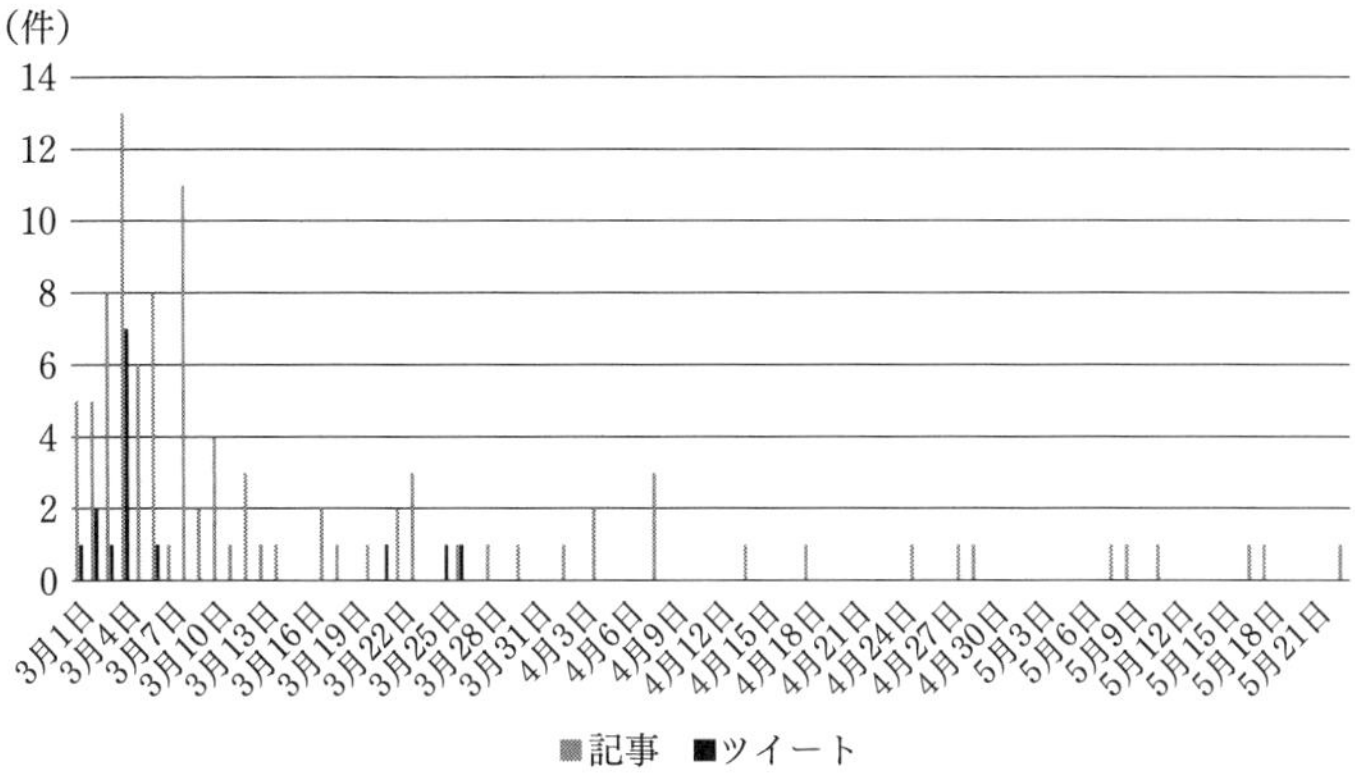

図6　トイレットペーパーの「デマ」に関する記事とツイートの推移

先述した調査によると、トイレットペーパー不足のツイートは二月二十日過ぎから現れ、二十七日と二十八日に急増している。収集したデータは三月以降のもののため、追加でツイートを検索して確認した。

　二月二十七日午前七時、まとめサイトの「アルファルファモザイク」が、売り切れや買いあさりを指摘するツイートを集め「【やめろ】トイレットペーパーの売り切れが始まってる模様ｗｗｗｗｗｗｗｗｗｗ」という記事を公開した(9)。午前十時には中京テレビがトイレットペーパー不足は誤りであるという記事を公開し(10)、「Yahoo!ニュース」に配信されたことでこの情報が「デマ」だと否定するツイートが拡散する。同日、二〇一六年の熊本地震の際に発信が注目された大西一史熊本市長が「【デマにご注意】（略）まとめ買いしなくても大丈夫です(11)」と呼びかけたツイートは三万以上のリツイートがある。二十八日には、日本家庭紙工業会がトイレットペーパーとティッシュペーパーの供給と在庫が十分にあるという声明を発表し、各社が記事化した(12)。経済産業省の公式アカウントも同様の情報をツイートし、六万以上のリツイートがある。[13] 二月二十九日には、「デマ」とわかりながら買い占めているのではという意見を述べたツイートも五万リツイート以上されている。[14] 「デマ」はほとんど拡散されておらず、既存メディアや政治家、省庁による「デマ」否定の投稿が拡散されている。ミドルメディアである「アルファルファモザイク」の発信も、直後に既存メディアによって否定されていて、それほど拡散していない。なぜこの話題がソーシャルメディアによる「デマ」の典型例として紹介されるニュースになったのか、記事を確認していく。

事実化するトイレットペーパーの「デマ」

三月一日付の「読売新聞」では、トイレットペーパーの供給と在庫に問題はないという日本家庭紙工業会の呼びかけを紹介し、インターネットでの誤情報によって買いだめが増加し、品薄情報が拡散したことで不足に拍車がかかったと説明していて、ソーシャルメディアが原因だと断定はしていない。記事のタイトルや概要には、インターネットやSNSという言葉はない。

> 新型コロナウイルスの影響で紙製品が不足するというデマが広がり、スーパーやドラッグストアの店頭で品薄を招いている。業界団体は「十分な在庫が確保されている」と強調し、冷静な対応を呼びかけている。(略)インターネット上で「中国から輸入できなくなる」などの誤情報が流れ、トイレットペーパーやティッシュなどの買いだめが増加。品薄情報がSNSなどで拡散して拍車がかかった。[15]

同日の「毎日新聞」山梨県版の記事でも、ドラッグストア店頭でのトイレットペーパーを求める行列と日本家庭紙工業会の呼びかけを紹介している。リードにインターネットという言葉があるが、断定は避けて原因を推測したものだ。

新型コロナウイルスの感染拡大が続く中、トイレットペーパーなどを買い求める動きが県内でも広がっている。インターネットでデマ情報が拡散した影響とみられるが、業界団体や店側は冷静な対応を求めている。(16)

「毎日新聞」は、三月二日付の東京・大阪版でもトイレットペーパー不足の記事を書いているが、本文には「デマの拡散によるものとみられ」という記述はあるものの、インターネットやＳＮＳという言葉はない。だが、三月三日付の一面コラム「余録」には、ソーシャルメディアが「デマ」の発端という断定的な記述が登場する。

時代変わって、こちらのトイレットペーパー騒動はソーシャルメディアで広がった品薄になるとのデマが発端だった。(17)

三月四日付夕刊と五日付朝刊で、米子医療生協の謝罪が報じられる。店頭に積み上がったトイレットペーパーをスーパー大手のイトーヨーカドーが報道陣に公開したという三月六日の記事では、ソーシャルメディアが「デマ」の原因として断定されている。

トイレットペーパーなど紙製品を巡っては、「マスクと原料が同じ」「中国から輸入できなくなる」といったデマがSNSで拡散。(18)

四月七日に緊急事態宣言を発出した安倍晋三首相の記者会見を紹介する記事にも、次のようにソーシャルメディアによる「デマ」説が登場する。

今、私たちが最も恐れるべきは恐怖それ自体だ。SNSで広がったデマによってトイレットペーパーが店頭で品薄となったことは記憶に新しいことだと思う。(19)

四月中旬以降になると、新型コロナウイルス感染症のうわさにだまされないようにするといったメディアリテラシーに関する記事やうわさの拡散要因を解説する記事で、ソーシャルメディアで拡散する「デマ」の代表事例として紹介されるようになる。

Q　SNSに根拠のないうわさ話が広がっています。情報の見極め方のコツを教えてください。

A　〈トイレットペーパーは中国産なので、日本で品不足になる〉……。デマがSNS上で拡散されています。今回が初めてではありません。(20)

新型コロナウイルスの感染が拡大するなか、ソーシャル・ネットワーキング・サービス（SNS）などで「トイレットペーパーがなくなる」というデマが広がり、実際に店頭からなくなる騒ぎになった。なぜデマやうわさが生まれ、人は踊らされるのか。(21)

トイレットペーパー不足はソーシャルメディアの「デマ」が原因という推測が、米子医療生協の謝罪、安倍首相の会見などを報じるなかで事実化していった。新聞が実際には拡散していない「デマ」を作り出していたのは、記事制作手法に課題がある可能性がある。

新聞記事では、新しい話題を紹介する際に、読者の理解を助けるために代表例を示すことがある。新型コロナウイルス感染症に関連して多数の「デマ」が発生したが、なかでもトイレットペーパー不足は多くの人が混乱に巻き込まれたためにイメージしやすい代表例として、トイレットペーパーが不足するなどのデマがSNSで広がり……といった表現が定着していったと考えられる。また、話題になっている記事を書く際に、自社のデータベースや「同業他社」の記事を参照することがある。事実化していったソーシャルメディアの「デマ」が原因という記事を、確認しないまま参照したことも考えられる。

軽視される地方の「デマ」

記事とツイートとで重複していた話題の二番目に「病院」がある。トイレットペーパー不足の件では、ツイートは一時的に拡散したものの、記事は長く繰り返し扱われ続けた。病院に関する「デマ」もツイートと記事とで違いがある。ツイートは、「PCR検査の陽性者が出たため「コロナ病院」と呼ばれた」というテレビ報道を伝えるもの、テレビに登場する専門家の発言に対して「デマ」と指摘するものがある。記事は、以下のように地域の病院に具体的な「デマ」が流れているというもので、ツイートと記事の内容はほとんど重複していない。

三月十三日付「毎日新聞」の記事は、青森県の病院では感染が疑われる患者を一般の患者と分けて対応するためのプレハブの設置を進めているが、その要因として一月末ごろから「Twitter」上で「武漢からの観光客が三沢市の病院に行った」という「デマ」が流れ、患者から不安の声が聞かれるようになったことがある、と報じている[22]。

病院に関する記事で特徴的なのは掲載が地方版が中心で、東京版での扱いは、四月十五日付の「読売新聞」の夕刊だけで、あとはコラムでの言及だったことだ。地方の記事は具体的な病院名や「デマ」の内容を紹介して否定しているが、コラムは「デマ」に注意を呼びかける内容だ。これは第2章で紹介したように、二〇一七年の衆議院議員選挙で既存メディアがフェイクニュースの内容に具体的に言及して訂正する記事を書いていないことに似ている。

記事が地方版に集中している理由は、地域で広がっているうわさを取材したためと考えられる。

表2　病院に関する「デマ」の一覧。地方版では取り上げられているが、全国版・東京版は少ない

	3月	4月	5月
地方版	「「正しく怖がる」を学ぶ 津山市教委、教員らに説明会 新型コロナ」「朝日新聞」（岡山県版）3月8日付	「新型コロナ SNSでデマ拡散しないで 知事が要請」「毎日新聞」（三重県版）4月4日付	「障害者施設連携、支援チーム 仲間、なんとしても助ける 新型コロナ」「朝日新聞」（千葉県版）5月5日付
	「新型コロナ：新型コロナ プレハブで専用診察所 三沢病院、整備進む」「毎日新聞」（青森県版）3月13日付	「新型コロナ　嫌がらせやデマ相次ぐ SNSなど「客が感染者」拡散」「読売新聞」（福島県版）4月11日付	「ぶらぶら節：ウイルスより怖いもの」「毎日新聞」（長崎県版）5月9日付
	「感染者デマ、医療現場混乱 七尾の2医院、ツイッターで「受診」名指し 新型コロナ」「朝日新聞」（石川県版）3月26日付	「熊本副知事がデマ情報拡散 県幹部らに」「読売新聞」（西部版）4月15日付	「「あの人感染」デマ猛威 うわさ止まらず客激減　病院　キャンセル相次ぐ」「読売新聞」（大阪版）5月10日付
		「医療現場のデマ拡散、副知事陳謝 真偽確認せず幹部らにLINE」「朝日新聞」（熊本県版）4月16日付	「医療機関2割 風評被害 保険医協 知事に緊急要望書 新型コロナ」「読売新聞」（高知県版）5月11日付
		「石岡第一病院　風評被害 デマ問い合わせ　業務に支障」（茨城東版）4月16日付	「「患者減少」7割超　4月前年比　医師・歯科医師緊急アンケ」「朝日新聞」（鳥取県版）5月25日付
		「医院やスーパー、感染デマ標的に　売り上げ激減、電話も殺到　新型コロナ」「朝日新聞」（ちば首都圏版）4月19日付	「新型コロナ：新型コロナ 開業医「収入減」8割超 「感染恐れ受診減」、風評被害も　県保険医協アンケ」「毎日新聞」（静岡県版）5月29日付
		「新型コロナ 医療機関 風評被害広がる 従事者、家族にも影響」「読売新聞」（茨城東版）4月30日付	
全国版・東京版	「（天声人語）コロナの暗く長い闇」「朝日新聞」3月27日付	「熊本県副知事　デマ拡散 LINEで受けた「医師情報」」「読売新聞」（東京版）4月15日付夕刊	
		「［政なび］コロナ偽情報見極めは」「読売新聞」4月26日付	

筆者のもとにも、新型コロナウイルス感染症の国内事例として最初に注目されたクルーズ船ダイヤモンド・プリンセス号に、実際には乗船していなかったにもかかわらず「乗船していた」「感染者だった」といううわさが流れていることに関する取材依頼が複数あった。このうわさは、確認できただけでも、秋田県、静岡県、香川県で発生したと報じられている。[23]

このうわさに関して取材依頼をしてきた記者に聞いてみると、うわさは家族や知人など地域の口コミやメッセンジャーアプリの「LINE」で拡散しているということだった。記事中には「デマ」が流れているのはインターネットやSNSと書いてあるが、検索しても見つけられないこともあった。同じソーシャルメディアとしてくくられていても、「Twitter」のような投稿が原則的に公開されているソーシャルメディアと、「LINE」のようなメッセンジャーアプリでは特徴が異なり、「LINE」はクローズドで第三者が書き込みを確認することができない。そのため、「デマ」は隠れて拡散することもある。

中央集権的な特徴が機能せず

「デマ」は地域の病院の運営に影響を与えていて、地方版では同じような内容の記事が五月末まで各地で続いている。全国版やソーシャルメディアの利用者が多い東京版で記事化しなかったことから、各地で散発的に口コミやメッセンジャーで拡散する「デマ」が発生していたことがうかがえる。医療従事者に対する負担の増加という社会的影響を考えれば、新聞はトイレットペーパー不足よりも病院に関する「デマ」を繰り返して伝えるべきだったのではないだろうか。病院に関する「デマ」は、新聞の取材網によって口コミが記事化されたものの、トイレットペーパーのように「デマ」の代表例とはならず、全国版などでは大きく扱われなかった。この要因は、既存メディアの記事制作手法の中央集権的な特徴にある。

新聞の全国紙やテレビのキー局といった既存メディアは、政治や経済の中心地である東京で起きたことを地方に伝えるという役割をもっているが、地方で起きたことを吸い上げる能力は弱い。地方で起きたことを取り上げる場合でも、何を取り上げるかは東京の目線で選択することになる。東京では地域に密着した取材がおこないにくく、ソーシャルメディアで大きな拡散がなかったこともあり、病院の「デマ」は話題性が乏しいとして見過ごされ、トイレットペーパー不足のように全国面を含めて継続的には取り上げられなかった。このことは、既存メディアの記事制作手法が適切に機能しなかったことを示している。

3　新聞が担うフェイクニュース・パイプライン

本書では、ミドルメディアがフェイクニュースを生成・拡散するフェイクニュース・パイプラインの存在を明らかにしてきたが、トイレットペーパー不足や病院の「デマ」については、新聞記事を中心に確認したためミドルメディアの関わりは明確ではなかった。実は新型コロナウイルス感染症に関して新聞がミドルメディア化し、フェイクニュース・パイプラインを担うことになった事例がある。それが、「#東京脱出」である。

新型コロナウイルスの感染の広がりを受け、七日にも緊急事態宣言が出されるとの情報が流れ、ツイッターでは「東京脱出」というハッシュタグ（検索ワード）が拡散されている。だが、ウイルスを地方に運び、そこで広げてしまえば、新たなクラスター（感染者集団）を生んでしまうおそれも否定できない。専門家は注意を呼びかけている。[24]

緊急事態宣言を前に、「Twitter」で東京脱出というハッシュタグが拡散しているという「朝日新聞」の記事では、感染者が多い首都圏から帰省し、家族らに感染が広がる事例が複数報告されていると紹介し、専門家による「ウイルスを拡散するような行動はできるだけ避けていただく必要がある」というコメントが掲載されているが、このコメントは「Twitter」の投稿からの引用である。ハッシュタグの拡散量や具体的なツイートは紹介されていない。

鳥海は、この記事も「非実在型炎上」の事例として取り上げている。その理由として、記事の公開前には、ハッシュタグが付いたツイートは二十八件しかなく、公開後の二十四時間で一万五千件まで増加したことを挙げている。[25]

インターネットメディアの「ねとらぼ」は、四月八日に検証記事[26]を公開している。記事によれば、「朝日新聞」の記事公開以前に「#東京脱出」が拡散されているという現象は確認できず、三月二十八日に「時事通信」が「夜行バスに若者次々　「東京出られなくなる」――週末控え、予定早め帰省・新型コロナ」というタイトルでインターネットに記事を公開し、この反応をまとめたまとめサイトのツイートに「＃東京脱出」のハッシュタグが付いていたと報じている。

拡散していない話題を拡散と報じる

これらの研究や記事を参考に、関連する書き込みやニュース記事を「Twitter」や「Google」で検索して収集し、「＃東京脱出」に関する記事の生成・拡散過程を図7に、記事タイトルとリンク関係なども含めて示した。

まず、三月二十八日の「時事通信」の記事がミドルメディアに波及する。まとめサイトの「アノニマスポスト」と同じくまとめサイトの「まとめまとめ」は、「時事通信」の記事URLをリンクし、ネットの反応を付け加えている。「アノニマスポスト」はフェイクニュースを拡散していたことを本書の第2章で確認した。以下のように、この時点でタイトルにはハッシュタグは出現していない。

・「アノニマスポスト」のタイトル

「東京から出られなくなる」若者らが夜行バスで次々と東京脱出〜ネットの反応「無症状のまま全国各地へ万遍なく拡散されるな」「なんで医療インフラの整っている東京から医療過疎の地方へ行くかね」

・「まとめまとめ」のタイトル
外出自粛要請をうけて夜行バスに若者次々「東京出られなくなる」週末控え予定早め帰省・新型コロナウイルス

どちらのまとめサイトのネットの反応にも「#東京脱出」は含まれていない。「#東京脱出」が出現するのは、「まとめまとめ」の「Twitter」アカウントによるツイートである。「ねとらぼ」は「時事通信」の記事と「まとめまとめ」のツイートによって、三月二十八日に九十四件、二十九日に十一件の「#東京脱出」があったとしている。これが、「朝日新聞」の記事では「Twitter」で拡散されていると表現されているということになる。

・「朝日新聞」のタイトル
#東京脱出、専門家「やめて」帰省で家族に感染、新たなクラスターも 新型コロナ

この「朝日新聞」の記事が公開されて「Yahoo! ニュース」に掲載されると、配信された記事のURLがツイートで紹介されて話題が拡散していく。これは、第2章で不確実な情報がインターネットメディアの記事にまとめられ、フェイクニュース・パイプラインによってポータルサイトに到達し、ミドルメディアや掲示板へとさらに話題を拡散させていた状況と同じ構造である。異なるのは、ほかの既存メディアがこの話題に反応し、さらに話題が拡散したことである。

日本テレビは、ＪＲ新宿駅前の様子を伝えるニュースを制作し、「Yahoo! ニュース」に配信した。この記事のＵＲＬが「アノニマスポスト」にリンクされる。日本テレビの動画は新宿から中継したレポートで、バスターミナル・バスタ新宿で帰省する大学生を紹介しているが、「帰省する人がバス乗り場に殺到するような混乱は見られませんでした」と報告していて、チケット売り場と待合室の映像でも人は少なかった[27]。これが「アノニマスポスト」では、東京脱出が増え始め、混雑しているかのようなタイトルに変化する。

四月八日、インターネットメディアの「J-CAST ニュース」が、ＴＢＳのワイドショーである『グッとラック！』（二〇一九―二一年）の番組内容を記事化し、バスタ新宿は東京から地方に向かう人で混雑していると断定したタイトルが付けられる[28]。同日、福島テレビも関連する記事を公開し、「Yahoo! ニュース」に配信した。これがまとめサイトにリンクされて拡散していく。

「朝日新聞」は四月九日に山梨県版に、四月十日に岩手県版に、以下のような記事を掲載している。ソーシャルメディアでほとんど拡散していなかった「＃東京脱出」は、全国紙の紙面によって地方に到達した。前述した病院の「デマ」のケースでは、既存メディアがもつ中央集権的な機能が十分にはたらかなかったことを指摘したが、「＃東京脱出」のケースではこの場合は、東京で起こっている事象の地方への影響を紹介するという既存メディアの中央集権的な機能によって、間違ったニュースが地方にも伝播していったことになる。

新型コロナウイルスを抑え込むため、首都圏などに緊急事態宣言が出された。東京、神奈川、

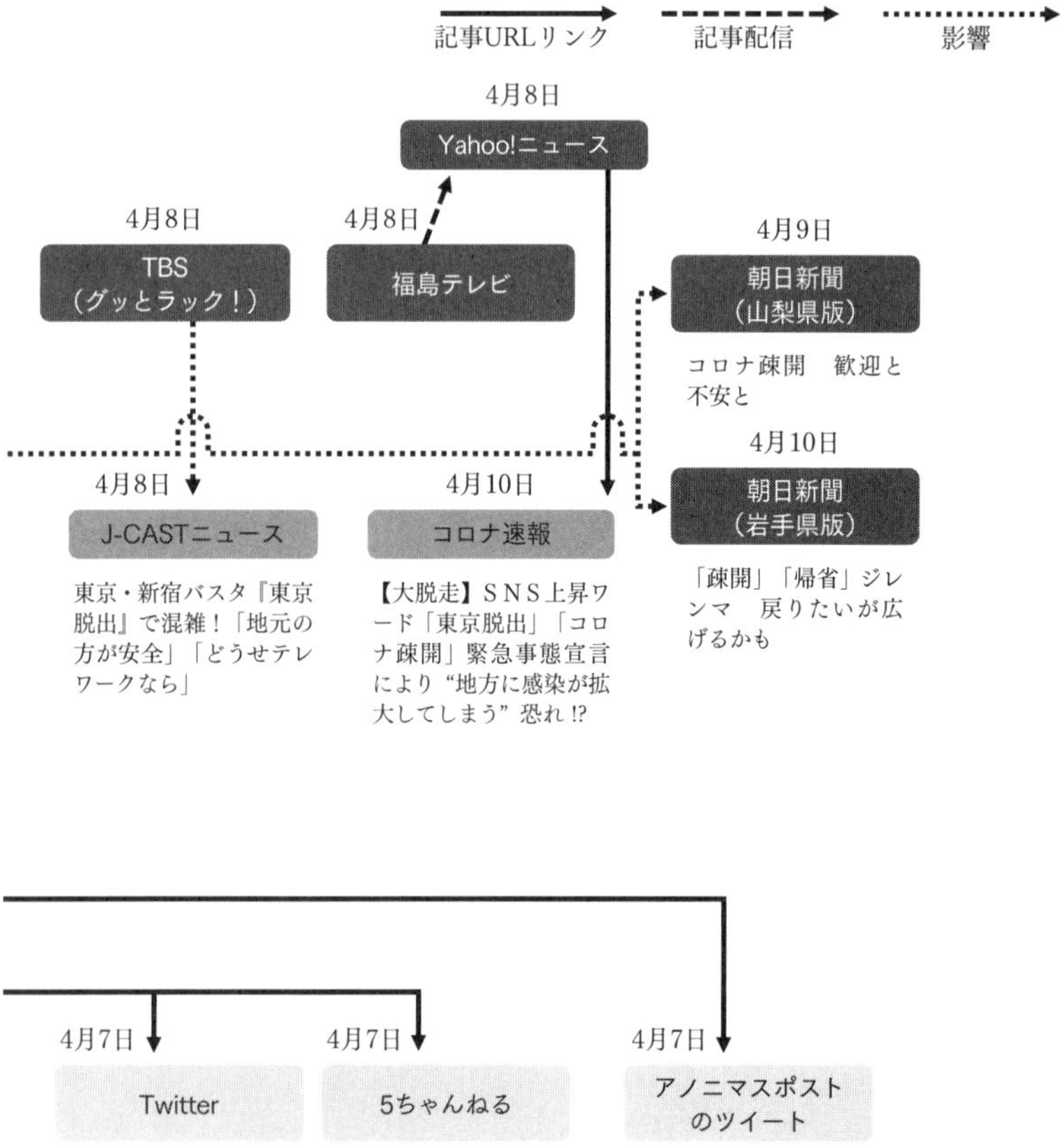
記事URLリンク
記事配信
影響
4月8日
Yahoo!ニュース
4月8日
TBS
（グッとラック！）
4月8日
福島テレビ
4月9日
朝日新聞
（山梨県版）
コロナ疎開　歓迎と不安と
4月10日
朝日新聞
（岩手県版）
「疎開」「帰省」ジレンマ　戻りたいが広げるかも
4月8日
J-CASTニュース
東京・新宿バスタ『東京脱出』で混雑！「地元の方が安全」「どうせテレワークなら」
4月10日
コロナ速報
【大脱走】ＳＮＳ上昇ワード「東京脱出」「コロナ疎開」緊急事態宣言により“地方に感染が拡大してしまう”恐れ!?
4月7日
Twitter
4月7日
5ちゃんねる
4月7日
アノニマスポスト
のツイート

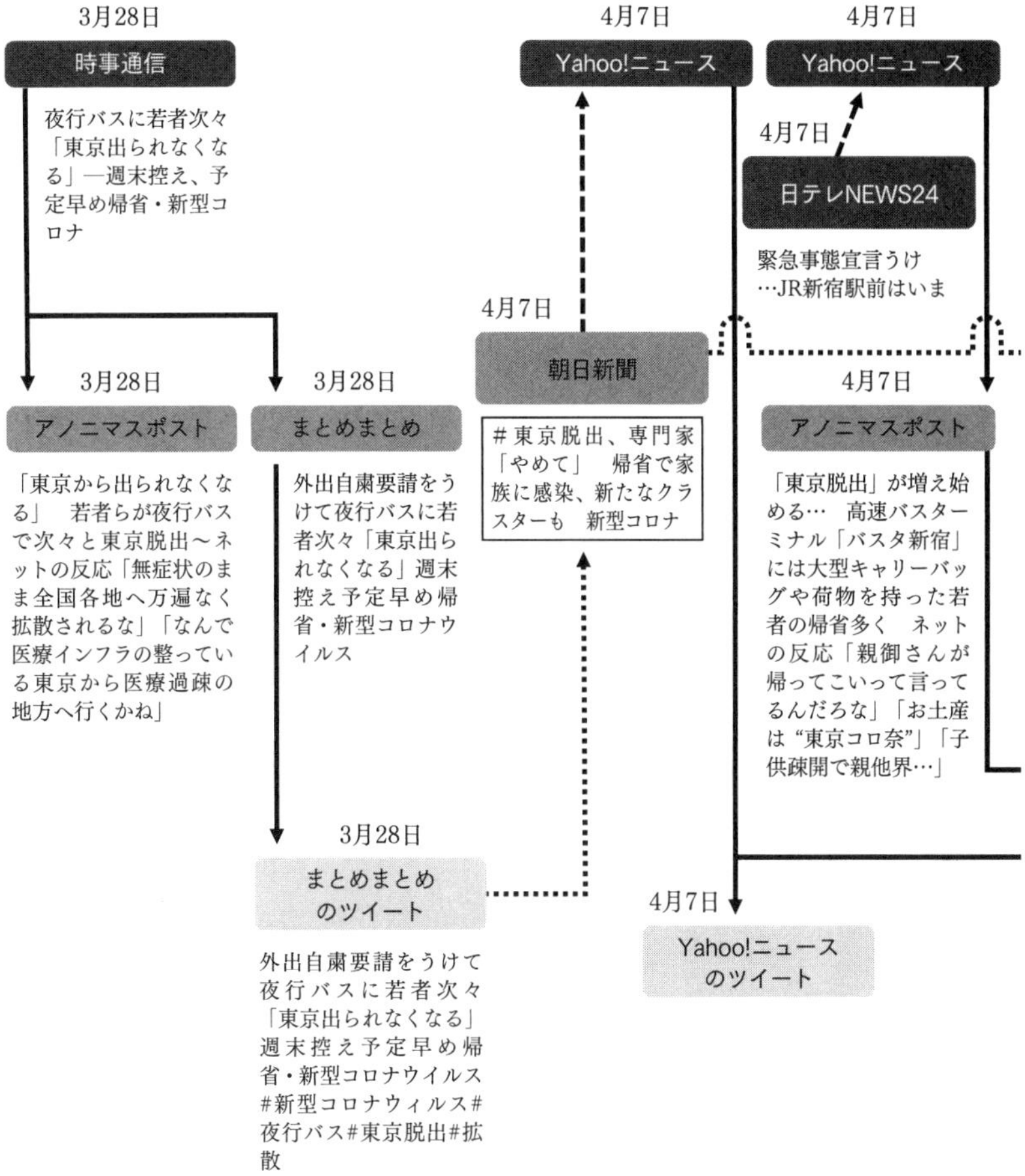

図7　「#東京脱出」の生成・拡散過程

埼玉に隣接する県内では、SNS上に飛び交う「東京脱出」の言葉が示す現象も見られる。(29)

「コロナが怖いので東京から岩手に疎開します」。緊急事態宣言が出された七日、ツイッターでは「#東京脱出」のハッシュタグとともに、感染者がまだ確認されていない岩手・鳥取・島根への避難を示唆するツイートが多く見られた。(30)

第2章で確認したようにフェイクニュースはミドルメディアの「③マスメディアのコンテンツとソーシャルメディアのコンテンツを組み合わせる」役割で生成されていた。「朝日新聞」の「#東京脱出」の記事は、「時事通信」の記事とまとめサイトのツイート、専門家のツイートなどを組み合わせたもので、フェイクニュースを生成していたミドルメディアと同じ構造だった。

ミドルメディア化した新聞の罪

「朝日新聞」の記事は二つの意味で罪深い。まず、鳥海が指摘するように、ソーシャルメディアではほとんど拡散していない話題を拡散していると記事化したことは「話題の捏造」と言っても言い過ぎではないだろう。次に、「朝日新聞」が記事化する際に「#東京脱出」というタイトルを付けたことで、ハッシュタグを拡散させたことだ。これによって事実化し、テレビや地方メディアにも影響を及ぼした。情報量が膨大になることがインフォデミックの問題とされるが、適切な情報を届ける役割が求められる新聞が間違った情報を増やしていたことになる。信頼性が高いと思われている既存メディアが間違った情報を記事化し、その記事がポータルサイトに到達して、流れが生まれると、日本テレビのように事実をニュースにしてポータルサイトに配信しても、ミドルメディアによって正反対の間違ったニュースに変換されてしまう。

第2章では、メディア間の相互作用でニュースに不確実な情報が入り交じることを示したが、その相互作用の中核はミドルメディアだった。新聞は紙ではマスメディアだが、ポータルサイトが大きな影響力をもつインターネットではミドルメディア化している。フェイクニュースを生成する構造はインターネットメディアも新聞も同じだったが、新聞が報じたことで、フェイクニュース・パイプラインによって話題がポータルサイトに到達したあとに、ほかの既存メディアによる記事化をも引き起こし、間違った情報が全国に広がっていった。フェイクニュースの発信元が新聞などの既存メディアの場合は、ニュースの生態系に対してより深刻な汚染をもたらすといえる。

4　人々の関心に対応できず

新型コロナウイルス感染症では、記事とツイートが重複していた話題は、トイレットペーパー、病院、花こう岩、お湯、都市封鎖の六件と少なかった。トイレットペーパー不足に関しては、「デマ」原因をソーシャルメディアと断定したり、「#東京脱出」に関しては「話題の捏造」をおこなったりしていて、ニュース生態系を汚染していた。人々は「デマ」にどのような関心をもっているのだろうか。

ソーシャルメディアから人々の関心を探るソーシャルリスニングという方法がある。「Twitter」であればツイートに頻出する単語、関連するツイート、そのツイートをしているアカウントのプロフィル、拡散状況などを組み合わせて分析するものだ。ここでは、「Social Insight」の「日別の特徴語」機能を使って人々の関心を確認してみたい。「日別の特徴語」は、キーワードに設定したツイートに関して、「Social Insight」によって解析された一日ごとに特徴的な単語の上位十五個を表示し、急上昇した単語は赤い文字で表示されるため、大まかな話題の推移を把握することが可能だ。また、表示されている単語をクリックすると拡散されたツイートを表示することができるため、単語がどのようなアカウントから、どのようにツイートされているかも追跡することができる。「Twitter」の「デマ」に関する三月一日から三十一日の「日別の特徴語」の推移を表3に示す。

まず、トイレットペーパーに関連する単語が上位に表示されている。「品薄」や「買い占め」という単語や、米子医療生協の謝罪を指す「米子」などだ。しばらくトイレットペーパーに関する単語が続く。三月七日の「言論弾圧」は後述する厚生労働省のツイートに対するもので、三月十六日の「新聞社」はこれも後述する「朝日新聞」の編集委員の「痛快」ツイートに関するものだ。

三月十八日の「葬儀」「火葬場」はコロナで火葬場が混雑しているという不確実な情報で、この話題は四月になっても出現している。テレビ朝日の『モーニングショー』が、PCR未検査の死亡者を遺族と対面させずに火葬しているという葬儀会社を取り上げたことに対して、葬儀会社経営者を名乗るアカウントが「デマ」だと指摘したものもある。

表3　「デマ」に関連するツイートの「日別の特徴語」。期間は2020年3月1日から31日（「Social Insight」のデータから筆者作成。急上昇した単語は背景をグレーで示している。）

	1	2	3	4	5
3月1日	トイレットペーパー	品薄	転売ヤー	買い占め	テン
3月2日	感染	買い占め	トイレットペーパー	品薄	マスク
3月3日	カプ	品薄	感染	トイレットペーパー	日本国民
3月4日	コロナ	品薄	トイレットペーパー	米子	大使館
3月5日	トイレットペーパー	買い占め	品薄	危惧	イオン
3月6日	感染症	厚労省	名指し	文言	コロナ
3月7日	言論弾圧	コロナ	官邸	厚労省	標的
3月8日	コロナ	官邸	消毒	言論弾圧	標的
3月9日	なんでやねん	コロナ	原口	トイレットペーパー	言論の自由
3月10日	コロナ	論評	保健	なんでやねん	大臣
3月11日	コロナ	タダ乗り	トイレットペーパー	ウイルス	感染症
3月12日	コロナ	ドラッグストア	国民性	隠蔽	答弁
3月13日	コロナ	フェイク	右翼	京大	トイレットペーパー
3月14日	コロナ	感染	曲解	ヤマザキ	逃亡
3月15日	医学	煽り	悪質	原文	ドライブスルー
3月16日	新聞社	以外	拡散	科学	医療
3月17日	コロナ	大村	厚労省	意図	感染
3月18日	コロナ	久住	葬儀	火葬	火葬場
3月19日	厚労省	ピコ	PCR	検査	—
3月20日	年寄り	不安	大切	テレビ	—
3月21日	買い占め	ワニ	電通	小野田紀美	SNS
3月22日	コロナ	公文書	感染	ツィッター	特有
3月23日	コロナ	申告	厚労相	PCR	ブロック
3月24日	China	暴露	死亡	安倍政権	議員
3月25日	買い占め	NHK	報道	ネット	ティッシュ
3月26日	ひるおび	喫煙者	買い占め	リベラル	コロナ
3月27日	買い占め	自粛	食料	要請	テレビ
3月28日	軍隊	感染	保健所	重症	疑い
3月29日	コロナ	トリオ	ウイルス	安倍総理	要請
3月30日	封鎖	民放	官邸	真偽	生成
3月31日	コロナ	自粛	呼びかけ	封鎖	官邸

三月十九日の「PCR」は、「朝日新聞」の記事に端を発する。三月十四日に公開された「「日本のPCR検査少ない」米専門家が指摘 手本は韓国」というタイトルの記事[31]に対し、「デマ」だとするツイートが拡散したものだ。三月下旬には、「封鎖」「民放」「官邸」が出現する。四月に入って東京が封鎖（ロックダウン）されるという流言が、テレビ関係者の発言として広がり、菅義偉官房長官が事実ではない、と否定することになった。

インターネットのコミュニケーションを研究する小笠原盛浩らは、二〇一一年の東日本大震災時に「Twitter」上に広がった「コスモ石油の爆発により有害物質の雨が降る」といった内容の「デマ」ツイートとNHKの放送内容を比較し、人々が求めていた情報はNHKが放送していた「有毒ガス発生の恐れがない」ことではなく「有害物質の雨が降る」かどうかの真偽であり、このような情報欲求に対して的確な発信をすることが「デマ」ツイートの抑制にとって重要だと指摘している[32]。「日別の特徴語」から確認したツイートデータが、人々の新型コロナウイルス感染症の「デマ」への関心のすべてを示しているわけではないが、『モーニングショー』や「朝日新聞」が「デマ」と結び付いていること、また、トイレットペーパーに関するツイートは少なくなり、話題が徐々に移り変わっている状況をとらえることができる。記事とツイートの「ズレ」は既存メディアへの反発や移りゆく人々の関心に対して新聞の記事制作手法が対応できていないことを示している。

5　政府の介入に加担するメディアの失策

簡易なソーシャルリスニングではあったが、新型コロナウイルス感染症に関する「デマ」が既存メディアと結び付いて語られていることがわかった。このような既存メディアへの反発は政府によるソーシャルメディアの言論への介入の糸口となっている。厚生労働省の「Twitter」アカウントは三月五日、『羽鳥慎一モーニングショー』を名指しして出演者のコメントを批判した。この投稿は、リツイート一万七千件、「いいね」二万八千件と拡散し、賛否のリプライがある。さらに、四月十二日には「Yahoo! ニュース」という具体的な名前を出し、報道の内容を「正確ではない」と指摘した。こちらもリツイート五万八千件、「いいね」八万二千件と拡散している。『モーニングショー』に対しては、内閣官房の「Twitter」アカウントも三月六日に名指しでツイートをおこなっている。

「毎日新聞」は、このような反論ツイートは首相官邸幹部による指示だとし、自由な評論を萎縮させる懸念があると報じている。[33]

『モーニングショー』は同時間帯で視聴率がトップで、「Yahoo!」はインターネット上で影響力をもつ。ソーシャルリスニングでみたように『モーニングショー』は「デマ」と結び付いて語られている。社会に大きな影響力をもつメディアに対する政府の反論について、社会学者の西田亮介は、

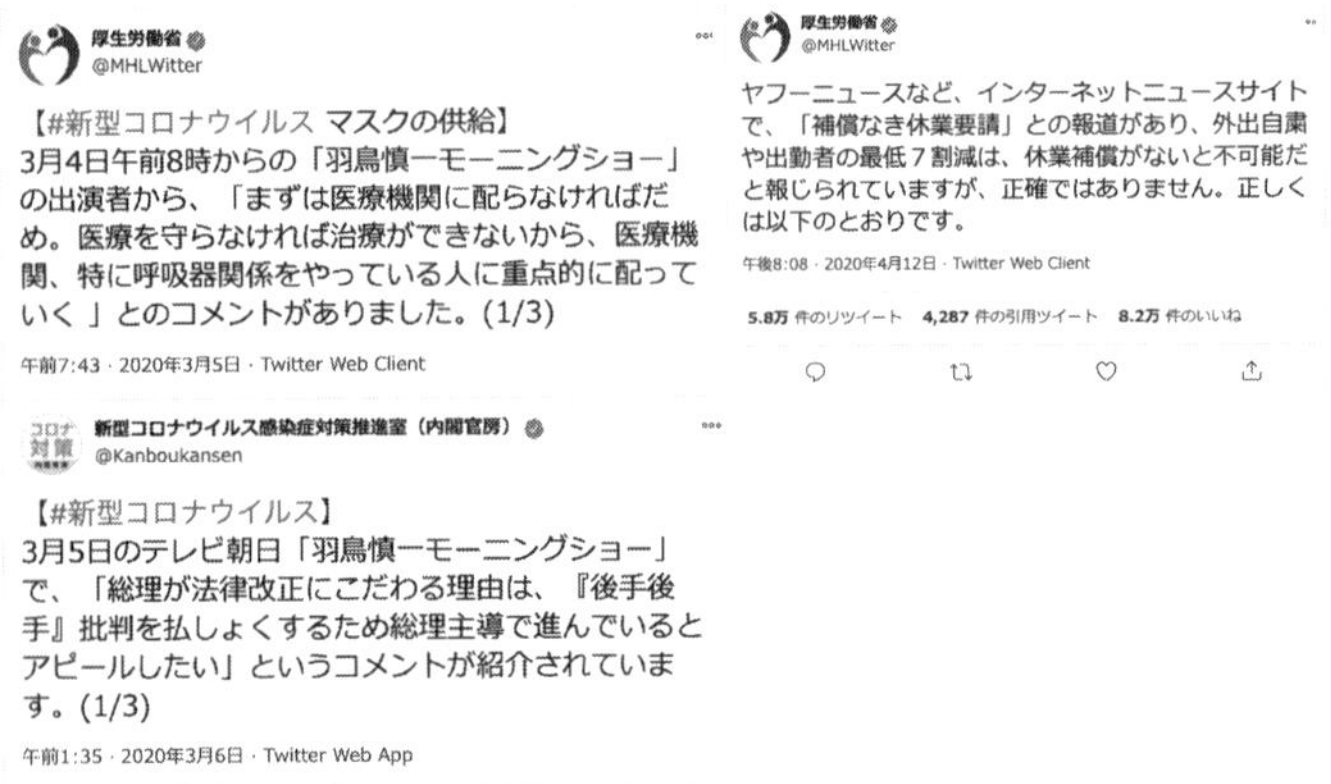
厚生労働省
@MHLWitter
【#新型コロナウイルス マスクの供給】
3月4日午前8時からの「羽鳥慎一モーニングショー」の出演者から、「まずは医療機関に配らなければだめ。医療を守らなければ治療ができないから、医療機関、特に呼吸器関係をやっている人に重点的に配っていく 」とのコメントがありました。(1/3)
午前7:43 · 2020年3月5日 · Twitter Web Client
厚生労働省
@MHLWitter
ヤフーニュースなど、インターネットニュースサイトで、「補償なき休業要請」との報道があり、外出自粛や出勤者の最低7割減は、休業補償がないと不可能だと報じられていますが、正確ではありません。正しくは以下のとおりです。
午後8:08 · 2020年4月12日 · Twitter Web Client
5.8万 件のリツイート 4,287 件の引用ツイート 8.2万 件のいいね
新型コロナウイルス感染症対策推進室（内閣官房）
@Kanboukansen
【#新型コロナウイルス】
3月5日のテレビ朝日「羽鳥慎一モーニングショー」で、「総理が法律改正にこだわる理由は、『後手後手』批判を払しょくするため総理主導で進んでいるとアピールしたい」というコメントが紹介されています。(1/3)
午前1:35 · 2020年3月6日 · Twitter Web App

図8　番組名やサイト名を挙げて指摘する厚生労働省や内閣官房の「Twitter」アカウント[34]

WHOや各国が取り組んでいるリスク・コミュニケーションの方針に沿う動きだったとしながら、あいまいさや主観的な要素を含んでいたこともあり、メディアの萎縮や、報道の自由への否定的な論調を生んだと分析している。[35]

見逃せない点は、これら政府によるメディアへの反論のツイートへの反応に「ワイドショーが国民の不安をあおっている」「デマ報道」といった既存メディアへの批判があることだ。このような傾向は第5章「ファクトチェックが汚染を引き起こす」（藤代裕之）で詳しく考察する。厚生労働省や内閣官房のツイートは、既存メディアの批判や反発を刺激し、ファクトチェックや検証記事の効果を失わせていくことにつながっている。

政府の言論介入に加担しているのは、既存メディアによる生態系の汚染に加えて失策もある。新型コロナウイルス感染症に関するものだけでも、三月には株価が下落したことに対して「朝日新聞」の編集委員が

「戦争でもないのに超大国の大統領が恐れおののく。新コロナウイルスは、ある意味では痛快な存在かも知れない」[36]とツイートして批判を受けた。四月には、「中国新聞」が鳥取県庁と島根県庁の写真を取り違え、「毎日新聞」も本来は島根県と書くべきところを誤って鳥取県と書き、謝罪した。間違いはすぐにソーシャルメディアで話題になり、インターネットメディアに取り上げられた[37]。

不適切な発言や間違いといった失策は、既存メディアからすれば「ちょっとした」ことかもしれないが、批判を利用したい人々にとっては好機になる。間違いや失策はその後も繰り返しソーシャルメディアで語られ、事あるごとに掘り起こされ、既存メディアに対する反発を強める要因になっている。

6　「ズレ」が示す記事制作手法の課題

「こたつ記事」が間違いを拾い上げる

ニュース生態系の浄化を担うべき既存メディアが、「デマ」を作り出し、「話題の捏造」をおこなっていた。そこには、既存メディアが「ネットの話題」を取り上げる際の記事制作手法の構造的な課題がある。

フェイクニュースが大きな問題になる以前から、既存メディアが玉石混交のインターネット情報を扱うことは、誤報や虚報の危険と背中合わせだった。

表4　ソーシャルメディアの不確実な情報から誤報につながったテレビ局のケース。筆者による調査

年	番組種別	概要
2016年	ニュース	熊本地震、イオンモール熊本で火災が
	ニュース	インドネシアの脱線事故を、東武東上線の脱線事故の写真として紹介
2017年	バラエティー	2013年に「Twitter」に投稿された、宮崎駿の引退宣言「ボジョレー」パロディーを紹介
	生活情報	存在していない「ガリガリ君火星ヤシ味」を紹介。ネットで発表したファンアート
2018年	ニュース	2015年の中国・天津での爆発を、西日本豪雨による岡山県のアルミ工場の爆発映像として放送

ＮＨＫは、二〇一三年十月に東日本大震災の被害状況の確認にソーシャルメディアの情報が有益だったことや、選挙に関するネット世論の動きを探るために「Social Listening Team（SoLT）」[38]を結成して運用している。事件や事故を報道するためや、情報番組の話題や特集テーマを考えるためにインターネットのトレンドを把握する目的で利用しているが、ＮＨＫのような組織的な動きは一部にとどまっており、多くの既存メディアでは部門や番組ごとに方針や手法がバラバラのままソーシャルメディアを運用している。その結果、不確実な情報を拡散してしまう事例がみられる。

表４にテレビ局の事例をまとめたが、なかには世の中に存在していない商品をテレビで紹介するといった虚報も起きている。番組種別でみると、同様の事例は生活情報番組やバラエティー番組だけでなく、ニュース番組でも起きている。また、番組の「Twitter」アカウントを利用して情報提供を求めるテレビ局に対して「マスゴミが群がっている」と冷笑し、わざと偽の情報を流す人たちも登場している。二〇一六年に起きた東武東上線の脱線事故では、実際に現場にいたと思わ

れるアカウントのツイートに添付されていた写真にインドネシアの鉄道事故の写真が交じっていて、民放テレビ局がインドネシアの写真を紹介するという誤報を引き起こした。

事件や事故のようにリアルタイム性が高い話題の場合はソーシャルメディアを直接扱うことが多い既存メディアだが、情報番組の話題や特集テーマの検討にあたっては、本書で取り上げているミドルメディアの影響がみられる。その代表例が、二〇一五年に起きた東京五輪のエンブレム騒動である。この騒動では、多くのテレビ番組が「インターネット上で疑惑を指摘」「ネットで話題」などの言葉を使っていたが、ミドルメディアが取り上げた話題を十分に確認せず番組で紹介している可能性を筆者は、放送業界誌の「GALAC」[39]の二〇一六年の記事で指摘した。東京五輪エンブレム騒動では、ミドルメディアのひとつであるまとめサイトの「netgeek（ネットギーク）」が繰り返しエンブレム問題を取り上げていて、テレビの情報番組がサイトを資料として番組内で提示していた。ネットギークはテレビの情報番組をもとに、ソーシャルメディアの反応を加えて、まとめ記事を作成して、さらに騒動を拡大させていた。[40]これも既存メディアによる「話題の捏造」といえる。

記事制作手法の課題は新聞記事とツイートの「ズレ」にも現れている。新型コロナウイルス感染症に関する「デマ」では記事とツイートに「ズレ」が生じていた。これはソーシャルメディアの話題や人々の関心の変化に対応できていないことが要因だった。病院の「デマ」では地域の取材網によって地方版では記事化されたが、マスメディアの中央集権的な特徴によって全国版や東京版では繰り返し伝えられなかった。一方で、この中央集権的な特徴は「#東京脱出」という捏造された話題を山梨や岩手といった地方に拡大させ東京と地方に「ズレ」を生んでいた。

「話題の捏造」や「ズレ」が生じる課題は二つある。一つはマスメディア時代の記事制作手法が見直されていないことだ。インターネット登場以前は、多くの人々にニュースを発信するのは既存メディアだけだった。ほとんどのニュースが、現場で取材し、社内で確認するという既存メディアの手法で制作されていたため、公開された記事は間違っていないとの前提に立ち、自社だけでなく他社にも参照されている。この前提がトイレットペーパー不足の「デマ」が事実化する要因になった。

もう一つは、「ネットの話題」を取り上げる際の記事制作手法だ。第2章のフェイクニュースや本章の「#東京脱出」は、インターネット業界で「こたつ記事」と呼ばれる手法で制作されている。「こたつ記事」とは現場に取材に行かずこたつでも書けるという意味で、ページビューを稼ぐことが優先されるインターネットメディアで、コストが安く手軽な記事制作手法として広がったものだ。ソーシャルメディアの影響力が高まるにつれ、既存メディアも「ネットの話題」を取り上げるようになり、確認が不十分な「こたつ記事」に手を染めるようになった。

「#東京脱出」は、記事制作手法の二つの課題が組み合わさっている。まず、「こたつ記事」により「話題の捏造」がおこなわれた。次に、マスメディア時代の記事制作手法によって、新聞記事が参照されたことで間違った話題がインターネットだけでなく地方にまで拡散していった。この記事制作手法の構造的な問題は、第4章「フェイクニュースは検証できるのか」（藤代裕之）のフェイクニュース検証記事の制作過程にも影響を与えていた。

記事制作の課題のうち「ネットの話題」を取り上げる「こたつ記事」はより問題が大きい。インターネットメディアだけでなく既存メディアも、「こたつ記事」に手を染めたことで、低品質な

「ネットの話題」がインターネットにあふれ、インフォデミックを引き起こしている。それに加え、ニュースに対する信頼も低下させている。

既存メディアの場合は信頼を売りにしているからこそ、ソーシャルメディアの確認を十分におこなわず、「話題の捏造」をおこなったり、「ズレ」た記事を書いたりすると、研究者や専門家、インターネットメディアに検証されることになる。以前は、研究者や専門家は発信力をもたなかったが、ソーシャルメディアの普及とポータルサイトが個人の書いた記事にも配信を拡大したことで、既存メディアを検証する動きは、より早く、より強くなっている。既存メディアは記事制作手法を見直す必要があるが、それが実現すればニュース生態系の浄化が進むかといえば、そう簡単ではない。

どれだけ注意してもミスは起きる。誠実な既存メディアであれば謝罪や訂正をおこなうだろう。そうするとさらに批判が高まる。インターネットでは既存メディア批判がビジネスになるからだ。インターネットメディアでは謝罪や訂正がされることがほとんどないため、既存メディアの信頼だけが低下し続けることになる。取材の手間をかけた記事よりも、お手軽な「こたつ記事」やフェイクニュースがページビューを稼ぐため、汚染は拡大し続けるだろう。このようなニュース生態系の構造が改善されない以上、既存メディアだけに責任を担わせることは酷である。

注

(1) WHO “Infodemic” (https://www.who.int/health-topics/infodemic)［二〇二一年七月十六日アクセ

ス」
(2)「トイレットペーパーなど買い占め高騰　誤情報で家庭紙品薄に」「日本経済新聞」二〇二〇年三月一日付
(3)「真犯人は「デマ退治」否定でも噂ひとり歩き」「日本経済新聞」二〇二〇年四月六日付
(4)福長秀彦「新型コロナウイルス感染拡大と流言・トイレットペーパー買いだめ――報道のあり方を考える」、NHK放送文化研究所編「放送研究と調査」二〇二〇年七月号、NHK出版、四八―七〇ページ
(5)サーベイリサーチセンター「【緊急調査】新型コロナウイルス感染症に関する国民アンケート」(https://www.surece.co.jp/research/3282/)［二〇二一年七月十六日アクセス］
(6)鳥海不二夫「非実在型炎上とその影響」第四回情報法制シンポジウム発表資料、二〇二〇年(https://www.jilis.org/events/data/20200622jilis_sympo-toriumi.pdf)［二〇二一年七月十六日アクセス］
(7)「「トイレ紙品薄に」デマ、職員のSNS投稿を謝罪　鳥取・米子医療生協」「朝日新聞」(東京・大阪版)二〇二〇年三月四日付夕刊
(8)「医療現場のデマ拡散、副知事陳謝　真偽確認せず幹部らにLINE」「朝日新聞」(西部版)二〇二〇年四月十六日付朝刊
(9)アルファルファモザイク「【やめろ】トイレットペーパーの売り切れが始まってる模様ｗｗｗｗｗｗｗｗｗｗｗ」(http://alfalfalfa.com/articles/277941.html)［二〇二一年七月十六日アクセス］
(10)中京テレビ報道局「「新型コロナウイルスの影響でトイレットペーパーが不足」は誤り　品薄となる薬局も」「CHUKYO TV NEWS」(https://www2.ctv.co.jp/news/2020/02/27/82960/)［二〇二一年七

月十六日アクセス］

（11）熊本市長大西一史「Twitter」二〇二〇年二月二十七日（https://twitter.com/k_onishi/status/1232970878951931904）［二〇二一年七月十六日アクセス］

（12）日本家庭紙工業会「日本家庭紙工業会からのお知らせ」（https://www.jpa.gr.jp/file/release/20200302014901-1.pdf）［二〇二一年七月十六日アクセス］

（13）経済産業省公式アカウント「Twitter」二〇二〇年二月二十八日（https://twitter.com/meti_NIPPON/status/1233329202515963905）［二〇二一年七月十六日アクセス］

（14）Yukiya Okuda「Twitter」二〇二〇年二月二十九日（https://twitter.com/alumican_net/status/1233626189681479680）［二〇二一年七月十六日アクセス］

（15）「新型肺炎 紙製品 デマで品薄 業界「在庫は十分 冷静に」」「読売新聞」（東京・中部版）二〇二〇年三月一日付

（16）「新型肺炎「デマ情報と分かっても不安」トイレットペーパーに殺到 店側「冷静な対応を」」「毎日新聞」（山梨県版）二〇二〇年三月一日付

（17）「余録 それは大阪の千里ニュータウンのスーパーで始まった…」「毎日新聞」（東京版）二〇二〇年三月三日付

（18）「消えた商品 再び棚へ トイレ紙「山積み」新型肺炎 デマ打ち消しへ」「読売新聞」（東京版）二〇二〇年三月六日付

（19）「緊急事態宣言首相 会見の要旨」「朝日新聞」二〇二〇年四月八日付

（20）「［コロナから守る］Q&A「これが解決策」まず疑って」「読売新聞」（東京版）二〇二〇年四月十四日付

(21)「新型コロナ デマ・うわさは「善意」から 立命館大・サトウ教授が指摘」「毎日新聞」(京都版)二〇二〇年五月十一日付
(22)「新型コロナ プレハブで専用診察所 三沢病院、整備進む」「毎日新聞」(青森県版)二〇二〇年三月十三日付
(23)「新型肺炎 クルーズ船乗ってない 横手市の夫婦、うわさに困惑」「秋田魁新報」二〇二〇年三月一日付、「「感染者は社長」デマ拡散 興津螺旋 ツイッター削除求める」「静岡新聞」二〇年三月五日付、「県内でもデマ拡散 スーパーの売り上げ減 初感染者巡り悪質投稿 識者「罪に問われることも」」「四国新聞」二〇年三月二十三日付
(24)「#東京脱出、専門家「やめて」 帰省で家族に感染、新たなクラスターも 新型コロナ」「朝日新聞」(東京版)二〇二〇年四月七日付
(25)「#東京脱出、専門家「やめて」 帰省で家族に感染、新たなクラスターも 新型コロナ」「朝日新聞デジタル」(https://www.asahi.com/articles/DA3S14432379.html)[二〇二一年七月十六日アクセス]
(26)「ハッシュタグ「東京脱出」は本当に Twitter 上で拡散されていたのか? 朝日新聞の記事による影響を調査してみた」「ねとらぼ」(https://nlab.itmedia.co.jp/research/articles/16717/)[二〇二一年七月十六日アクセス]
(27)「緊急事態宣言うけ…JR新宿駅前はいま」「日テレ NEWS24」(https://www.news24.jp/articles/2020/04/07/07621769.html)[二〇二一年七月十六日アクセス]
(28)「東京・新宿バスタ『東京脱出』で混雑! 「地元の方が安全」「どうせテレワークなら」」「J-CAST テレビウォッチ」(https://www.j-cast.com/tv/2020/04/08383868.html)[二〇二一年七月十六日アク

セス］
(29)「(新型コロナ) コロナ疎開 歓迎と不安と」「朝日新聞」(山形県版) 二〇二〇年四月九日付
(30)「(新型コロナ)「疎開」「帰省」 ジレンマ 戻りたいが広げるかも」「朝日新聞」(岩手県版) 二〇二〇年四月十日付
(31) 尾形聡彦「「日本のPCR検査少ない」 米専門家が指摘 手本は韓国」「朝日新聞デジタル」、二〇二〇年三月十四日 (https://www.asahi.com/articles/ASN3G6JR3N3GUHBI01R.html) ［二〇二一年七月十六日アクセス］
(32) 小笠原盛浩／川島浩誉／藤代裕之「マスメディア報道は Twitter 上の災害時流言を抑制できたか？——2011年東日本大震災におけるコスモ石油流言の定性的分析」、関西大学社会学部編「関西大学社会学部紀要」第四十九巻第二号、関西大学社会学部、二〇一八年、一二一—一四〇ページ
(33)「新型コロナ 政府、ワイドショーに何度も反論 官邸幹部が指示」「毎日新聞」二〇二〇年三月七日付
(34) 厚生労働省「Twitter」、二〇二〇年三月五日 (https://twitter.com/MHLWitter/status/1235335031305928706) ［二〇二一年七月十六日アクセス］、同「Twitter」、二〇二〇年四月十二日 (https://twitter.com/MHLWitter/status/1249293252613656584) ［二〇二一年七月十六日アクセス］、新型コロナウイルス感染症対策推進室（内閣官房）「Twitter」、二〇二〇年三月六日 (https://twitter.com/Kanboukansen/status/1235604782280093696) ［二〇二一年七月十六日アクセス］
(35) 西田亮介『コロナ危機の社会学——感染したのはウイルスか、不安か』朝日新聞出版、二〇二〇年
(36)「編集委員がツイッターで不適切な投稿 朝日新聞が謝罪」「NHKニュースサイト」(https://www3.nhk.or.jp/news/html/20200314/k10012331651000.html) ［二〇二一年七月十六日アクセス］

（37）笹木萌「毎日新聞、島根と鳥取を合体させてしまう　まさかの「鳥根県」誤植で謝罪」「Jタウンネット」（https://j-town.net/tokyo/news/localnews/304287.html）［二〇二一年七月十六日アクセス］
（38）足立義則「震災ビッグデータからソーシャルリスニングへ」、NHK放送文化研究所編「放送メディア研究」第十一号、NHK出版、二〇一四年（https://www.nhk.or.jp/bunken/book/media/pdf/2014_26.pdf）［二〇二一年七月十六日アクセス］
（39）藤代裕之「テレビが〝ネット炎上〟を加速する」、放送批評懇談会編「GALAC」二〇一六年十月号、放送批評懇談会、一二―一五ページ
（40）「【炎上】2020年東京オリンピックのロゴがまさかの丸パクリ!?海外からも大批判で開催中止の可能性も!?」「netgeek」（http://netgeek.biz/archives/44501）［二〇二一年七月十六日アクセス］

［付記］本章は、藤代裕之「ソーシャルメディアで広がる「デマ」それに結びつく既存メディア攻撃」（「Journalism」二〇二〇年六月号、朝日新聞社ジャーナリスト学校、二八―三四ページ）と二〇二〇年度秋季（第四十三回）情報通信学会大会の発表、白井夏樹／藤代裕之「コロナ禍における新聞とTwitterの「デマ」比較」に加筆し修正したものである。

第2部　対抗

第4章　フェイクニュースは検証できるのか

藤代裕之

1　わずか二件のフェイクニュース

フェイクニュースに対抗するには、不確実な情報を検証してフェイクニュースだと判定する必要がある。本章では、二〇一八年九月の沖縄県知事選挙の際に地方紙「沖縄タイムス」が取り組んだフェイクニュースの検証を紹介する。一六年のアメリカ大統領選挙でフェイクニュースが注目されたことは本書の各章で述べているが、その理由は選挙時のフェイクニュースは民主主義の根幹である投票に影響を与えるためである。しかしながら、第2章「フェイクニュースはどのように生まれ、広がるのか」（藤代裕之／川島浩誉）で紹介した一七年の衆議院議員選挙でのフェイクニュース検証では、既存メディアによる訂正情報の記事化は十分ではなかった。「沖縄タイムス」の取り組みでも、六十五件の不確実情報のうち、フェイクニュースと判定されたのはわずか二件にとどまった。

なお、フェイクニュース対策としてはファクトチェックという言葉が知られているが、ファクトチェックについては続く第5章「ファクトチェックが汚染を引き起こす」（藤代裕之）で詳しく述べる。本章では、後述する理由から、「沖縄タイムス」の取り組みをファクトチェックではなくフェイクニュース検証と表記する。

調査手法

まず、沖縄県知事選挙の概要について述べる。この選挙は、八月八日に翁長雄志知事が急死したことに伴っておこなわれた。翁長知事の任期は十二月九日までだったが急死によって選挙は前倒しされ、九月十三日に告示、九月三十日に投・開票となった。候補者は届け出順に、佐喜真淳、玉城デニー、兼島俊、渡口初美の四人だった。いずれも無所属だが、政権与党である自民党や公明党が推す前・宜野湾市長の佐喜真と、翁長の後継者として立憲民主党や自由党などのオール沖縄が推す前衆議院議員の玉城による事実上の一騎打ちであり、国政での与野党の対立構造が持ち込まれた。

選挙戦の争点はアメリカ軍普天間飛行場の辺野古移設や経済振興策とされた。投票率は六三・二四％。得票数は、玉城が三十九万六千六百三十二票、佐喜真が三十一万六千四百五十八票、兼島が三千六百三十八票、渡口が三千四百八十二票だった。(1)

表1　フェイクニュースの内容と虚偽と判定した理由（「沖縄タイムス」2018年9月27日付）

内容	虚偽と判断した理由
佐喜真の政策の文字数は2.2万字超えで、玉城は約800字	比較の根拠が異なる。佐喜真氏は政策集、玉城氏はホームページから主要ポイントの抜粋
共産党出馬の翁長知事が訪米しても政府関係者の誰にも会えなかったし、沖縄のアメリカ軍基地のなかにさえ入れなかった	共産党県委「翁長前知事が党から出馬したことはない」。訪米の同行記者「政府関係者と会った」。県「知事は米軍基地のなかに入れる」

「沖縄タイムス」は九月二十七日付社会面で検証記事を公開した。検証記事では、「Twitter」で拡散している「共産党出馬の翁長知事が訪米しても政府関係者の誰にも会えなかったし、沖縄のアメリカ軍基地のなかにさえ入れなかった」「佐喜真の政策の文字数は二・二万字超えで、玉城は約八百字」「佐喜真は宜野湾市長選で市内公立小学校の給食費無料化を掲げて当選したが、値上げした」という三つの話題を紹介している。候補者別では、佐喜真が一、玉城が一、双方にふれたものが一である。ウェブサイトの確認や党への取材をおこない、給食費のツイートを除く二つをフェイクニュースと判定している。

沖縄県知事選挙のフェイクニュース検証の中心になった「沖縄タイムス」の記者を対象に、二〇一八年十月二十五日と二十六日にインタビュー調査をおこなった。

「沖縄タイムス」はアメリカ軍統治下の一九四八年（昭和二十三年）に創刊された。沖縄県那覇市中心部の県庁近くに本社を置いている。東京や宮古島などに七支社・支局・営業部がある。二〇二〇年二月現在の社員は二百十六人。取材や記事は編集局が、ニュースサイト「沖縄タイムスプラス」の更新は総合メディア局がおこなっ

ている。(2)

調査の対象は、総合メディア局デジタル部の與那覇里子記者、選挙取材キャップである編集局政経部の大野亨恭記者、編集局社会部の比嘉桃乃記者の三人である。総合メディア局と編集局は沖縄タイムス社の同じフロアにあるが、やや離れた位置にあり、局が異なるために指揮命令系統は別になっている。

それぞれの役割は、與那覇がプロジェクトリーダー、大野が候補者陣営や各党などへの取材対応、比嘉がソーシャルメディアに拡散するフェイクニュースとみられる情報の収集と確認作業を主におこなった。インタビュー調査は、検証記事の制作過程を確認するため、後述する大石のニュース制作過程のモデルを参考に、フェイクニュースに対する認識、不確実な情報の収集と記事化までを時系列で質問する半構造化インタビューをおこなった。さらに、社内の議論、地元の「同業他社」でライバル紙である「琉球新報」やインターネットメディアとの関係、検証記事の制作における課題について確認した。一人あたりの調査時間は一時間から二時間程度で、合計時間は五時間五十七分だった。

調査対象者と筆者との関係について述べておきたい。筆者は與那覇記者と知人であり、「沖縄タイムス」のフェイクニュース検証への協力を依頼された。協力内容はフェイクニュース検証の動向を記者らに説明することである。ユネスコ（国際連合教育科学文化機関）が作成したハンドブック“Journalism, ‘Fake News’ & Disinformation”(3) にある ‘The difference between Fact-checking and Verification’（図1）を提示し、フェイクニュース検証に際して、政治家の発言などを確認するフ

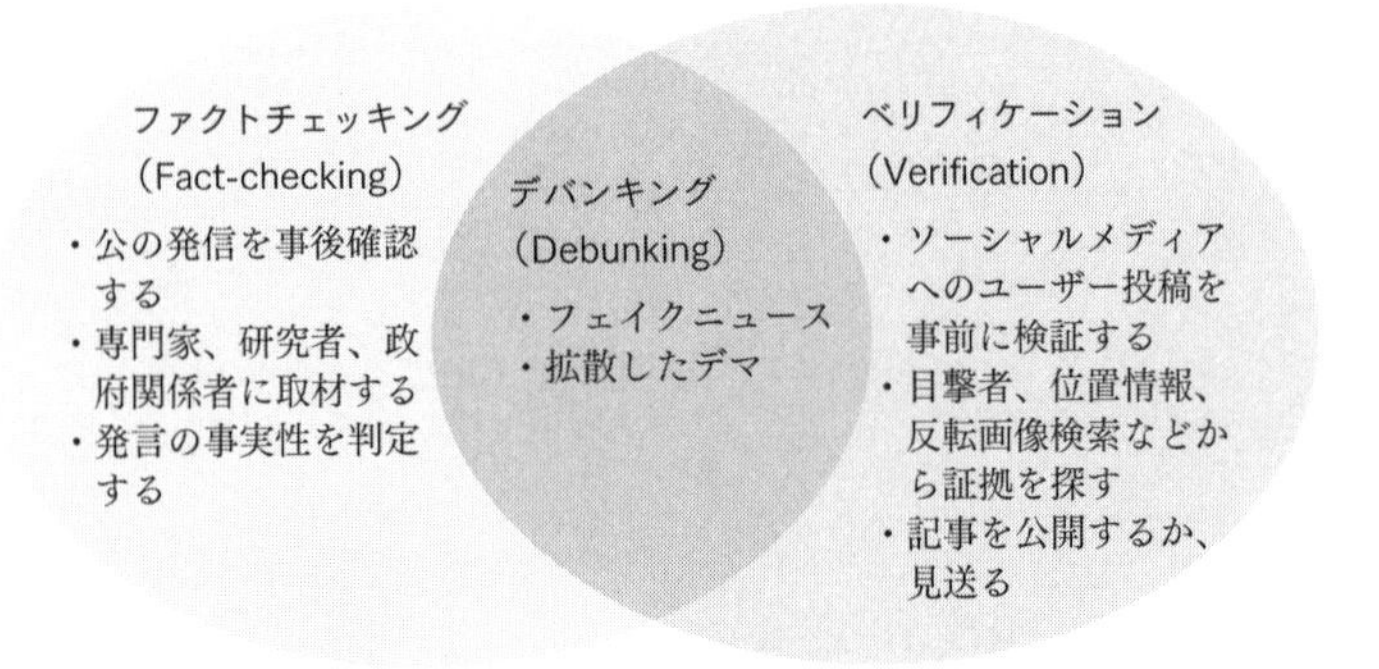

図1　ファクトチェックとベリフィケーションの区分。ユネスコのハンドブックを邦訳（藤代裕之／耳塚佳代訳）

アクトチェックとソーシャルメディア上のうわさを確認するベリフィケーションを区分する提案がおこなわれていることを説明した。この図は、二〇一六年以降にフェイクニュースが注目されたことでファクトチェックの範囲が拡大し、混乱した状況を整理するために作られたものである。

　また、国際ファクトチェック・ネットワーク（ＩＦＣＮ）が加盟団体に求めている五原則[4]——特定の党派に偏らず公平に検証をおこなうことや、情報源の詳細を公開することなどを説明した。その後、「沖縄タイムス」からＩＦＣＮ五原則に沿い、ソーシャルメディアで拡散する不確実な情報を確認するベリフィケーション（検証）側からフェイクニュースにアプローチすると連絡があった。本章でファクトチェックではなく、フェイクニュース検証、検証記事と表記する理由はこの方針による。

　なお、どのような不確実情報を収集し、フェイクニュースであると報じるかの判断は「沖縄タイムス」でおこなっていて、筆者は関与していない。

2　記者から懐疑的な声

先行するライバルとネットメディア

ここからはインタビュー調査に対する記者の回答を、行頭から二字下げて記載する。回答内にある〔　〕は筆者による補足である。

「沖縄タイムス」のライバル紙である「琉球新報」は、二〇一八年九月八日付紙面で立候補予定者の支持に関する世論調査が偽であると報じるとともに、「ファクトチェック―フェイク監視」をおこなうことを告知していた。インターネットメディアである「BuzzFeed Japan」も、県知事選挙に関する報道に乗り出していて、九月十二日に玉城候補を批判するサイトが出現していることを報じていた。(5)

フェイクニュース検証のプロジェクトリーダーになる與那覇は、社内で調整会議と呼ばれる翌日朝刊の記事を決める会議に出席していた際に、「琉球新報」と「BuzzFeed Japan」の動向が話題になったことを記憶している。

　調整会議に出たときに、「〔琉球〕新報」が書いていて、どうしようかみたいな話を聞きました。デジタルだけでやりきれないし、やり方もわからないが告示が近づいてきて、「新報」も

「BuzzFeed Japan」も書いてきているし、誰かやったほうがいいだろうなと思ってました。（与那覇）

選挙取材は政経部が中心になり、デジタル部は直接取材を担当しないことから、与那覇は「同業他社」である「琉球新報」の動きを気にしながらもどこかひとごとに感じていた。その頃大野は、選挙取材キャップとして各陣営の取材を進めていた。

沖縄にまつわるデマを打ち消していこうというモチベーションはありました。「朝日新聞」が以前、国会答弁に対するファクトチェックをやっていて、うちらもやらないといけないねと同僚記者と話していたが、ルーチンにかかりっきりになってしまっていた。（大野）

県議会では話題にならず

大野はソーシャルメディアの不確実な情報を把握していたが、選挙取材キャップとして接触している「取材先」である県議会議員の不確実情報への反応はほとんどなかった。

議会担当なので政治家の「Twitter」をフォローしている。「〔知事が〕デニーになったら小沢〔一郎〕に支配される沖縄になる」といった書き込みは目にしていたが、年配の人が多い県議会では、与野党ともに知らなかった。県議会でフェイクニュースを気にしている人はいなかっ

た。（大野）

社会部遊軍として玉城陣営の支持者や有権者の動きを追っていた比嘉も、ソーシャルメディアでの不確実な情報の拡散を把握していた。

過熱してるなと思ったのは、デニーさんが出馬しますと言ったあと。告示前から人格を否定するようなツイートを目にするようになった。佐喜真さん側〔の不確実な情報〕も見ていたが、圧倒的にデニーさんが多いなという印象をもっていた。〔不確実な情報が〕拡散されていくのは危険だなと思っていました。（比嘉）

不確実な情報拡散の危険性を感じながら、社としてフェイクニュース検証をおこなうことはないだろうと予想していた比嘉に対し、デスクから取り組みを促す声がかかっている。

名護市長選挙でも紙面化していないから静観するんだろうなと。あくまでもネットの情報だし、会社として動くということはないんじゃないかなと思っていた。「〔琉球〕新報」が告示前から検証し始めていて、デスクに「「〔琉球〕新報」もやってるから、ファクトチェックとか検証やったほうがいいんじゃないの」と言われ、カチンときました。（比嘉）

比嘉が言う名護市長選挙とは、沖縄県知事選挙前の二〇一八年二月におこなわれた、現職の稲嶺進が自民党・公明党・日本維新の会が推した新人・渡具知武豊に敗北した選挙のことである。稲嶺は移設反対派であり、オール沖縄の中心的な人物でもあった。事前の世論調査では優勢とされていたが敗北したために、記者の間では「名護ショック」と呼ばれている。市長選挙では、新人を推す国会議員が「日ハムキャンプも逃げた。結果を出していない市長を変えるのは当然だ！」とツイートしたことをきっかけに、現職が球場の改築を怠ったためプロ野球球団の北海道日本ハムファイターズが名護市のキャンプから撤退したというフェイクニュースが拡散したと報じられた。[6] 玉城は知事就任後に、名護市長選挙での移設反対派の敗因をフェイクニュースに求める発言をしている。[7]

新聞社としては異例の取り組み

沖縄では基地に関連するフェイクニュースはすでに問題になっていて、「沖縄タイムス」では取材に取り組んで書籍を出版している。[8] そして、選挙に関するフェイクニュースも問題になっていた。だが、「沖縄タイムス」の編集局内では、ソーシャルメディアでの不確実情報の広がりや、「琉球新報」や「BuzzFeed Japan」の報道を記者やデスクが把握しながらも、記事化については様子見をしている状態だった。社内で記事化への事態が進展したのは、九月十三日の県知事選挙告示直前に與那覇が編集局次長に提案をしたことがきっかけだった。

十一日の十時三十分ぐらいに、〔編集局〕次長に取り組みをやろうと提案した。その日の夕方は難しいから、翌日に集まろうという話になった。十二日に政経部長、社会部長、遊軍キャップを含めて話し合い、フェイクニュースのチェックに入ることになった。十三日に政経部長が来て「二人確保したから」と言われ、人が増えていった。（與那覇）

プロジェクト参加者は当初八人だったが最終的に十二人になり、大野と比嘉もプロジェクトに参画した。

最初の会議で、俺入ってねーや、あれって思った。あとで、〔プロジェクトに関する〕社内メールが回ってきたので、オブザーバーで参加しようと。こんな取り組みは、あまりないと思う。〔與那覇〕里子だからできていると思う。（大野）

メールがきた。知らない間にチームに入っていた。〔フェイクニュース検証を〕やらないといけないないという強迫観念に近いものはあったが、社内メールが回ってきたので、よかった。〔與那覇〕里子さんにもお世話になっていたので、協力しない理由はないなと。（比嘉）

このように、「沖縄タイムス」のフェイクニュース検証プロジェクトは、選挙取材を直接担当しない総合メディア局から編集局へと局を超えた提案がおこなわれ、政経部や社会部からも記者が参加する横断的なチームが組成されるという新聞社としては異例の取り組みになった。

ネットメディアの影響でエスカレート

フェイクニュースの可能性がある不確実な情報の収集は県知事選挙告示日の九月十三日から始まった。プロジェクトチームは、奇数の日と偶数の日で二つの担当に分かれて、一日十五分間「Twitter」や「Facebook」といったソーシャルメディアの投稿を検索し、不確実な情報を「Google Docs」というデータ共有サービスに入力して集約した。

ランチの待ち時間とかに、「沖縄　デマ」「デニー　デマ」「佐喜真　デマ」などのキーワード検索をかけながら探して、見つけたものを〔「Google Docs」の〕フォームに入力した。（比嘉）

この収集作業によって、最終的には六十五件の不確実情報が収集された。この不確実情報に対し、與那覇が図1の区分でファクトチェックに分類された政治家の発言を取り除いたうえで、重要度や緊急性を考慮して検証する不確実情報を十七件に絞り込み、プロジェクト参加者に検証のための取材を依頼していった。

〔不確実情報に対する〕事実をチェックするために、取材結果のメモを記者から電話かメールで送ってもらい、それをもとに、「ここ足りなさそうだから、収集した人と、誰に裏をとってもらう」とか、「これだけで書くのは怖いよね」とか、記者と相談して、進めていった。（與那覇）

不確実情報の収集状況などの進捗は、與那覇から社内メーリングリストでプロジェクト参加者や各部長に日々共有された。記事化への動きがあったのは九月二十日だった。

社会部長から二十日十六時ごろ、紙面会議でネット選挙の課題の記事を少しは出すべきだという話が出た、という内容のメールがきた。（與那覇）

ここから記事化に向けた取材が進み、最終的に「沖縄タイムス」は、九月二十九日付朝刊で、フェイクニュースであると確実に判断できた二件と、事実を確認した一件のツイートに対する検証記事を紙面に掲載した。扱いは社会面のトップだった。

インタビュー調査では、社会面のトップという紙面での扱いについて記者から言及があった。

［フェイクニュースは］ネットで流れているのだから、ネットで検証記事は知らせたほうがいいんじゃないかと思う。紙面を読んでいる若い人は少ないので、あそこまで紙面を割かなくてよかったのでは。（比嘉）

「［琉球］新報」がやっているなかで、一矢報いないといけないというのもあった。あの大きさでよかったと思います。一面の話ではない。（大野）

大野は、記事の扱いについて「同業他社」である「琉球新報」による報道の影響についてふれたが、これ以外にも九月二十五日の「BuzzFeed Japan」の記事の記事制作過程への影響を指摘した。「BuzzFeed Japan」は、「沖縄知事選、自民系陣営が「期日前投票報告書」を配布 選管も把握」というタイトルで、佐喜真陣営が期日前投票の報告を求める用紙を配布していて、陣営が報告を求める行為が公職選挙法にふれる可能性があるという内容の記事を公開した。なお、これはフェイクニュース検証記事ではなく、「ファクトチェック」という言葉も記載されていない。[9]

うちにも同じ紙が郵送されてきたので、二十行書いたが、正常な判断ができなくなったかなと。普段ならこれは書かない。投票日前だし、記者も躊躇するし、デスクも躊躇するはず。そこの線引きが広がっていくのが怖い。エスカレートしていったときに、歯止めをかけられるのかというのも課題。(大野)

「BuzzFeed Japan」は、フェイクニュース検証記事以外にも、「イチからわかる普天間基地の問題、こじれた経緯を10のポイントで整理(沖縄県知事選)」(九月二十六日)、「沖縄知事選、ネット上で飛び交う誹謗中傷　自民系陣営も「緊急告知」」(九月二十七日)、「沖縄の海から叫び続ける、謎の「おじさん」の正体」(九月二十九日)など、投開票日に向けて沖縄の記事を連日のように配信した。大野は、「BuzzFeed Japan」の取材の進め方に対して厳しい目線を向けている。

いま、なぜ、〔「BuzzFeed Japan」の記者が〕沖縄にきているかというと、話題性があるからで、一過性だなと。面白おかしく、かき乱していった。選対〔選挙対策本部〕に継続的に取材しているかというと、そうでもなくて、記事を書くためだけに名刺を切っている感じだった。沖縄の本質的な問題に食い込んでくることはないんだろうなと。世間の興味が集まるところだけはくるが、基地問題は複雑なので、わかりにくいところにはやってこない。（大野）

検証は大きな負担

フェイクニュース検証は、通常の取材に比べて確認作業に労力がかかるために記者の大きな負担になっていた。検証の負担の大きさは、六十五件の不確実情報が収集されたものの、紙面化したフェイクニュースは二件にとどまった要因のひとつである。

〔検証は〕すごい労力がかかる。普通に記事を書くよりも大変で、費用対効果が悪い。根拠がなく書いているものは検証することができない。（與那覇）

へたをしたら、僕らがフェイクニュースに加担する可能性がある。事実ではありませんという断定をするのは難しい。（大野）

通常に記事を書くよりも多くの労力を費やして、フェイクニュース検証に取り組むことが必要なのか、記者からは懐疑的な声が上がった。

正直思ったのは、〔ソーシャルメディアで拡散している不確実情報は〕検証に値しない。こんなデマ信じないでしょ。翁長さんが共産党というのにいちいち反論していくというのは、必要ないんじゃないかと、いまでも思っている。（大野）

ゴシップ的なものはやんなくていい。それは地方紙がやることでもないし。どこまでデマが投票行動に影響しているのかまったくわからなくて、〔フェイクニュース検証という〕取り組みに疑問もありました。（比嘉）

どのような不確実情報を検証の対象にするのか、ニュース記事にするのか、大野と比嘉は九月二十五日付の「琉球新報」と「BuzzFeed Japan」による佐喜真候補の公約に関する検証記事(10)について疑問を呈している。公約については、フェイクニュース検証の対象ではないと考えるためである。

これ〔公約〕はフェイクニュースでもないし、デマでもないし、しゃべっているのを生で見ていたがすぐ追う感じにはならなかった。佐喜真さんのほうだけやると不公平になるし。選挙が終わって両方〔両候補〕一緒に〔公約に関する報道を〕やるならいい。（大野）

〔公約に関しては〕有権者の判断にお任せすればいい話。携帯電話の話は企業誘致と同じレベルだと思います。（比嘉）

3　変容するニュース生態系

インタビュー調査の結果は意外なものだった。沖縄には日本に存在するアメリカ軍基地の七〇％が集中し、基地に関するフェイクニュースに悩まされてきた。「沖縄タイムス」だけでなく「琉球新報」[11]も取材をおこない、基地に関するフェイクニュースに対抗する書籍を出版していて、フェイクニュースに対抗するモチベーションは高いと考えていた。しかしながら、インタビュー調査で明らかになったのは、取り組みへの記者の懐疑的な声だった。通常よりも労力をかけてフェイクニュース検証をおこなう必要があるのか、地方紙がやるべきことなのか、記者からニュース記事として扱うことへの疑問があった（このような疑問は第2章でもあった）。

ニュース制作過程への影響

フェイクニュース検証も新聞社にとってはニュース記事制作の一部である。検証プロジェクトを、ニュース制作過程に関する研究から考察してみたい。ニュース制作過程に影響を与える要因について、アメリカの社会学者ゲイ・タックマンは、取材対象や記者同士の人間関係、メディアの記者の配置など多岐にわたって分析し、ニュースは「政治家や政策決定者と、ニュース制作者、そしてニュース・メディアという組織の幹部たちとの間の相互作用の結果作られるものだ[12]」と述べている。

コミュニケーション研究者のパメラ・シューメーカーらによる「メディア内容に対する影響要因の多層モデル[13]」では、影響を、①ジャーナリスト個人、②マスメディアの日常業務、③マスメディア組織の内部、④マスメディア組織の外部、⑤社会システムのイデオロギーの五つに整理している。タックマンは、組織の相互関係を指摘したが、シューメーカーは、読者や視聴者など情報の受け手との関係、企業間の競争、情報通信技術の革新などについても指摘している。

メディア研究者の大石裕は、何がニュースになるかを決める「ニュースバリュー」について、組織内で明確な形で存在するわけではなく、「突出性・重要性」などの項目を記者が直感的に照らし合わせ、取捨選択をしているとする。メディア特性に応じたものもあり、「新聞と週刊誌は発行サイクルが異なることから、それらのニュースバリューが異なるのは当然である[14]」とも述べている。

大きな影響力をもつポータルサイトに関しては、「Yahoo!」「goo」「livedoor」などの各社のトップページに掲載されている記事を調査したところ、「ニュースの拡張」が起きたことによって、新聞社や通信社のような従来「ニュースメディア」と呼ばれていたメディアの常識から考えれば首をかしげるようなものもあった[15]。「Yahoo!」トピックス元編集長の奥村倫弘は、公共的使命や文化的使命に重きを置いてきた既存メディアに対し、インターネットメディアには記事の閲覧数を重視するページビュー至上主義が起こっていて、「芸能スキャンダルがトップで扱われることは珍しくない[16]」とビジネスモデルの問題に言及している。同じく「Yahoo!」トピックスの編集者だった三日月儀雄は、「従来のマスメディアの価値判断では報じられないような内容の事象がネット上での不正確な情報として大きく拡散する可能性がある[17]」と指摘している。これらの意見は、既存メディアとインターネットメディアではニュースバリューが異なるという立場をとっているといえる。

地方紙のニュースバリューは「地域性」

それでは、調査対象である地方紙のニュースバリューとはどのようなものなのか。「茨城新聞」での参与観察がある。編集局員に調査して、ニュースの第一次的な情報源は、事件・事故のニュースでは警察、政治・行政・経済のニュースでは記者が日常的に接触する人であることを明らかにしている。ニュースバリューの形成要因として最も多く挙げられたのは他紙、テレビであり、「何が全国のトップニュースかを把握するときに、テレビニュース、特にＮＨＫのニュースを参考にする」という証言を引き出している。記者たちが意識していたニュースバリューの判断基準は「地域性」に集中していた[18]。

「熊本日日新聞」の記者五十人を対象とした調査では、記者が最も意識するメディアは全国紙が八二％、ＮＨＫテレビが六％、九州地区のブロック紙「西日本新聞」が二％であり、そのほかに「インターネットを含めた多くのメディア」と回答した者が一人いた。ニュースバリューに影響したのは先輩記者、取材源、同僚記者、競合関係にある他紙の記事という順になっている[19]。

これらの研究から、地方紙のニュースバリューは、「地域性」「取材先」「社内」「同業他社」の四要因が重視されているとまとめることができる。ただ、これまでの研究では、インターネットメディアとの関係は十分に考慮されていない。沖縄県知事選挙に関するフェイクニュース検証は、既存メディアだけでなく、インターネットメディアも取り組んでいるため、インターネットメディアとの関係を考慮することは不可欠である。

ニュースバリューの「同業他社」に関しては、地域のニュース生態系の特徴をふまえておく必要がある。言論法やジャーナリズムを研究する山田健太は、沖縄はほかの都道府県と比べて独自性があると述べ、「全国紙（東京紙）との間には日常的な取材競争もなければ、紙面上もそれほど強く意識をする必要がない状況が生まれがちだ」とする一方で、勢力が拮抗している複数の県紙が存在し、競争が熾烈を極めていると指摘している。[20]地方紙が複数存在する地域には青森県や福島県などがあるが、同規模で競い合っているのは沖縄県だけである。離島という地理的な条件のため、「沖縄タイムス」「琉球新報」両紙の発行部数が約十五万部に対し、全国紙の「日本経済新聞」が約五千部、「読売新聞」は千部に満たない部数で影響力が乏しい。そこにインターネットメディアの「BuzzFeed Japan」が加わったことでニュースバリューが揺らぎ、ニュース制作過程に影響を与えるようになる。

ネットメディア参入の影響

インタビュー調査から「沖縄タイムス」の検証記事のニュース制作過程を確認する。ニュース制作過程はプロジェクトが発足する前と後の二つの時期に分けてとらえることができる。プロジェクトが始まるまでは、地方紙が重視するニュースバリューである「地域性」「取材先」「社内」「同業他社」という四要因のどれからも決定的な影響を受けていない。

選挙取材キャップの大野が接していた県議会議員らはフェイクニュースを気にしておらず、記者が日常的に接触する「取材先」では話題になっていない。「社内」と「同業他社」からの影響はみられるが、記事化にはつながっていなかった。社会部の比嘉がデスクから「「〔琉球〕新報」もやってるから、ファクトチェックとか検証やったほうがいいんじゃないの」と声をかけられたことに「カチンときました」と回答していることは、競い合うライバル紙の動向が日常的にニュース制作過程に影響を与えていることをうかがわせるが、その段階では紙面化はされず、様子見が続いていた。

デジタル部・與那覇の提案でプロジェクトが開始されると状況が変化し、ニュース制作は「琉球新報」と「BuzzFeed Japan」の影響を受けていく。「「〔琉球〕新報」がやっているなかで、一矢報いないといけないというのもあった」という大野のコメントは、「同業他社」であるライバル紙の影響を示している。さらに大野が、「正常な判断ができなくなったのかな」と振り返っているように、「BuzzFeed Japan」による影響が大きくみられる。これは「BuzzFeed Japan」が「同業他社」として位置づけられていたことも示す。奥村や三日月は、既存メディアとインターネットメディアのニュースバリューは異なるとしていたが、選挙のフェイクニュースという同じ出来事を取材することで両者のニュースバリューが重なっていったといえる。

沖縄は独自の生態系をもっていたが、それは離島という条件がある紙の新聞が中心の時代のことだった。インターネットメディアの「BuzzFeed Japan」が報道に参入し、連日のようにニュース記事を配信したことでニュース生態系が変容したといえる。

地方紙が重視するニュースバリュー「地域性」という視点からは、記事化に対して懐疑的な声があることに注目しておきたい。「こんなデマ信じないでしょ」(大野)、「あそこまで紙面を割かなくてよかったのでは」(比嘉)と言うように、読者である沖縄県民に伝える必要性を記者は強く感じていない。インターネットに広がる間違った情報を検証するモチベーションは高いと考えられた「沖縄タイムス」でさえ、取るに足らない膨大な不確実情報の影響力に疑問をもっていた。

フェイクニュースに対する問題意識をもちながらも、ニュースバリューを判断しかねる慎重さの理由の一つは「取材先」の県議会議員らの反応がほとんどないといった不確実情報の影響力への疑問だが、もう一つ重要な理由がある。それは選挙報道で既存メディアが重視してきた「原則」である。

4 揺らぐ選挙報道の「原則」

政経部の大野は、朝日新聞社が発行する月刊誌「Journalism」に沖縄県知事選挙取材の振り返りを寄稿している。そのなかで「新聞社の選挙報道では、行数や写真の大きさをそろえ、候補者間で偏りが生じないようにする「原則」がある」「この「原則」との整合性を図ることに腐心した。ネット上では玉城が不利になるような書き込みが圧倒的に多かった[21]」と指摘し、玉城候補に対する書き込みを取り上げると「原則」を踏み外してしまう懸念が強かったと記している。

日本新聞協会は、編集委員会名で事実を曲げた報道などではないかぎり「政党等の主張や政策、候補者の人物、経歴、政見などを報道したり、これを支持したり反対する評論をすることはなんら制限を受けない。そうした報道、評論によって、結果として特定の政党や候補者にたまたま利益をもたらしたとしても、それは第百四十八条にいう自由の範囲内に属するもので、別に問題はない[22]」とした統一見解を公表している。

このような、日本新聞協会の編集委員会名による統一見解がありながらも、新聞社の報道は各候補者の写真の大きさや記事の行数をそろえるほど慎重に扱われてきた。その「原則」が揺らいだのは、前述したようにインターネットメディアの参入がニュース生態系を変容させたからである。インターネットメディアである「BuzzFeed Japan」は日本新聞協会という既存メディアで構成する業界団体には所属しておらず、「原則」を守る立場にない。

山田は、「原則」を打ち破ったとしてライバル社の「琉球新報」の取り組みを肯定的に評価している。

通常の選挙期間中の紙面や番組を思い起こしてほしい。各候補者を必要以上に「平等」に扱うことに気を使っていて、新聞で言えば行数も写真の大きさも寸分たがわぬほど同じスペースである。一方の候補者のみを批判し、結果として貶《おとし》めることはご法度だ。しかしその結果、候補者情報は通り一遍の表層的なものになりがちで、有権者にとって投票にあたっての有益な情報にはなりえていない可能性が高い(23)。

だが、選挙報道の公平性は重要な問題である。ＩＦＣＮ五原則の一項目には、特定の党派に偏らず公平におこなうことを掲げている。特定候補への検証の偏りはこの項目に抵触する可能性がある。候補者を平等に扱わず、特定の候補者だけを選挙期間中に扱うことがどのような反応を生み出すのかは続く第５章で示す。

特定陣営に対するフェイクニュースが多い場合、その量に合わせて検証すると報道のバランスが崩れることは当然ありうる。フェイクニュースの検証作業には通常の取材以上に労力がかかることから、記者が取り組みやすい不確実情報から取り扱うという懸念もある。一方、取るに足らない膨大な不確実情報を放置することも選挙に影響を及ぼしかねない。フェイクニュースに対抗するための取り組みを積極的に進めていくほど、投票への影響が懸念されるというジレンマに陥ることになる。

選挙時のフェイクニュースは、民主主義の根幹である投票に影響があるために対応が必要だ。だが、フェイクニュースに対抗することで公平性が崩れ、投票に影響を与えてしまうのは本末転倒である。浄化の困難さは、既存メディアがもつ社会的な責任の重さとも関係する。このように、フェイクニュース検証記事による投票への影響という難しい問題が浮かび上がってきた。

5　ネットメディアとフェイクニュースの共通項

フェイクニュース検証にはニュース生態系が大きく関係していた。インターネットメディアの「BuzzFeed Japan」の参入は、ニュース生態系を変容させ、ニュース記事制作に影響を与えるニュースバリューや選挙報道の「原則」を揺らがせることになった。

全国紙の影響が少なく、同規模の地方紙がライバルとして紙面で競い合うというニュース生態系の特徴は、沖縄が離島であるという条件に支えられていたが、インターネットメディアにとって場所は無関係である。日頃から沖縄について情報を発信しているインターネットメディアはあるが、観光や移住などについての情報であれば地方紙のニュースバリューとは重なることはない。だが、「BuzzFeed Japan」が県知事選挙に関連する記事を連日のように配信したことで、地方紙も影響を受けることになった。

ニュース生態系の変容は、ビジネスモデルがニュース制作過程に影響するという新たな課題も突き付ける。国内の新聞は宅配制度に支えられていて、新聞社の売上は、定期購読による販売収入が半分以上、広告収入が二〇％となっている。広告収入が減った分、販売収入割合が年々増えている。(24)これまでの新聞のビジネスモデルでは、ひとつの記事の見出しで売上が左右されるわけではない。一方、インターネットメディアでは、記事の見出しはページビューを大きく左右する。

大野が「BuzzFeed Japan」の取材に厳しい目線を向けている理由には、フェイクニュースや沖縄という題材にページビューを稼ぐ話題性があることから沖縄に進出したのではないかという疑いがある。フェイクニュースの検証もページビューによって左右される危険性があるということだ。この危険性を考えるにあたって、「BuzzFeed」の成り立ちについて少しふれておきたい。

「BuzzFeed」はアメリカの新興インターネットメディアで、日本版の「BuzzFeed Japan」は二〇一五年に「Yahoo!JAPAN」との合弁事業として立ち上がった。「バズ」という名前どおり、ソーシャルメディアで拡散されることが運営で重要な要素になっている。広告収入を増やすためにはページビューが重要になるが、その獲得のためにソーシャルメディアで話題が拡散する仕組みを利用しているのが特徴だ。「BuzzFeed」の創業者ジョナ・ペレッティは、マサチューセッツ工科大学の大学院生時代に、カスタマイズ可能なNIKEのシューズに「搾取工場」という文字を入れるよう注文した。この注文をNIKEが断ると、メールを知人に転送して騒動になった。このとき、口コミの拡散（バズる）構造に注目した。[25] マケドニアの若者が広告収入を得るためにフェイクニュースを製造していたことを報じたクレイグ・シルバーマンも「BuzzFeed」に在籍している。日本国内に展開する「BuzzFeed Japan」は、DeNAの「WELQ（ウェルク）」問題を追求していて、汚染されたニュース生態系の浄化に熱心に取り組むインターネットメディアだが、そこには大きな矛盾が横たわる。

「BuzzFeed Japan」が浄化しようとするフェイクニュースが拡散する構造こそ、「BuzzFeed Japan」がニュースを拡散させている構造そのものだということだ。インターネットメディアとフェイクニュースはページビューを稼いでいるという点で共通している。

プロジェクトの中心になった與那覇は社会部からデジタル部門に異動し、沖縄戦での避難経路を地図上に示し、文化庁メディア芸術祭で入選した「沖縄戦デジタルアーカイブ 戦世からぬ伝言」などを手がけている。與那覇は別の取材に対して、ページビューに頼るのではなく「新聞社にしか書けないものをネットで出していかないと、新聞社の存在意義が薄くなってしまわないか」[26]と危機感を表している。「BuzzFeed」だけがインターネットメディアではなく、「沖縄タイムス」もニュースサイト「沖縄タイムスプラス」を運営するインターネットメディアの側面をもつ。当然、ページビューの影響は生じる。ページビューに依存するビジネスモデルそのものが、ニュース生態系の汚染の浄化に矛盾を引き起こしているといえる。

6　誰のための検証か

選挙時の有権者への適切な情報提供は民主主義の根幹である。「沖縄タイムス」のフェイクニュース検証で記者が懐疑的になったのは、県知事選挙の有権者である県民に向けておこなわれたのか明確ではなかったからだ。ページビューを稼ぐことができる検証記事ばかりが増え、そうではないフェイクニュースは見逃されたり、公平性が崩れたりすることが起きると、ニュース生態系のなかで浄化作用を担うべきメディアの役割からはいっそう遠ざかることになる。地方紙のよりどころになるのは「地域性」だろう。

ニュース生態系の変容は、地方紙が重視する「地域性」というニュースバリューにも影響を与えている。紙版の読者である沖縄県民が検証記事の必要性を強く感じていなくても、比嘉が「ネットで検証記事は知らせたほうがいいんじゃないかと思う」と言うように、インターネットを通じて沖縄の読者にも記事を届けることができる。だとすれば、特定の地域に立脚しないインターネットメディアとは異なり、インターネットに記事を配信する地方紙にとって「地域性」は二重性をもつということになる。

紙版の場合は、販売エリアである沖縄に住む人たちが対象なので「地域性」は明確だが、ウェブサイトでは「地域性」は不透明になる。沖縄の人だけでなく、別の地域の人も閲覧できるからだ。元「毎日新聞」記者で「BuzzFeed Japan」を経てノンフィクションライターになった石戸諭のルポルタージュのなかで、與那覇は「いつも本土から、何らかの『沖縄像』を求められているように感じます(27)」と語っている。東京を中心としたメディアから見た、あるべき沖縄メディアの姿という「地域性」への期待が「同業他社」から向けられていることを描き出している。

この「同業他社」から向けられる「地域性」がページビューと結び付くと、フェイクニュース検証記事は沖縄の人々にとっての必要性からかけ離れ、表層的に消費されていくことになりかねない。インターネット以前の時代ならこのような迷いはなかったが、本章が浮き彫りにしたようにインターネットメディアの登場によってニュース生態系が変容し、「地域性」が二重化したことがニュース記事の制作をいっそう難しくしている。

本章で明らかにしたフェイクニュースに対抗する浄化作用の困難さの要因である大量の不確実情報の扱いも、検証記事の公平性も、報道の選挙に与える影響と関係していた。インターネットメディアの参入によるニュース生態系の変容によって、それらが揺らぎ、ページビューに依存するビジネスモデルが矛盾を引き起こしていた。誰の、何のためにフェイクニュースを検証するのか、議論する前にニュース生態系のほうが早く変わってしまったといえる。(28)

注

(1)「沖縄知事に玉城氏 辺野古反対を継承」「読売新聞」二〇一八年十月一日付

(2)『沖縄タイムス70年のあゆみ』や「沖縄タイムス」のウェブサイトに掲載されている会社概要を参照した。

(3) Cherilyn Ireton, Julie Posetti, *Journalism, 'Fake News' & Disinformation: Handbook for Journalism Education and Training*, UNESCO Publishing, 2018.

(4) 国際ファクトチェックネットワークが定める加盟団体が守るべき五原則。"Commit to transparency: sign up for the International Fact-Checking Network's code of principles," (https://ifcncodeofprinciples.poynter.org/)［二〇二一年七月十六日アクセス］。巻末に翻訳を掲載している。

(5)「BuzzFeed Japan」の沖縄に関連する記事のリスト。「BuzzFeed Japan」(https://www.buzzfeed.com/jp/badge/okinawabfj)［二〇二一年七月十六日アクセス］

(6)「選挙戦、ネットのデマ警戒　名護市長選挙では「日ハム撤退」拡散」「朝日新聞」二〇一八年九月

十六日付

（7）「駐日米大使と沖縄知事会談」「読売新聞」（西部版）二〇一八年十一月一日付

（8）沖縄タイムス社編集局編著『これってホント!? 誤解だらけの沖縄基地』高文研、二〇一七年

（9）籏智広太／瀬谷健介「沖縄知事選、自民系陣営が「期日前投票報告書」を配布　選管も把握」「BuzzFeed Japan」（https://www.buzzfeed.com/jp/kotahatachi/okinawa-fc3）［二〇二一年七月十八日アクセス］

（10）「〈ファクトチェック・フェイクニュース監視〉公約「携帯料金を削減」↓知事や国に権限なし」「琉球新報」二〇一八年九月二十五日付、瀬谷健介「公約「携帯料金4割削減」沖縄県知事選の立候補者と有権者との解釈に大きな差」「BuzzFeed Japan」（https://www.buzzfeed.com/jp/kensukeseya/okinawa-fc-1）［二〇二一年七月十八日アクセス］

（11）琉球新報社編集局編著『これだけは知っておきたい　沖縄フェイク（偽）の見破り方』高文研、二〇一七年

（12）Gaye Tuchman, *Making News: A Study in the Construction of Reality*, Free Press, 1978（G・タックマン『ニュース社会学』鶴木眞／桜内篤子訳、三嶺書房、一九九一年）

（13）Pamela J. Shoemaker, Stephen D. Reese, *Mediating the Message: Theories of Influences on Mass Media Content*, Longman, 1996.

（14）大石裕「作られるニュース」、大石裕／岩田温／藤田真文『現代ニュース論』（有斐閣アルマ）所収、有斐閣、二〇〇〇年、一八―二一ページ

（15）藤代裕之「ネット上の「ニュース」とは何か――「量」と「質」の間で揺れる各社」「Journalism」二〇〇九年四月号、朝日新聞ジャーナリスト学校、八二―八四ページ

（16）奥村倫弘「ネットメディア」、藤竹暁／竹下俊郎編著『図説 日本のメディア［新版］――伝統メディアはネットでどう変わるか』（ＮＨＫブックス）、ＮＨＫ出版、二〇一八年
（17）三日月儀雄「ニュースメディア――「ネットニュース」は公共性を保てるか」、藤代裕之編著『ソーシャルメディア論――つながりを再設計する』所収、青弓社、二〇一五年
（18）大石裕／岩田温／藤田真文「地方紙のニュース制作過程――茨城新聞を事例として」「メディア・コミュニケーション」第五十号、慶応義塾大学メディア・コミュニケーション研究所、二〇〇〇年、六五―八六ページ
（19）山口仁「地方紙のニュース生産過程――熊本日日新聞記者アンケートを中心に」「メディア・コミュニケーション」第五十六号、慶応義塾大学メディア・コミュニケーション研究所、二〇〇六年、二一一―二二三ページ
（20）山田健太『沖縄報道――日本のジャーナリズムの現在』（ちくま新書）、筑摩書房、二〇一八年
（21）大野亨恭「「翁長後継」強調でオール沖縄結束 辺野古の「争点隠し」に県民反発」「Journalism」二〇一八年十二月号、朝日新聞ジャーナリスト学校、七二―七九ページ
（22）日本新聞協会「公職選挙法第148条に関する日本新聞協会編集委員会の統一見解（要旨）」（https://www.pressnet.or.jp/statement/report/661208_99.html）［二〇二一年七月十八日アクセス］
（23）山田健太「〈ファクトチェックの意義〉報道変える起爆剤 選挙の「公平縛り」脱却」「琉球新報」二〇一八年十二月八日付
（24）日本新聞協会「新聞社の総売上高の推移」（https://www.pressnet.or.jp/data/finance/finance01.php）［二〇二一年七月十六日アクセス］
（25）Andrew Rice, "Does BuzzFeed Know the Secret?," 2013（https://nymag.com/news/features/

buzzfeed-2013-4/)［二〇二一年七月十六日アクセス］

(26) DG Lab Haus「デジタル時代に記者が生き残るために「切り口」「柔らか視点」沖縄タイムス 与那覇里子さん」(https://media.dglab.com/2018/02/23-yonaha-01/)［二〇二一年七月十六日アクセスアクセス］

(27) 石戸諭「沖縄ラプソディ」「Newsweek」二〇一九年二月二十六日号、CCCメディアハウス

(28) 本調査は、プロジェクトに参加した十二人のうち三人の視点からとらえたもので、必ずしも全体像をとらえたものではないことは述べておきたい。調査対象者との関係性には留意したが、調査対象者に影響を与えた可能性がある。

［付記］本章は、藤代裕之「フェイクニュース検証記事の制作過程――2018年沖縄県知事選挙における沖縄タイムスを事例として」(「社会情報学」第八巻第二号、社会情報学会、二〇一九年、一四三―一五七ページ）に加筆し修正したものである。

第5章　ファクトチェックが汚染を引き起こす

藤代裕之

1　岐路に立つファクトチェック

本章では、二〇一六年のアメリカ大統領選挙をきっかけに注目を集めるようになったファクトチェックの課題を取り上げる。ファクトチェックは、フェイクニュースに対抗して汚染されたニュース生態系を浄化するために期待される重要な活動である。しかしながら、この期待の高まりを単純に「いいこと」とするのはイノセントにすぎる。ファクトチェックが広がるにつれて、その課題も浮かび上がってきているからだ。

世界のファクトチェック団体を調査しているデューク大学のレポーターズラボは、二〇二一年六月にファクトチェック団体が世界百カ国・三百団体を超えたと報告した。(1) 同ラボが調査を開始した一四年は五十九団体だったが、一六年以降は毎年五十団体以上増え続けている。日本国内でもファクトチェックは広がりつつある。一七年六月には、ファクトチェック推進団体であるファクトチェック・イニシアティブ（FIJ）が設立され、セミナーやフェイクニュースの検証プロジェクトなどを実施している。二一年一月現在、同ラボのサイトには、FIJとInFact（インファクト）と毎日新聞社が日本でのアクティブな団体として掲載されている。

アメリカのファクトチェックサイト「PolitiFact」の創設者で同ラボに所属するビル・アデアは、二〇一九年に南アフリカで開催されたファクトチェックの国際会議グローバルファクト6の冒頭挨拶で、「政治的な言説に関わるすべての重要人物をチェックしなければならない」と呼びかけたことを自身のブログ(2)で報告している。虚偽発言が多いことで、ファクトチェックがドナルド・トランプ前アメリカ大統領に集中しているが、ほかの政治家や政党を無視するべきではないという指摘だ。

武器化するファクトチェック

トランプは、有力紙「ワシントンポスト」が民主党のためにファクトチェックに取り組んでいると主張し、オルタナ右翼のニュースサイトは、ファクトチェックの活動に取り組む団体やメディアがリベラル寄りだと批判している。また、政治家がファクトチェックを悪用し、対立している候補や政党を「嘘つき」などと攻撃し、自らの立場を強めている状況もある。同ラボの共同ディレクターであるマーク・ステンセルはこのような動きを「ファクトチェックの武器化」と呼んでいる(3)。そのため FullFact など三つのファクトチェック団体はファクトチェックの結果を公開するだけでなく、不確実な情報の拡散要因を確認したり、訂正をはたらきかけたりする活動もあわせておこなうべきだと主張している(4)。

筆者は二〇一九年十二月、アジア地域のジャーナリストや研究者らがフェイクニュース対策の取り組みを共有するイベント「APAC Trusted Media Summit 2019」に参加したが、そこでもファクトチェックの国際団体・国際ファクトチェック・ネットワーク（IFCN）の担当者が、「バランスをとっていかなければいけない。ファクトチェックは、誰かのためにやるわけではない(5)」と強調していた。

このように、ファクトチェックは、党派的な偏りや政治家の利用といった課題が指摘され、岐路に立っているといえる。『ジャーナリズムの原則』の著者として知られるアメリカンプレス研究所のトム・ローゼンスティール所長は「ファクトチェックは、ニュースの消費者が自分自身で問題についてどう考えるかを決める手助けであるべきだ(6)」とその役割について述べている。読者に判断材料を提供するという指摘は、バランスや透明性を求める考えと通底する問題意識である。

第4章「フェイクニュースは検証できるのか」（藤代裕之）でもふれたように、IFCNはファクトチェック団体が守るべき原則を定め、見直しを続けている。その第一には、党派的ではなく公正であることと記してある。また、情報源の提示や手法の説明をおこなって透明性を確保すること、訂正方法を示すことなどが原則に含まれている。二〇二一年三月現在の原則は以下のとおりである。

巻末に邦訳を示す。

1、党派的ではなく公正であること
2、検証に関する情報の透明性を確保すること
3、組織と資金の透明性を確保すること
4、検証手法の透明性を確保すること
5、オープンで誠実な訂正がおこなわれること(7)

この五原則に、世界で八十以上の報道機関やファクトチェック団体が署名している。IFCNのサイトには原則に署名した報道機関や団体の活動や評価が公開されていて、原則違反がある場合は誰でもフォームから知らせることができる。もし重大な違反が明らかになった場合はリストから削除されることもあり、ファクトチェック団体のバランスや透明性を担保する仕組みづくりに取り組んでいる。

フェイクニュース拡散の対策を求められた「Facebook」は、IFCN五原則を順守したファクトチェック団体と提携し、「虚偽」などと判断されたコンテンツには警告を表示するなどの取り組みを進めている。この原則はファクトチェック団体の事実上の国際基準になっている。なお、日本国内には二〇二一年七月時点でこの原則に署名している団体は存在していない。

議論を複雑にする多様な使われ方

国内ではフェイクニュース対策のために政府がファクトチェックの推進を求めている。総務省の有識者会議であるプラットフォームサービスに関する研究会は、二〇一九年十二月に「最終報告書（案）」をまとめ、ソーシャルメディアやポータルサイトなどのプラットフォームを運営する企業に対し、インターネット上に流通するフェイクニュース対策について、ファクトチェック団体などと連携した自主的な取り組みを求めた。「最終報告書（案）」には、ファクトチェック活動の活性化のための環境整備推進は盛り込まれたが、国際的な議論になっているバランスや透明性といったファクトチェックのあり方に関する議論は含まれなかった。(8)

この「最終報告書（案）」に対して日本新聞協会は意見を発表し、フェイクニュースの生成・拡散はプラットフォームの存在に起因する部分が大きいと指摘し、企業に取り組みを求めた。(9)意見では「多角的に取材を尽くし何重ものチェック体制を設け、いわば自社内にファクトチェックする体制を構築して日々の報道にあたっている」とファクトチェックを取材のプロセスの一部に位置づけている。

日本新聞協会が意見書で表明したような、取材や調査のプロセスで事実関係を調べる作業もファクトチェックに含まれる。歴史的には、一九二〇年代から三〇年代のアメリカのニュース雑誌で出版前の事実確認として始まったとされる。ファクトチェックという言葉は、このような内部の事前のファクトチェックと、政治家やジャーナリストなどの公人の発言を検証する外部の事後のファクトチェックという二つの意味をもつ。[10] FIJ創設メンバーの立岩陽一郎と楊井人文は、著書『ファクトチェックとは何か』で、「すでに公表された言説を前提に、その言説の内容が正確かどうかを第三者が事後的に調査し、検証した結果を発表する営み」[11]と位置づけている。

国内でのファクトチェックの取り組みについてメディアではどのように表現されているのか、記事を横断的に検索できる「G-Search」を利用して国内の通信社・テレビ・新聞を対象に「ファクトチェック」を検索したところ、二〇二〇年十二月時点で、千四百二十六件が表示された。一六年以前は十四件しかなく、一九年に四百二十五件、二〇年には四百五十九件になり増加傾向にある。「朝日新聞」は、二〇一六年十月の臨時国会を報じる記事で安倍晋三首相の答弁を確認する取り組みをファクトチェックと表現している。記事にはファクトチェックの説明があり、「メディアが政治家の発言を検証し、「正しい」「一部誤り」「誇張」などと判断するものだ」[12]と紹介している。「東京新聞」でも、政治家の発言を確認し、記事化する取り組みをファクトチェックと表現している。[13]「読売新聞」では、災害時のデマを防ぐ活動として、ファクトチェックを紹介している記事がある。[14]

このように、国内ではファクトチェックという言葉は、マスメディアではおおむね政治家の発言を検証し、記事化する取り組みという意味で使用されているが、フェイクニュース対策、選挙時の情報の真偽確認、災害時の流言対策などにも使われており、多様な事例がある。このような言葉の使い方の混乱は、ファクトチェックのあり方をめぐる議論をより複雑にしているといえる。

2　攻撃に使われるファクトチェック

ファクトチェックの課題として注目すべきなのは、その効果に関する研究である。せっかくファクトチェックをおこなっても、効果がなければ意味がないからだ。

よく知られているのが、自らが信じている考えを否定されると、かえってその信念を強めてしまう「バックファイアー効果」だ。

「バックファイアー効果」について政治ブロガーでフェイクニュース研究をおこなっているダートマス大学のブレンダン・ナイハンらは、ニュース記事を訂正すると逆に間違った情報を信じ込んでしまうと指摘し、ファクトチェックの有効性について疑問を投げかけた(15)。ナイハンらは、イラクに大量破壊兵器があるというニュースや、ジョージ・ブッシュ元アメリカ大統領の減税が税収増をもたらすという主張に対し、訂正を受け取った場合、保守層では間違った主張に同意する割合が三六%から六七%に増加したという。一方、保守ではない人々では同意率は三一%から二八%に減少した。ただ、「バックファイアー効果」が起きる理由は明確には示されておらず、研究手法に課題があるという指摘もある(16)。

より重要な指摘は、ファクトチェックは、対立候補の攻撃に使われているということだ。

攻撃を支えるソーシャルメディア

ソーシャルメディアでの情報接触を研究しているフロリダ大学のシン・ジウンらは、二〇一二年のアメリカ大統領選挙期間中に収集したツイートの分析から、党派的な傾向をもつ有権者は、自身が支持する候補者にとって有利な内容や相手候補者をおとしめる内容のファクトチェック結果を選択的にシェアする傾向があることを明らかにした(17)。

政治コミュニケーションを学際的に研究するボストン大学のミシェル・アメジーンらも、政治に関連するファクトチェックをソーシャルメディアで共有する一部の人々は自らの考えを強化する目的で投稿していることを明らかにしている。政治家が対立候補を攻撃する「ファクトチェックの武器化」はソーシャルメディアで発信する有権者によって支えられている。そのためアメジーンらは、効果的なファクトチェックのためには、ソーシャルメディアの反応を確認する必要があると指摘している(18)。

国内ではファクトチェックの効果に関する議論は多くないが、朝日新聞社でニュースサイト「withnews（ウィズニュース）」の編集長を務める奥山晶二郎は、ファクトチェックの有効性を認めながら、中立・公正な立場をユーザーが認識しなければ「ファクトチェックそのものがフェイクニュースとみなされる可能性がある(19)」と懸念を示している。

これらの研究などをふまえれば生態系の浄化のために期待されるファクトチェックが汚染を拡大

する可能性があるということだ。この問題は、ファクトチェックを無批判に「いいこと」と位置づけてしまうと見過ごしかねない。効果的なファクトチェックをおこなうためにはその課題を明らかにする必要があるが、国内で研究はほとんどおこなわれていない。

3　記事が「武器化」を誘発

国内でのファクトチェックの課題を明らかにするにあたり、第3章「汚染されたニュース生態系」（藤代裕之）でも扱った二〇一八年の沖縄県知事選挙を対象に、ソーシャルメディアの反応を確認し定性的に分析する。調査対象は沖縄の地方紙二紙「沖縄タイムス」と「琉球新報」の活動とその反応である。沖縄県知事選挙は、第3章で述べたように与党が推す佐喜真淳候補と野党が推す玉城デニー候補の事実上の一騎打ちで、玉城が当選した。「琉球新報」は一八九三年（明治二十六年）に創刊され、本社を沖縄県那覇市の県庁近くの中心部に置いている。二〇二一年一月時点の社員は二百八十九人である[20]。

分析は、以下の三つのステップでおこなう。選挙に関連するファクトチェック記事を確認し、次に記事とフェイクニュースに対するソーシャルメディアの反応を分析する。そのうえで、IFCN五原則とユネスコ（国連教育科学文化機関）のハンドブックに掲載してあるファクトチェックとうわさ検証の区分（第4章の図1）を参照しながら要因を考察する。

表1 「沖縄タイムス」と「琉球新報」のファクトチェック記事のタイトル一覧

メディア	NO.	公開日	記事タイトル
「沖縄タイムス」	OT1	9月27日	沖縄県知事選で偽情報検証：フェイク「佐喜真氏の政策文字数は2.2万字超えで、デニーは約800字」
	OT2	9月27日	沖縄県知事選で偽情報検証：フェイク「共産党出馬の翁長知事が訪米しても政府関係者の誰にも会えなかった」
	OT3	9月27日	【紙面だけ】佐喜真氏は宜野湾市挑戦で給食費無料化を掲げて当選したが、値上げした
「琉球新報」	RS1	9月8日	虚構のダブルスコア　沖縄県知事選、出回る「偽」世論調査
	RS2	9月21日	一括交付金導入で「候補者関与はうそ」は偽情報　民主政権時に創設
	RS3	9月24日	安室さんが特定候補者支援は偽情報　支持者が投稿、陣営は否定
	RS4	9月25日	沖縄県知事選　公約「携帯料金を削減」→ 知事や国に権限なし

紙面とサイトから、「沖縄タイムス」は三件、「琉球新報」は四件の記事を確認した（表1）。「沖縄タイムス」のＯＴ３はサイトには掲載されておらず、ソーシャルメディアの反応を確認することができないため調査対象はＯＴ３を除く六記事とする。「沖縄タイムス」は、第４章でも述べたように「ネット上のフェイクニュースを確認するプロジェクト」とファクトチェックという言葉を使っていない。「琉球新報」は、「ファクトチェック・フェイク監視」と表記している。それぞれ表現が異なるが、本章ではファクトチェックと統一して表記する。ＯＴ１からＯＴ３は、第４章の検証記事と同一である。

調査手法

ソーシャルメディアの反応を確認するために、記事に対して反応したアカウントと、記事を紹介するツイート（記事ツイート）に対して反応したアカウントの二種類のデータを収集する。アカウントに関するデータはアカウント名、ユーザー名、プロフィル、投稿文やそこに含まれるＵＲＬを手作業で収集した。

記事に対して反応したアカウントの収集には「CrowdTangle（クラウドタングル）[21]」を用いた。記事をシェアしたアカウントの影響力が高い「TOP REFERRALS」を二〇一九年一月に収集した。これによって、影響力が高いアカウントの党派的な反応を確認する。記事ツイートに対しては、記事が検証したフェイクツイートの反応と比較することで、ファクトチェック結果が選択的にシェアされているのかを確認する。記事ツイートとフェイクツイートをリツイートしたアカウントに関するデータは二〇一九年二月に収集した。

党派的かどうかの判断は、筆者と記者経験者の二人が次に述べる基準を共有して目視で実施した。候補者や政党に対して「投票したい」「支持します」「応援します」などの支持を表明したり、対立する候補者や政党を「反対」「酷い」などと批判・攻撃したりしているかどうかを判断基準とした。政党の公式アカウントの場合は、政党として支持を表明している候補者側と判断した。

これらの判断基準に基づき収集したアカウントを、①佐喜真候補、②玉城候補、③中立・どちらともいえない、④ファクトチェックを実施したメディア、と四つに分類した。収集・分類したデータと党派的かどうかの判断については、二〇一九年七月二十六日から二十八日の間に再度確認した。「クラウドタングル」の「TOP REFERRALS」に表示された六十九件のうち、プロフィルから党派的であると分類したアカウントを表2にまとめた。プロフィルが、「安倍総理の支持者です」「自民党を応援」などであれば佐喜真候補、「オール沖縄を応援」「立憲民主党の支持者」などであれば

表2　記事をシェアした党派的なアカウント数（プロフィルから分類）

NO.	玉城デニー	佐喜真淳	中立・どちらともいえない	メディア
OT1				1
OT2	2	1		1
RS1	12		12	2
RS2	4		2	1
RS3		1	1	2
RS4	20	1	5	1

玉城候補とした。

アカウントはすべて「Twitter」のもので、反応した党派的なアカウントが最も多かったのはＲＳ４の二十七で、次にＲＳ１の二十六である。最も少なかったのはＯＴ１の一だった。アカウントの内訳は玉城候補が三十八、佐喜真候補が三で、多くが玉城候補側だった。

記事を対立候補への攻撃に利用

六十九件のアカウントによる党派的な書き込みを表３にまとめた。いずれも、玉城候補を支持するか、佐喜真候補もしくは佐喜真候補を推薦している与党を批判する、玉城候補を有利にする書き込みだった。ＯＴ１とＲＳ３では、党派的な書き込みを見つけることができなかった。最もリツイートされたのは、ＲＳ４に対して「インチキ公約を降ろした」と佐喜真候補を批判するコメントを書き加えた研究者①のツイートで、約二千のリツイートと「いいね」がある。コメント数も四十九と多く、拡散と反応を引き起こしていることが確認できた。

この研究者①は、ＯＴ２とＲＳ２に関してもツイートしている。ほかに同一アカウントの書き込

表3　ファクトチェック記事に対する党派的な書き込みの一覧

NO.	該当箇所（ツイート本文から抜粋）	アカウント	リツイート数	いいね数	コメント数
OT2	自公候補寄りのひどいフェイクニュースがたれ流されている	研究者①	531件	427件	10件
RS1	投票率を下げる為にデマがばら撒かれている	タレント	526件	358件	4件
	首相官邸が「実弾」をばら撒く選挙を当然やっていると見るべき	弁護士①	460件	325件	15件
	沖縄知事選は玉城デニー氏が勝利する	研究者②	182件	373件	25件
	あの人たちは何でもやるからなあ…	編集者	26件	9件	0件
	勝つためには嘘でも何でも平気な連中が揃ってる	弁護士②	10件	8件	0件
	安倍政治の弊害。安倍政権担当能力はない	元記者	12件	5件	0件
RS2	極右・改憲派の佐喜真候補の陣営のフェイクも次々出てくる	研究者①	703件	608件	13件
RS4	佐喜真陣営が早くも「携帯電話料金の4割削減」のインチキ公約を降ろした	研究者①	2,401件	2,024件	49件
	公約で「携帯電話料金4割削減」って、不誠実にも程がある。県民をバカにしてるし、選挙、民主主義そのものをバカにしてる	弁護士③	905件	758件	10件
	菅官房長官が沖縄入りして、フェイクニュースをまき散らす	弁護士①	379件	250件	2件
	#さきま淳 候補の公約ですね。酷いものです	政党	335件	251件	35件
	本当にこれは酷かったですね。携帯代金4割引を信じて期日前投票してしまった人にとっては、取り返しがつきませんから	政党	272件	313件	17件
	嘘のない県政のためにも玉城デニーさんに県知事になってほしいものです。	政党関係者	3件	4件	0件
	引き下げることなんか公約してない、引き下げを求めることが公約さーってか…	弁護士④	3件	1件	0件

みは、弁護士①によるRS1とRS4があり、佐喜真候補側を攻撃している。RS4の「#さきま淳 候補の公約ですね」と「本当にこれは酷かったですね」は日本共産党の公式アカウントによるものである。「嘘のない県政……」は関東地区の共産党関係者のアカウントによるツイートである。弁護士④は、二〇一九年七月の参議院議員選挙に野党候補として出馬して当選し、立憲民主党に所属している。

それぞれの記事に対する反応には違いがみられた。六記事のうち、「沖縄タイムス」の記事は、党派的な反応が乏しかった。「琉球新報」の記事には党派的な反応が起きていたが、RS1とRS4には差があった。

RS1には、玉城候補への支持が一、「あの人たち」「平気な連中」などの対立候補や政党などを批判していると思われるあいまいな書き込みが三、佐喜真候補を支援している与党・安倍政権への批判が二あった。直接的な対立候補への攻撃はみられない。なお、RS1について、記事タイトルをそのままツイートしたものが六、記事内容を引用したものが二である。記事をリンクして「こういうのは沖縄に限らず毎回必ず流れるが、記事になるのは珍しい」と付け加えたものや「記事中にあるようなフェイクニュースにだまされないようにいきましょう」と呼びかけるものなど、内容が候補者や選挙に直接関係しない党派的ではない書き込みもある。

RS4には、「嘘のない県政のためにも玉城デニーさんに県知事になってほしい」という玉城候補への支持が一、「菅官房長官が沖縄入りして、フェイクニュースをまき散らす」という政権への批判が一、「インチキ公約」「県民をバカにしてる」など佐喜真候補の公約に対する批判が五となっている。記事を利用して対立候補や支援する与党への直接的な攻撃がみられ、政党関係のアカウントなどによる「ファクトチェックの武器化」を誘発していた。なお、RS4について、記事タイトルをそのままツイートしたものが六、記事内容を引用したものが二である。

4　隠れていた排外・反メディア

党派的な傾向をもつ人がファクトチェック結果を選択的にシェアしているのかを確認するため、記事のもとになるフェイクニュースを調査した。

「沖縄タイムス」の記事では「Twitter」投稿のスクリーンショットを掲載していて、二件とも検証対象になったフェイクツイートを見つけることができた。また「琉球新報」のRS2も、記事から対象になるツイートを見つけることができた。残る「琉球新報」の三件は、検証対象になったフェイクニュースを見つけることができなかった。記事中には、RS1は「情報が複数飛び交っている」、RS4は「SNSの書き込みが拡散している」と検証対象を具体的に書いていなかった。RS3は検証対象を探すことができたが、ツイートが削除されていた。確認できたフェイクツイートを表4にまとめ、「沖縄タイムス」と「琉球新報」の記事一覧にあるNO. にFを付与した。

フェイクツイートを発信している、@take_off_dress（DAPPI）は野党やマスメディアに対する批判的な投稿をおこなう匿名アカウントである。@surumegesogeso（するめのよっちゃん）はプロフィルで自民党員を名乗っている匿名アカウントである。@kiyohiko_toyama（遠山清彦）は、公明党所属の国会議員（選挙時）である。いずれもアカウントの分類は佐喜真候補側で、ツイート本文は玉城候補を攻撃するものだった。

与野党対立に見えるツイート

記事ツイートは三件が確認できたため、フェイクツイート三件と合わせて計六件をリツイートしたアカウントに関するデータを収集した。記事ツイートをリツイートしたアカウントは千二百十三、フェイクツイートをリツイートしたアカウントは五千四百八十五あった。そのうち目視でデータを確認できたのは三十三件と百十一件だった。

記事ツイートとフェイクツイートを拡散しているアカウントの党派性を確認した。プロフィルからは党派性を見いだすことができなかったが、ツイートやリツイートの傾向から、記事ツイートには玉城候補・野党側、フェイクツイートには佐喜真候補・与党側という党派性があり、分断が存在していた。

記事ツイートをリツイートしたアカウントは三十三中二十四が玉城候補支持だったのに対し、佐喜真候補支持は○だった。一方、フェイクツイートをリツイートしたアカウントは百十一中八十三が佐喜真候補支持だったのに対し、玉城候補支持は○だった。

佐喜真候補を支持する党派的な投稿には次のようなものがあった。

表4　確認できたフェイクツイートの一覧

NO.	投稿者	ツイート日	ツイート本文	リツイート数
OT1F	DAPPI	9月13日	さきま淳氏の政策（1枚目）の文字数は2.2万字超えで、一番文字数が少ないテーマでも約1000字。玉城デニーの政策（2枚目）の文字数は約800字。さきま氏はそれぞれの政策について具体的に何をするか書いてますが、玉城デニーの政策は具体的に何をするか全くなし… その差が文字数となって表れてると思います	1,529件
OT2F	するめのよっちゃん	9月14日	情けなくて涙が出てくる。こんな人が県知事候補ですか。「私には米国人の血が流れてるから米国に物が言える」…共産党出馬の翁長知事が訪米しても政府関係者の誰にも会えなかったし、沖縄の米軍基地の中にすら入れなかったのに、ハーフってだけで米国に堂々と意見できるとか、いい加減にしなさい！	3,500件
RS2F	遠山清彦	9月15日	やはり！一括交付金制度の中身を、厳しい政府との交渉で決めた平成24年3月の与野党PT交渉人会メンバー9名は、次の通り。玉城デニー氏は民主党代表の中にいない。これが、真実。〈民主党〉大島 敦 小川淳也 吉良州司〈自民党〉宮腰光寛 秋葉賢也 礒崎陽輔 島尻安伊子〈公明党〉遠山清彦 秋野公造	456件

表5　記事ツイートとフェイクツイートをリツートしたアカウントの党派性（書き込みから分類）

種類	NO.	調査対象アカウント数	玉城デニー	佐喜真淳	中立・どちらともいえない	メディア
記事ツイート	OT1	4件	2件	0件	1件	1件
	OT2	15件	13件	0件	1件	1件
	RS2	14件	9件	0件	5件	0件
フェイクニュースツイート	OT1F	39件	0件	29件	10件	0件
	OT2F	53件	0件	37件	16件	0件
	RS2F	19件	0件	17件	2件	0件

「素敵な映像だ、みんな応援しよう！！　#沖縄知事選
#さきまあつし」

玉城候補を支持する党派的な投稿には次のようなものがあった。

「#玉城デニーさんを応援します」

記事ツイートをリツイートしているアカウントは、次のような安倍政権批判のツイートをしていた。

「嘘つきは安倍晋三のはじまり。リーダーが嘘つき日本！」

「偽造捏造アベシンゾー」

フェイクツイートをリツイートしているアカウントでは、次のような野党批判のツイートがあったが、多くはなかった。

「デニー当選、沖縄の基地の混迷の元凶は旧民主党！！えーかげんにせいよって感じ！」

これらの結果からは、ファクトチェックとフェイクニュースの拡散で与野党が党派的な対立を引き起こしているように見える。しかしながら、記事ツイートをリツイートしたアカウントの選挙に関するツイートは玉城候補支持の投稿がほとんどであるのに対し、フェイクツイートをリツイートしたアカウントの選挙に関するツイートは、佐喜真候補を支持するものに加えて、中立・どちらともいえないに分類されたアカウントが複数確認できるという違いがあった。

追加調査で浮かび上がる特徴

この違いに注目し、中立・どちらともいえないに分類されたアカウントの特徴について追加で調査をした。その結果、次のように反日という言葉や中国を批判する排外的な内容と玉城候補を関連づけて批判している書き込みがあった。

「玉城デニー氏を絶対当選させてはならない。中国だけでなく、反日在日・帰化人も深く関わる。沖縄を中国に差し出す国賊。沖縄に中国軍つまり中国の核を配備されたら日本は完全に終わる。沖縄で内乱・戦争が起こるのは想像にかたくない。沖縄をウイグルのようにしてはいけない」

「沖縄の皆さん！今回の沖縄県知事選挙は沖縄の将来を占う大切な選挙です。まかり間違えて反日左翼がこぞって応援する玉城氏が知事になれば、第三国の売国奴が喜ぶことになります。必ずさきま淳候補を勝たせて下さいね。間違ってもデニらないで下さい」

また、メディアを批判する、反メディア的な書き込みもあった。

「「朝日新聞社は廃刊すればいい！」と思う人は、リツィートをお願いします！もし10000RT行けば、朝日新聞社の経営陣も少しは考えるかもしれない。」

「沖縄県のフェイクペーパーの一つ ＃琉球新報 デマと闘うそうですが、それなら自らの新聞社解体が沖縄を正常化する近道です。」

調査したアカウントにこのような排外的な書き込みが含まれている割合を確認したところ、ファクトチェック側にはほとんど含まれておらず、フェイクニュース側には多く含まれていた。記事ツイートをリツイートしたアカウントはほとんどが玉城候補支持であり、排外的な投稿をおこなうアカウントは一件を除いて確認できなかった。一方、フェイクツイートをリツイートしたアカウントは、佐喜真候補の支持の投稿のほかに排外・反メディア的な投稿をしているアカウントが数多く確認された。例えばＯＴ１Ｆの場合、①佐喜真候補支持者に分類された二十九アカウント中、排外的な投稿が確認できたアカウントは二十二、反メディア的な投稿が確認できたアカウントは二十五あった。③中立・どちらともいえないに分類されたアカウントでも十アカウント中七つのアカ

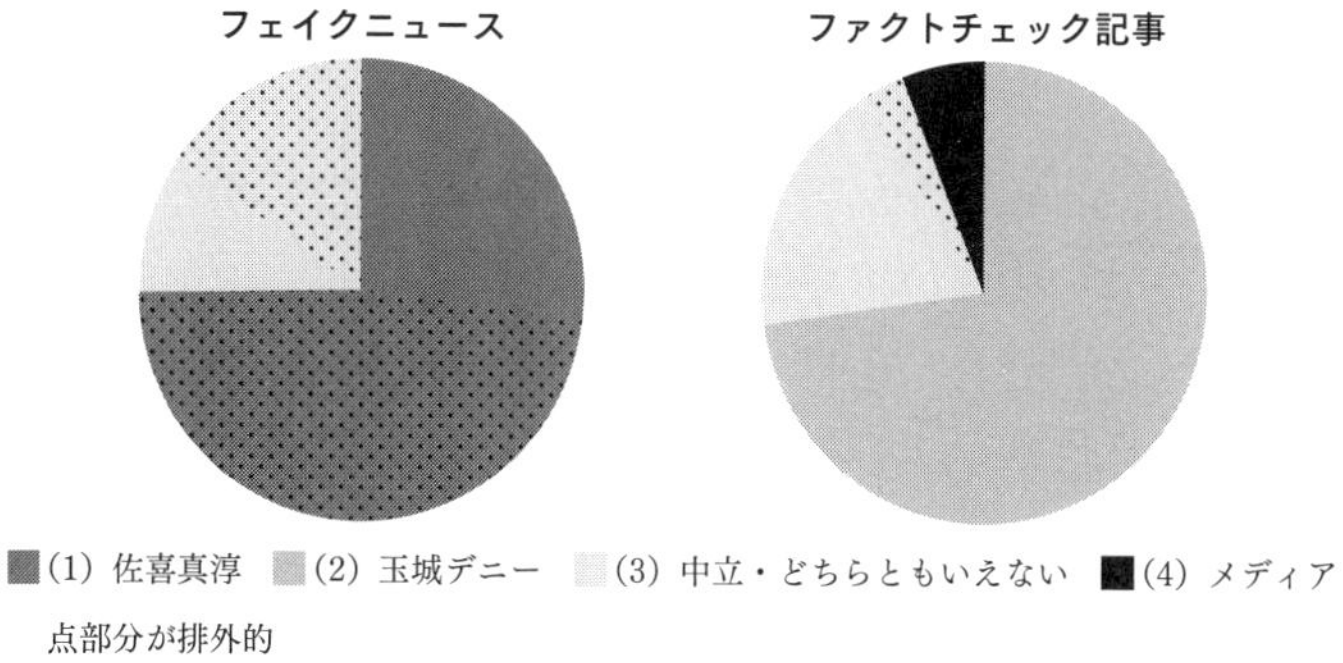
フェイクニュース
ファクトチェック記事
(1) 佐喜真淳
(2) 玉城デニー
(3) 中立・どちらともいえない
(4) メディア
点部分が排外的

図1　フェイクツイートと記事ツイートを拡散したアカウントの党派性と排外・反メディア的な投稿の割合

ウントから排外的な投稿が確認できた。反メディア的な投稿は十アカウントすべてで確認できた。

フェイクツイートをリツイートしたアカウントは、佐喜真支持というよりも、排外・反メディア的であるという隠れていた特徴が浮かび上がった。

分析の結果、一部のファクトチェック記事が党派的な反応を引き起こし、政党関係者によって対立候補の攻撃に利用されていた。

記事に反応しているソーシャルメディアのアカウントには、「クラウドタングル」でもツイートの調査でも玉城候補を支持するアカウントが多い。一方、フェイクツイートをリツイートしているのは佐喜真候補支持のアカウントであり、党派的な分断が起きていた。ツイートのシェアの分析からは、シンらやアメジーンらが指摘したように、党派的な傾向をもつアカウントがファクトチェック結果を選択的にシェアしていることがわかった。拡散するアカウントが与野党に分断しているため、ファクトチェックの情報が佐喜真候補・与党側の有権者に届きにくくなっていた。

表面上はフェイクニュースとファクトチェックが与野党の対立に見えたが、中立・どちらともいえないアカウントに注目してソーシャルメディアを詳しく調査したところ、フェイクニュースを拡散するアカウントには、排外・反メディア的な傾向があることが明らかになった。このことから、野党と与党という枠組みでは沖縄県知事選挙に関するフェイクニュースの拡散者はとらえられず、選挙戦の枠組みとは異なることがわかった。この拡散者についてはのちほど考察する。

5　なぜ汚染を引き起こすのか

国際的な原則に違反

ここからはファクトチェックの課題である党派的な反応の要因について検討する。

まず、IFCN五原則に記事が沿っているかを確認する。「1、党派的ではなく公正であること」については記事数が少ないこともあり、特定の候補に偏った傾向を判断することは難しかった。「3、組織と資金の透明性を確保すること」「5、オープンで誠実な訂正がおこなわれること」の二点については「沖縄タイムス」「琉球新報」ともにウェブサイトで明確に説明していない。「4、検証手法の透明性を確保すること」については各記事で一部ふれられている。「2、検証に関する情報の透明性を確保すること」について「琉球新報」のRS1とRS4が原則に違反していると考えられる。

「2、検証に関する情報の透明性を確保すること」は、読者がファクトチェックの結果を確認できるように、検証に関わる情報をできるかぎり明らかにするように定めている項目である。「沖縄タイムス」の記事と「琉球新報」のRS3では、「Twitter」投稿のスクリーンショットや取材先が提示されているため、対象と判断の根拠を読者が理解できる。RS2ではスクリーンショットはないが、ツイートした人物や内容を記載していて、対象を推測することができる。一方、RS1は「情報が複数飛び交っている」、RS4は「SNSの書き込みが拡散している」と記述していて、検証対象や書き込みがどこで拡散しているのかが不明で、読者が確認することができなかった。

「琉球新報」の記事であるRS1とRS4はどちらもソーシャルメディアの党派的な反応を強く引き起こしている。ただ、二つの記事の反応には違いがある。党派的な書き込みの数は同じぐらいだが、リツイート数はRS4のほうが多く、より拡散している。RS1では対立候補を批判していると思われるあいまいな表現を使っているが、RS4には政党の公式アカウントや政党関係者が反応し、直接的に対立候補を攻撃する表現がある。それぞれの記事の内容は、新聞社の世論調査と候補者の公約と異なる。記事が公開された時期についても、RS1は二〇一八年九月八日と最も早く選挙の告示前であり、RS4は九月二十五日と投開票日が近づいている時期と、異なる。

RS1に反応しているアカウントの半分は中立・どちらともいえないに区分されたアカウントである。書き込みが党派的かどうかもあいまいで、書き込みにはフェイクニュースへの注意喚起があることから、選挙時のファクトチェックという取り組みそのものにソーシャルメディアユーザーの注目が集まったといえる。

RS4の対立候補の攻撃には公約に対する批判が多い。立候補者の公約について地元の新聞が「知事に権限がない」とファクトチェックしたことで、玉城候補を支援する政党関係者によるソーシャルメディア上での攻撃の材料を与えている。記事ツイートを拡散しているアカウントには玉城候補を支持するものが多いことも要因である。有力候補の片方の公約だけを取り上げることで、対立候補の支持者の「武器化」を誘発したといえる。投開票日が近づき、選挙戦が過熱したことも影響した可能性がある。なお、特定候補だけをファクトチェックの対象とすることは五原則の「1」の違反にあたる。記事数が少ないため一つの記事数だけをもって新聞社のファクトチェック活動自体が党派的であるかは前述のように判断が難しかったが、強い党派的な反応を引き起こしていることをみても公正であること、バランスを取ることの重要性が理解できる。

公約は対象になりうるか

公約に対するファクトチェックが、政党関係者によって対立候補の攻撃に利用されていたことは重く受け止める必要がある。選挙ではこれまでにも、「花粉症ゼロ社会」「ブラック校則禁止」など、権限が不十分だったり実現性に疑問があったりする公約を候補者が打ち出している。二〇〇七年の東京都知事選挙に立候補した外山恒一は、政見放送で「政府転覆」を呼びかけた[22]。これらはファクトチェックの対象なのか疑問である。公約は候補者の有権者に対する未来の約束であり、どのような約束を打ち出そうと、それを判断するのは有権者自身であるというのが原則だろう。

むろん、新聞社が公約の実現可能性について選挙期間中に報道したケースはこれまでにもあるが、主要政党の公約を一覧で掲載するなどの工夫をして公平性を保とうと努力している。[23]「PolitiFact」は公約を追跡しているが、それは選挙後である。[24] このような工夫は、第3章でも述べた選挙報道の「原則」に沿ったものだ。選挙期間中に特定の候補者の公約だけをファクトチェックすることは、党派的な偏りや政治家の攻撃に結び付きやすい。ローゼンスティールが言うように、ファクトチェックは有権者に判断材料を提供するものであり、攻撃材料を与えるものではない。

ファクトチェックとうわさ検証の区分から党派的な反応の要因を確認すると、公約に対するRS4と偽の世論調査に対するRS1は、どちらも記事はソーシャルメディア上のうわさの検証としながら、検証対象やどこで拡散しているのかが不明である。これらは、うわさ検証を装ったファクトチェックだといえる。RS4の記事は「有権者やジャーナリストから「知事にその権限はない」などとするSNSの書き込みが拡散している」としながら、公約について総務省に権限を確認し、「書き込みは適正な内容だった」と判断していて、読者からは何を検証対象としているのかがわかりにくい。

「沖縄タイムス」の記事はいずれもフェイクツイートを検証対象にしていて、うわさ検証に区分できる。「琉球新報」の記事は、RS3はソーシャルメディアへの有権者の投稿でありうわさ検証だが、RS2、RS3、RS4はファクトチェックに区分され、政治家の発言やメディアの記事に対する確認とソーシャルメディアのユーザー投稿の検証が入り交じっている。本章の冒頭で、ファクトチェックは多様な使われ方をしている状態であることが混乱をもたらしていると述べたが、これが「武器化」の要因にもなっている。

背景にあるビジネス

次に追加調査で明らかになった、フェイクニュースを拡散している排外・反メディア的な傾向をもつアカウントについて検討する。このような特徴をもつアカウントはネット右翼と呼ばれることも多いが、政治意識について研究している永吉希久子は、ネット右翼よりも保守志向が弱い層を「オンライン排外主義者」と名付けて分けてとらえている。永吉は、①中国・韓国への否定的態度、②保守的政治志向、③政治・社会問題に関するネット上での意見発信や議論という三つの条件をすべて満たす場合はネット右翼、②がみられない場合はオンライン排外主義者と定義している。二十歳から七十九歳で東京都市圏に居住する男女を対象にしたオンライン調査によると、ネット右翼は一・五%、オンライン排外主義者は三・〇%で、オンライン排外主義者のほうが多かった。興味深いのは、その政治性だ。ネット右翼は、自民党や安倍晋三元首相への好感度が高いが、オンライン排外主義者では低く、そして自らを保守とリベラル、右と左の中間に位置づける傾向がある。[25]

本章で分析したフェイクツイートを拡散するアカウントの投稿は、与党である安倍政権を支持する反応よりも、排外的な反応が目立つことからオンライン排外主義に分類される可能性が高い。インターネットメディアの歴史に詳しい伊藤昌亮が膨大な資料をもとにまとめた『ネット右派の歴史社会学』では、右派系セクターと保守系セクターなど六つのクラスタと五つのアジェンダの関係の体系としてネット右翼をとらえている。[26] 本章でみられるような書き込みは、伊藤の分析では排外主義アジェンダと反マスメディアアジェンダ、そしてビジネス保守クラスタと関係している。

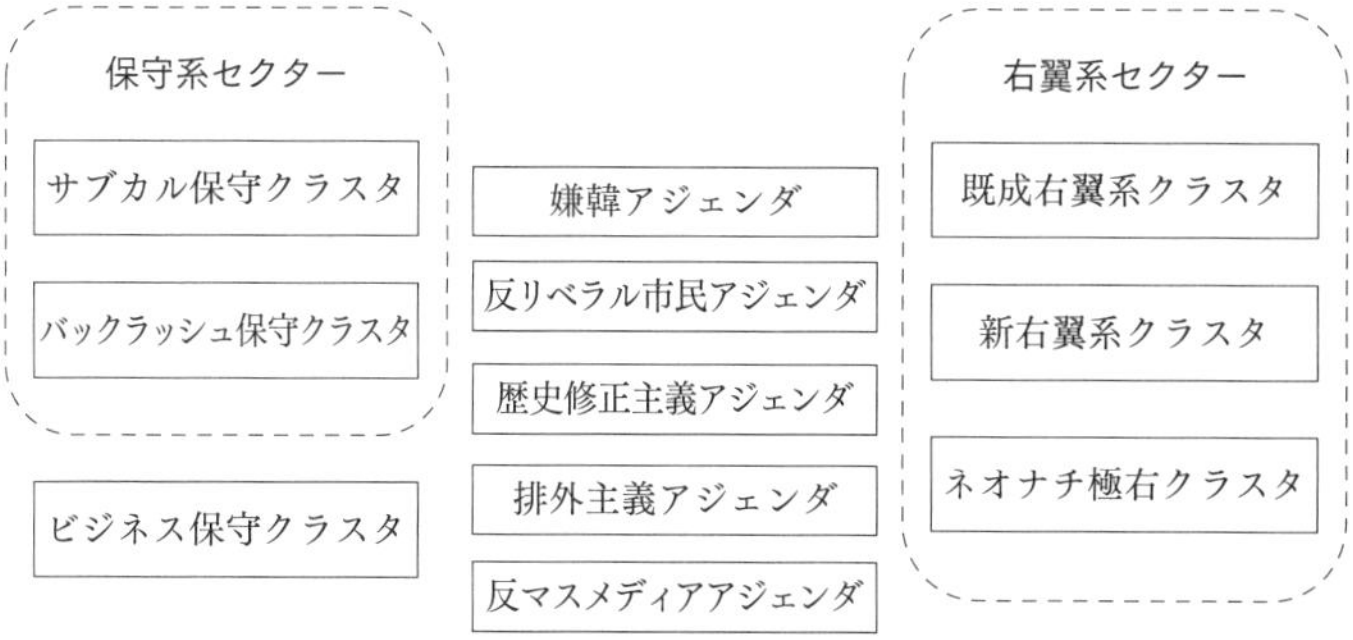
保守系セクター
サブカル保守クラスタ
バックラッシュ保守クラスタ
ビジネス保守クラスタ
嫌韓アジェンダ
反リベラル市民アジェンダ
歴史修正主義アジェンダ
排外主義アジェンダ
反マスメディアアジェンダ
右翼系セクター
既成右翼系クラスタ
新右翼系クラスタ
ネオナチ極右クラスタ

図2　伊藤昌亮『ネット右派の歴史社会学――アンダーグラウンド平成史1990－2000年代』（青弓社、2019年）22ページ図1から筆者作成

伊藤によれば、ネット右派論壇は二〇一〇年代に向けて空前の盛り上がりを見せた。理由は、経済・経営・金融などのビジネス言論とネット右派言説を結び付けて市場を拡大したビジネス保守クラスタの登場にある。同クラスタは、反マスメディアと反リベラル市民のアジェンダを結び付け、その中心に「マスメディアvsインターネット」という構図を設定した。

この構図を設定したのが、経済評論家の三橋貴明である。三橋に続きビジネス保守クラスタに、渡邉哲也、上念司、高橋洋一などの論者が出現した。フェイクツイートを拡散するアカウントは、伊藤が名前を挙げている渡邉、上念、高橋の投稿を拡散している。これら本章の調査で明らかになっているほかに拡散している論者などのアカウントには、百田尚樹、高須克弥、我那覇真子、KAZUYA、ボギーてどこん、「アノニマスポスト」などがある。

「マスメディアvsインターネット」という構図は、第2章「フェイクニュースはどのように生まれ、広がるのか」（藤代裕之／川島浩誉）で明らかにしたように、既存メディアのニュースに対するソーシャルメディアの批判的・否定的反応を加えることでフェイクニュースが生成されている構造につながるものである。

伊藤は、ビジネス保守クラスタが市場を拡大した背景には、ソーシャルメディアの普及やまとめサイトの登場があり、右寄りの議論はページビューを稼ぎやすいというビジネス的な側面を指摘している。これらの研究や論考が示すのは、県知事選挙のフェイクニュースを拡散しているアカウントには、政治的な姿勢やイデオロギーよりも、ビジネスが影響しているという疑いである。そう考えれば、県知事選挙のファクトチェックの反応が、与野党対立のように見えながら、排外主義が隠れていることも納得できる。

第4章で述べたように、沖縄は以前からフェイクニュースに悩まされていた。県知事選挙に先立っておこなわれた名護市長選挙では、フェイクニュースが選挙結果を左右したという認識が広がっていった。そこに、県知事が急死したことで予定を前倒しして知事選挙がおこなわれることになった。フェイクニュース検証には、沖縄の地元紙に加えてインターネットメディアの「BuzzFeed Japan」が参入し、インターネットユーザーの注目が集まる条件が整った。

県知事選挙の構図は与野党対決であり、ファクトチェックとフェイクニュースの拡散で与野党が対立しているように見えた。「琉球新報」がおこなった公約に対するファクトチェック記事は、与党が支持する佐喜真候補に対する攻撃を誘発した。佐喜真候補の公約に対する批判だけでなく、安倍政権を批判する投稿がみられたのは、選挙戦同様の構図だった。

一方、フェイクニュースを拡散しているアカウントを詳しく分析したところ、排外・反メディア的な傾向をもつことが浮かび上がった。これは、反マスメディアと反リベラルのアジェンダが結び付いたビジネス保守クラスタの特徴と同様だった。同クラスタにとっては、新聞社がおこなうファクトチェックに野党支持者が反応していることは、格好の批判材料であり、ビジネスの材料になる。

フェイクニュースとファクトチェックを与野党対立という構図で直線的に結び付けてしまえば、フェイクニュース拡散者の背景にビジネスが存在することを見逃すことになる。ビジネス的な側面からすれば、党派的で過激な反応が起これば起こるほど騒動が大きくなり、話題を取り上げるミドルメディアが増え、ソーシャルメディアが活性化することで、ページビューを稼ぎ、広告収入を得ることができる。このような背景を確認しないまま、党派的な反応を引き起こすファクトチェックをおこなうことは、生態系の汚染を拡大するだけであり、適切な情報が有権者に届きにくくなるだけである。

6　効果的なファクトチェックのために

本章の調査によって、国内でもファクトチェックには課題が存在していることが明らかになった。「ファクトチェックの武器化」を誘発した要因は、IFCN五原則の違反、特定候補の公約を対象にしたこと、ファクトチェックとうわさ検証の区分のあいまいさにあった。また、フェイクニュース拡散者の背景にあるビジネスを見逃している可能性もあった。ファクトチェックは、汚染されたニュース生態系を浄化するために期待される重要な活動だが、方法を間違えれば汚染を拡大することになる。

透明性や公平さに欠けるファクトチェックは大きな課題だ。先の見通せない新型コロナウイルスの感染拡大で社会の不安が高まり、不確実な情報やデマが拡散している。新聞通信調査会の二〇二〇年の調査によると、新聞の信頼感は依然として高い。この一年でメディアに対する信頼感が変化したかを聞いた項目では、新聞の信頼度が高くなった理由は「情報が正確だから」が三三・八%、「公正・中立な立場で報道しているから」が二二・七%、「根拠に基づく情報を報道しているから」が二〇・一%である。その一方、新聞の信頼度が低くなった理由は、「特定の勢力に偏った報道をしているから」が四六・六%で、「報道する側のモラルが低下したから」の一五・八%を大きく引き離している。[27]ファクトチェックを実施するメディアが、特定候補や政党を支援していると有権者に受け止められてしまえば、奥山が言うように「ファクトチェックそのものがフェイクニュースとみなされる可能性がある」。

ローゼンスティールは、人々のメディアへの信頼が失われている状況で、政治家に交通違反の切符を切るようなファクトチェックは受け入れられないと述べ、政治家の発言を中心としたファクトチェックから、情報の受け手の関心を中心にする「課題中心のファクトチェック(issue-centric fact checking)」を提唱している。[28]このような受け手の関心にフォーカスするためにも、ファクトチェック活動では、第3章でも指摘したことではあるが、ソーシャルメディアをよく確認する必要がある。

公正さを確保し、透明性を高める

ファクトチェックという言葉の整理も必要になる。大阪維新の会は二〇二一年二月、「Twitter」アカウントを開設してファクトチェックを実施している。[29] ファクトチェックが多様な使われ方をしていることで、検証の対象が読者・有権者からわかりにくくなっている。政治家などの言説に対する検証はファクトチェックと呼び、ソーシャルメディア上の不確実な情報に対する検証はうわさ検証としたり、メディアの誤報に対する検証を切り分けたりする方法があるだろう。重要なことは、何を確認・検証しようとしているのかをわかりやすく提示して、読者や有権者が判断できるように整理し、透明性を高めることである。ただ、定義の整理や透明性を高めるだけでは不十分である。ニュースの生態系を支えるビジネスが問題になるからだ。

ファクトチェックがページビューを稼ぐとわかれば、まとめサイトや運営元が不明なインターネットメディアがファクトチェックという名目で不確実なコンテンツを制作することもありえる。誰が運営しているのか不明なサイトや政党、政治家などが次々とファクトチェックをおこなえば、ファクトチェックのファクトチェックが必要になる。適切な情報を提供し、「武器化」を防ぐためにもファクトチェックの品質管理が重要になる。

このような課題に対して、ファクトチェック推進団体であるＦＩＪが果たしている役割は不十分である。「琉球新報」は、ＦＩＪのプロジェクトに参加していた。[30] ＦＩＪはプロジェクトに参加したメディアの記事から、独自のガイドラインを満たした記事をサイトに掲載しているが、「琉球新報」の記事四件のうち党派的な反応があったＲＳ１とＲＳ４は掲載していない。このことは「琉球新報」の記事では紹介されておらず、読者には「琉球新報」がＦＩＪのガイドラインを守っているかどうかはわからない。

ＦＩＪはプロジェクトに参加する際に、ＦＩＪのガイドラインに準拠することを推奨しているが、強制力はなく、表示も徹底されていない。ガイドラインに適合しているか違反しているかを有権者が確認するためには、パートナーになっているメディアの記事一つひとつについて、パートナー団体と、ＦＩＪのウェブサイトを見比べて確認していく必要がある(31)。これまでＦＩＪが、国内のファクトチェックの普及・推進に大きな役割を果たしてきたことは間違いない。だが、汚染の深刻さとファクトチェックという言葉の使われ方が広がるなかで、品質管理は必要になる。そして、有権者にわかりやすい情報を提供することは、ファクトチェック活動の責務である。

効果的なファクトチェックのためには、国内で活動するファクトチェック団体やメディアが、ＩＦＣＮ五原則への署名をおこない、順守していくという方向性がある。署名は透明性を高めるだけでなく、ニュース生態系への波及効果ももつ。「Facebook」では原則を順守したファクトチェック団体と提携して警告を表示するなどの取り組みを進めている。フェイクニュースが流れる「Facebook」や「Twitter」などのプラットフォームはグローバル企業によって運営されていて、国際的な基準を重視しているためだ。既存メディア、インターネットメディアやプラットフォーム企業が、テレビ番組の苦情や倫理上の問題に対応するＢＰＯ（放送倫理・番組向上機構）のような組織を設立して対応する方法もありうる。繰り返しになるが、ファクトチェックは読者・有権者のためにあり、実施する既存メディアや団体特定の候補者や政党のためにあるわけではない。

公平さと透明性といった品質が守られる基準、「武器化」への対処がおこなわれるためには、ファクトチェックをおこなう既存メディアや団体だけでなく、プラットフォーム企業の協力が不可欠である。問題はファクトチェックさえビジネスになりかねないニュース生態系の仕組みにある。アメリカを代表するファクトチェックサイト「Snops（スノープス）」は、ページビューを稼ぐために他メディアから記事を盗用していた。[32]第４章でも指摘したように、ページビューに依存するビジネスモデルがある以上、汚染された生態系の浄化を目指すだけでは、根本的な解決を見通すことはできない。なお、本研究で取得し調査したデータには限りがあるため、さらなる大規模なデータを使った研究も必要である。

注

（1）Mark Stencel, Joel Luther, "Fact-checking census shows slower growth," Duke Reporters'Lab, 2021（https://reporterslab.org/fact-checking-census-shows-slower-growth/）［二〇二一年七月十五日アクセス］

（2）Bill Adair, "A broken promise about a tattoo and the need to fact-check everyone," Duke Reporters'Lab, 2019（https://reporterslab.org/a-broken-promise-about-a-tattoo/）［二〇二一年七月十五日アクセス］

（3）Mark Stencel, "The Weaponization of Fact-Checking," POLITICO MAGAZINE, 2015（https://

www.politico.com/magazine/story/2015/05/fact-checking-weaponization-117915/）［二〇二一年七月十五日アクセス］

（4）Laura Hazard Owen, "'First-generation fact-checking' is no longer good enough. Here's what comes next," NiemanLab, 2019（https://www.niemanlab.org/2019/06/first-generation-fact-checking-is-no-longer-good-enough-heres-what-comes-next/）［二〇二一年七月十五日アクセス］

（5）藤代裕之「日本のファクトチェックに足りない3つの視点「フェイクニュース対策」ガラパゴス化の恐れ」「Yahoo! ニュース」、二〇一九年（https://news.yahoo.co.jp/byline/fujisiro/20191228-00156700）［二〇二一年七月十五日アクセス］

（6）Bill Kovach, Tom Rosenstiel, *The Elements of Journalism: What Newspeople Should Know and the Public Should Expect*, Crown, 2001（ビル・コヴァッチ／トム・ローゼンスティール『ジャーナリズムの原則』加藤岳文／斎藤邦泰訳、日本経済評論社、二〇〇二年）、IFCNのAlexios Mantzarlisによるインタビュー記事 "Is it time to completely rethink fact-checking?," Poynter（https://www.poynter.org/fact-checking/2017/is-it-time-to-completely-rethink-fact-checking/）［二〇二一年七月十五日アクセス］を参照。

（7）国際ファクトチェックネットワークが定める加盟団体が守るべき五原則 "Commit to transparency — sign up for the International Fact-Checking Network's code of principles"（https://ifcncodeofprinciples.poynter.org/）［二〇二一年七月十五日アクセス］

（8）総務省「プラットフォームサービスに関する研究会」（https://www.soumu.go.jp/main_sosiki/kenkyu/platform_service/index.html）［二〇二一年七月十五日アクセス］

（9）日本新聞協会「総務省「プラットフォームサービスに関する研究会」最終報告書（案）「フェイク

ニュースや偽情報への対応」に対する意見」(https://www.pressnet.or.jp/news/20200121.pdf)〔二〇二一年七月十五日アクセス〕から。

(10) Lucas Graves, Michelle A. Amazeen, "Fact-Checking as Idea and Practice in Journalism," In Oxford Research Encyclopedia of Communication, 2019.

(11) 立岩陽一郎／楊井人文『ファクトチェックとは何か』(岩波ブックレット)、岩波書店、二〇一八年

(12) 「首相の答弁、正確? 「ファクトチェック」してみました 臨時国会中盤」「朝日新聞」二〇一六年十月二十四日付

(13) 「編集日記 2019. 6. 21」「東京新聞」二〇一九年六月二十一日付

(14) 「災害時デマ混乱拡散 「これから本震」「救助隊襲う泥棒」」「読売新聞」二〇一九年五月十一日付夕刊

(15) Brendan Nyhan, Jason Reifler, "*When Corrections Fail: The Persistence of Political Misperceptions*," *Political Behavior*, 32(2), 2010, pp. 303-330.

(16) Amy sippitt, *The backfire effect: does it exist? And does it matter for factcheckers?*, Full Fact, 2019.

(17) Jieun Shin, Kjerstin Thorson, "Partisan Selective Sharing: The Biased Diffusion of Fact-checking Messages on Social Media," Journal of Communication, 67(2), 2017, pp. 233-255.

(18) Michelle A. Amazeen, Chris. J. Vargo and Toby Hopp, "Reinforcing attitudes in a gatewatching news era: Individual-level antecedents to sharing fact-checks on social media," *Communication Monographs*, 86(1), 2018, pp. 112-132.

(19) 奥山晶二郎「ウェブメディア運営者の視点から考察する日本におけるフェイクニュース拡散の仕組み」、清原聖子編著『フェイクニュースに震撼する民主主義——日米韓の国際比較研究』所収、大学

教育出版、二〇一九年
(20)「琉球新報」のウェブサイトに掲載されている会社概要を参照した。「沖縄タイムス」については第3章を参照。
(21)「CrowdTangle」は、「Facebook」傘下のソーシャルメディアの反応を解析できるツールである。機能などについては下記ウェブサイトを参照した。crowdtangle「Elections Resources」(https://www.crowdtangle.com/resources)[二〇二一年七月十五日アクセス]
(22)「あんぐるTokyo:「もう一つの都知事選」その動機と主張は?」「毎日新聞」(東京版)二〇〇七年四月五日付
(23)「参院選2019:実現できる? 独自公約 自民、花粉症ゼロ社会 国民民主、孤独担当相創設 共産、ブラック校則禁止」「毎日新聞」(東京版)二〇一九年七月六日付夕刊、「マニフェスト敬遠、競うユニーク政策 孤独担当相・花粉症ゼロ…参院選」「朝日新聞」二〇一九年九月十七日付
(24)Politifact のサイトにはバラク・オバマやドナルド・トランプなどの公約を追跡するページを設けている。POLITIFACT「Stand up for the facts!」(https://www.politifact.com/truth-o-meter/promises/)[二〇二一年七月十五日アクセス]
(25)永吉希久子「ネット右翼とは誰か――ネット右翼の規定要因」、樋口直人/永吉希久子/松谷満/倉橋耕平/ファビアン・シェーファー/山口智美『ネット右翼とは何か』(青弓社ライブラリー)所収、青弓社、二〇一九年。ネット右翼については、辻大介「計量調査から見る「ネット右翼」のプロファイル――2007年/2014年ウェブ調査の分析結果をもとに」(『年報人間科学』刊行会編「年報人間科学」第三十八号、大阪大学大学院人間科学研究科社会学・人間学・人類学研究室、二〇一七年)二一一―二二四ページを参照。

(26) 伊藤昌亮『ネット右派の歴史社会学——アンダーグラウンド平成史1990－2000年代』青弓社、二〇一九年。ネット右派言説のビジネス的な側面については、石戸諭『ルポ百田尚樹現象——愛国ポピュリズムの現在地』（小学館、二〇二〇年）も指摘している。

(27) 新聞通信調査会「メディアに関する全国世論調査」（https://www.chosakai.gr.jp/project/notification/）［二〇二一年七月十五日アクセス］

(28) 青木紀美子「なぜエンゲージメントが必要なのか Engaged Journalism の実践者たちの話を聞く 第3回」、NHK放送文化研究所編「放送研究と調査」第七十巻第八号、NHK出版、二〇二〇年、七〇—七七ページ

(29) ファクトチェックをおこなう大阪維新の会の「Twitter」アカウント。「ファクトチェッカー【公式】大阪維新の会」（https://twitter.com/oneosaka_factck）［二〇二一年七月十五日アクセス］

(30) ファクトチェック・イニシアティブ「FactCheck 沖縄県知事選2018」（https://archive.fij.info/wordpress/project/okinawa2018）［二〇二一年七月十五日アクセス］

(31) 藤代裕之「バズフィードと琉球新報が「ファクトチェック」で国際原則とかけ離れた記事、恣意的な運用の恐れ」「Yahoo! ニュース」、二〇一九年（https://news.yahoo.co.jp/byline/fujisiro/20190613-00129530/）［二〇二一年七月十五日アクセス］

(32) Dean Sterling Jones, "The Co-Founder Of Snopes Wrote Dozens Of Plagiarized Articles For The Fact-Checking Site," BuzzFeed, 2021（https://www.buzzfeednews.com/article/deansterlingjones/snopes-cofounder-plagiarism-mikkelson）［二〇二一年八月十六日アクセス］

［付記］本章は、藤代裕之「選挙におけるファクトチェックの課題とジャーナリズムの役割」（「社会情報

学」第八巻第三号、社会情報学会、二〇二〇年）一五―二八ページと、"International Conference on Social Media and Society2020" の発表、Hiroyuki Fujishiro, Kayo Mimizuka and Mone Saito, "Why Doesn't Fact-Checking Work?" に加筆し修正したものである。

第3部　未来

第6章　フェイクニュースのなかを生きる若者

藤代裕之

1　フェイクを見たのは二%

フェイクニュースはニュース生態系の汚染が原因であり、浄化を担う取り組みが解決策ではないことを指摘した。新たなニュース生態系の確立に向けて、現在地を確認するため若者のフェイクニュースへの接触実態を明らかにする。

「若者はネット上のフェイクニュースを信じている」という言説が新聞などで浸透しているが、[1]その実態を明らかにした調査はほとんどない。実際のところ若者は、フェイクニュースをどのように受け止めているのだろうか。本章では、第4章「フェイクニュースは検証できるのか」（藤代裕之）と第5章「ファクトチェックが汚染を引き起こす」（藤代裕之）で取り上げた二〇一八年九月の沖縄県知事選挙に関する「沖縄タイムス」との共同調査をもとに、汚染されたニュース生態系における若者のフェイクニュース接触実態を明らかにする。

アンケートは、沖縄県内の大学二校、専門学校三校の協力を得て二〇一八年十一月に実施した。アンケート用紙を各学校の講師や「沖縄タイムス」の記者が担当している講座などを通して配布し、五百二十五人分を回収した。男性は三百九人、女性は百八十人、性別不明・無回答が三十六人だった。選挙に関する「フェイクニュースを見た」と回答した学生は六十人で、全体の一一％にとどまった。

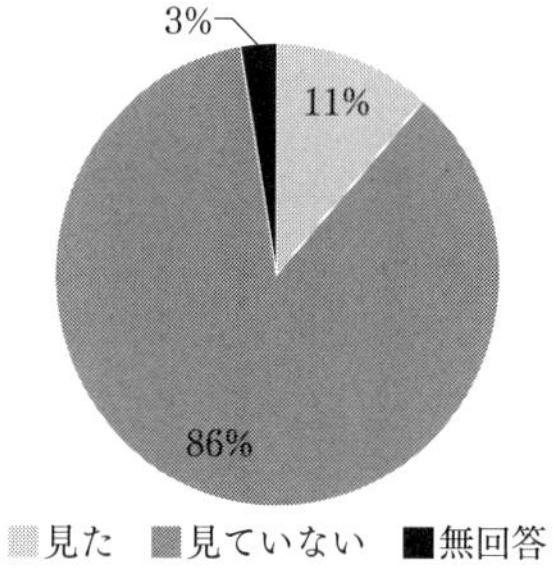

図1　「選挙中にフェイクニュースを見ましたか？」という質問に対する回答

なお、調査では「フェイクニュース」を具体的に提示していない。これには若者が「フェイクニュース」をどのように考えているかをとらえる狙いがある。アンケートでは、新聞や「Yahoo!ニュース」への接触状況も聞いていて、「フェイクニュースを見た」学生と「フェイクニュースを見ていない」学生のメディア接触の差から、フェイクニュースの接触実態とその関係を考察する。

2　検索したら目に入る

アンケートに「フェイクニュースを見た」と回答した学生六十人のなかから六人の協力を得て、半構造化インタビューをおこなった。質問項目は、「どのようなフェイクニュースをどの媒体で見たのか」「真偽が疑わしい情報をどう見分けるか」「新聞社が取り組んでいるフェイクニュースの検証記事を見たか、どう思うか」である。インタビューは、二〇一八年十一月から一九年一月までに実施した。

インタビュー協力者六人の性別、年齢、所属、見たフェイクニュース、媒体は表1のとおりである。Bさんが見た「翁長知事が訪米しても政府関係者の誰にも会えなかった」（第5章表1のOT2）とEさんが見た「佐喜真氏の政策文字数は二・二万字超えで、玉城は約八百文字」（第5章表1のOT1）のように新聞社が検証記事を公開しているフェイクニュースの場合もあれば、誹謗中傷のようにあいまいなものもある。インタビュー調査に対する回答を、行頭から二字下げて記載する。回答内にある〔　〕は筆者による補足である。

友達からリツイートで回ってくる

いずれも「Twitter」経由で接触しているが、そのなかでも友達のリツイートで接触したという

表1　インタビュー協力者6人が見たフェイクニュースと媒体などの一覧

番号	性別	年齢		見たフェイクニュース（自由記述）	媒体
A	女性	20歳	大学	玉城デニーは中国の回し者／沖縄を中国に売ろうとしている	「Twitter」
B	女性	18歳	大学	「共産党出馬の翁長知事が訪米しても政府関係者の誰にも会えなかった」というニュースを見た	「Twitter」
C	男性	19歳	大学	誹謗中傷の類いで、中国共産党との関わりを連想させるような極右的なもの	「Twitter」
D	男性	23歳	大学	デニー氏の誹謗中傷	「Twitter」
E	男性	20歳	大学	佐喜真氏の政策は2.2万字でデニー氏は800文字／佐喜真氏の隠し子	「Twitter」
F	男性	19歳	専門学校	玉城デニーさんの支持者はこんなに危険だという動画	「Twitter」

回答者が三人いた。

デニーを知事にしたら中国に占領されるというツイートが回ってきた。佐喜真は、戦争賛成だという感じで回ってきた。ツイートしている人は知らない人。それがリツイートされて、身内がリツイートした。（Aさん）

フェイクは、隠し子とデニーさん演説中の暴力。「Twitter」の過去のトレンドとオススメから友達がリツイートしていた。（Eさん）

玉城デニーさんの支持者はこんな危ない人たちだから支持しちゃダメだみたいな感じで動画が流れてきた。リアルでも会う友達の「Twitter」で回ってきていた。（Fさん）

選挙に関心をもち、ほかの「Twitter」利用者の反応を気にして検索したところフェイクニュースに接触していた。

「Twitter」で検索したとき、目に入った。（Cさん）

みんながどんな反応してるのか気になって〔ハッシュタグ〕検索した。普段はあんまりハッシュタグ検索はしない。タイムラインでバーッて見る。（Dさん）

大学の休み時間に「Twitter」でそのとき話題になっているキーワードやハッシュタグがランキング形式で表示される機能であるトレンドで見つけたケースでは、あとから詳しく見ようとスマートフォンのアプリを閉じ、授業が終わってからあらためて検索したものの見つけられなかった。トレンドへの表示基準は、利用者がフォローしているアカウントや興味・関心をもとにアルゴリズムによって決定されていて、詳細は明らかにされていない(2)。

トレンドに入っていた。トランプさんだと思っていたら玉城さんで、え、沖縄県知事選のやつなんだ、あるんだー、と。授業が始まる前にちらっと見て、あとで記事を見ようかなとアプリ閉じて授業受けてて、忘れて、トレンドになくて、検索してもトランプさんばっか。ないからまいっか（Bさん）

フェイクニュースへの接触は、①フォローしているアカウントのリツイートから、②検索から、③トレンドから、と三種類あった。共通しているのはいずれも偶然接触したということである。②の場合も選挙に関するツイートを検索していた。さらにBさんが「ちらっと見て」、Cさんが「目に入った」と表現しているように、フェイクニュースを熟読したわけではない。インタビュー中に接触したフェイクツイートを探してくれた者もいたが、スマートフォンでは具体的なツイートを探し出して提示することができなかった。

極端な言説で見分ける

「新聞社が取り組んでいるフェイクニュースの検証記事を見たか」という質問に対して、具体的に記事を示し、フェイクニュースに気づいたとする回答はなかった。Bさんは記事のタイトルを見た記憶はあったが、どの新聞か覚えていなかった。Cさんも記事を見た印象はあるが覚えていなかった。Aさん、Bさん、Fさんは、記事は見ていないと回答した。フェイクニュースも、記事も、どちらも見た記憶があいまいな状態である。

そこで、真偽が疑わしい情報をどのように見分けるかを聞いたところ、明確な根拠はないが判断できるという回答があった。そこには、基本的にインターネットの情報を信じず、ソーシャルメディアの極端な言説への懐疑的な姿勢が見て取れる。

「調べなくてもわかる」というDさんは、「Twitter」の書き込みを基本的に信じておらず、根拠がないと断定していた。

「Twitter」やってる人みんなバカだと思ってる。みんな自分のやりたいこと、言いたいこと言ってるだけ。それが面白くて見てるけど、全然信じてない。デニーさんが〔知事に〕なったら沖縄終わったとか、根拠は全然ないし、感情的になってるだけ。〔調べることは〕基本ない。おかしいのはおかしいとわかる。べつに調べない。（Dさん）

Dさんほど断定的ではないが、AさんとBさんも同様にわかると回答した。判断基準はAさんが「ぶっ飛んでいる」と表現している極端な言説やおかしな言葉遣いだった。

行き過ぎているのはわかったりする。明らかにぶっ飛んでいる感じ。中国については軽く調べた。これはぶっ飛んでるなと思った。（Aさん）

結構、ぱっと見で。URLとか。構成、記事の言葉の使い方がおかしかったりもする。なんでわざわざこんな言葉出てくるんだろうって思う。（Eさん）

「何となく」わかるというCさんも極端な言説に注意している。詳しく知るときは「Wikipedia」を参考にしている。

何となく。単純に見て。フェイクニュースの話題は結構見た。あんまり過激なものは信頼しない。詳しい内容知りたいときは基本的に「Wikipedia」。完全には信用してないけど、結構勉強になると思ってる。（Cさん）

政治的な運動に関するフェイクニュース動画では、「本当なのかな？」という他者のコメントを参考にしながら、のぼりの有無や動画撮影への反応で見分けたという意見もあった。

〔玉城デニー候補の支持者に関する動画〕これ本当なのかな？というコメントと一緒にリツートされてきたので、デニーさんの支持者だったら鉢巻きやのぼりがあるはずだし、フェイクニュースだと感じた。似たような動画が以前あがってなかったか、一回疑ってかかる。（Fさん）

政治的な運動を身近に見る機会があり、鉢巻きやのぼりの有無に着目して判断できるのだろう。運動へのこのような理解は、ほかにもみられた。

ありそうでないネタをニュース形式で掲載している「虚構新聞」を例に出したBさんも、嘘は嘘とわかると言い、フェイクニュースは嘘かどうかの判断に悩む情報のことだと言う。

「虚構新聞」もちょっと読めばわかるし、ウソとして楽しめる。ウソか本当か、判定に悩むモノがフェイクニュースかな。（Bさん）

3　ネガティブな経験が生む懐疑的な態度

インターネットの情報を信じず、ソーシャルメディアの極端な言説への懐疑的な姿勢の要因は、これまでの利用経験にある。

「ネットって本当じゃない。三割くらいしか信じない」というAさんは、ネット以外の場所で広がっていない情報は嘘だと考えている。「釣り」とは釣りタイトルのことで、主にインターネットメディアなどでみられる記事本文の内容とかけ離れた目を引くタイトルのことだ。何度も釣りタイトルのような不確実な情報にだまされる経験が積み重なった結果である。

> 本当なんだと思ってみたら、釣りだからとか。
> それで昔、騒いだことがあった。これウソだよってリアルな友達が教えてくれた。これを積み重ねた。（Aさん）

極端な言説はビジネス目的

「ネット自体がフェイクみたいなもの」というCさんは中学時代に YouTuber の動画をよく見ていて、政治系では『ここがヘンだよ「反日」韓国』[3]などの著書がある政治活動家のＫＡＺＵＹＡが運営する「KAZUYA Channel」の影響を受けていた。このチャンネルには七十万人以上の登録者がいる。

嫌韓とかそういう動画。何にもわからないから、こういうのあるんだなーって普通に受け取ってた。当時の自分の価値観はKAZUYAさんから。（Cさん）

最近はKAZUYAの動画を見ないという。その理由は「単純に飽きちゃった」からだという。

いまは、ひとつの意見として見ている。事実としては見てない。KAZUYAさんの意見はこうなんだなって見てる。（Cさん）

Dさんも以前は、「KAZUYA Channel」や沖縄の保守系活動家であるボギーてどこんが運営する「YouTube」チャンネルを見ていたという。Dさんは動画を見ていくなかで、ソーシャルメディア上で沖縄を話題にする人はビジネス目的だと判断するようになった。

百田尚樹とか結構セミナーしてる。わざわざ沖縄に来てそういうことするってことは、それだけ需要があって、それで金儲けしてるみたいな。それがこの人たちの仕事になってるのかなって。（Dさん）

釣りタイトルにだまされたり、極端な言説を発信する「YouTube」アカウントに接触したりといったネガティブな経験から、次第にこれらのアカウントから距離を取るようになる。

政治的関心よりも面白さ

CさんやDさんが以前見ていたというKAZUYAやボギーてどこんは、第5章で紹介したようにビジネス保守クラスタであり、フェイクニュースを拡散する「Twitter」アカウントでもある。彼らの動画を視聴していたCさんやDさんは保守的な傾向をもっているのだろうか。

Cさんは、世界史を学んでいくなかで中国批判などの排外的な主張には正当性が乏しいと気づいたという。中学時代に彼らの動画に引かれた理由を聞くと、「たぶん動画が面白かったから」と答えてくれた。Dさんも同じく「面白い」という理由だった。

まとめサイトは、書いている人が面白い。〔まとめサイトは〕昔はなかったと思う。ここ五、六年。二〇一四年に翁長〔雄志〕さんが知事になった頃から増えた。（Dさん）

Dさんは家族と政治について話したり、「辺野古」県民投票の会の元山仁士郎代表が宜野湾市役所前で続けていたハンガーストライキを見にいったり、大学では基地問題について学んでいたり、むしろリベラル寄りの印象を受けた。

「上の世代の人たちが思っているよりも選挙には関心がある」と話し、基地問題の話題をリツイートすることがあるというAさんは友達と政治の話はしない。Eさんは、家族と政治について話をする。インタビューに協力してくれた若者たちはそれなりに政治的な関心が高いが、保守的な傾向をもっているとまでは感じられなかった。

保守的な動画を視聴していたのは政治的な傾向ではなく、動画が「面白かった」からで、大学で学んだり家族と話したりしていくなかで、インターネットの過激な言説から遠ざかり、それらに懐疑的な態度が形成されたと考えられる。第4章で紹介したビジネス保守クラスタによる拡散力が勝っていて、政治的関心が高い若年層に「YouTube」などを通じてそのコンテンツが到達していることは間違いない。

4　能動的なスキルを受動的と表現する

彼らは、単にインターネットに懐疑的な態度をもって否定的にとらえているというだけではない。ヒアリングからは情報を相対的にとらえるスキルをもっていることもうかがえた。極端な言説やおかしな言葉遣いの有無でフェイクニュースを判別していたが、バランスを取るために日頃からトレンドを利用したり、モーメントと呼ばれる話題になっている注目のツイートを集めたニュース機能を利用したりしていた。(4)

モーメントが最近作られたので。そこだと、新聞の内容と反応を見られるので。NHKと「産経」が報じているやつ両方出てくるから。（Bさん）

Eさんも異なる意見を調べることで相対的にニュースに接触しようと、利用者が「Twitter」を開いていない期間に投稿されたツイートのなかから、利用者が関心をもっていそうな話題のツイートを選んで表示する機能であるハイライトを利用している。

一つの意見があったら、もう片方の意見を調べる。メリット調べるならデメリットも調べる。別の言葉を入れて検索すると、いろんな意見がある。
「Twitter」ってある程度閉じてから開くと、過去のトレンドとオススメが出てくる。そのオススメが出てきたり、過去のハイライトから友達がリツイートしていたりする。友達の投稿を見るのが主だけど、みんながどう思っているかわかりやすい。（Eさん）

Eさんは、国に関するデータなどは省庁のサイトで公表されている報告書や統計などのPDFを調べたり、データを確認したりもしている。このようなスキルを自身では「受け身」と呼んでいる。

もともと、リテラシーに興味があった。正しいのか間違っているのか、目を養いなさいと中学

校の頃の先生に教えてもらった。ニュースを見るときは、全部信じることはない。受け身だからですかね。（Eさん）

Bさんも自らのニュースに対する態度を受動的だと分析していた。早朝に起きてニュースを見ながらご飯を食べて大学に向かうBさんに、毎日大変ではないかと聞いたところ以下のように答えている。

入ってくるものをただ聞いているだけ、受動的。（Bさん）

どこでフェイクニュースを見たか尋ねた際、リツイートで回ってくる、トレンドに出てくる、という受動的な言葉で表現していたが、わからない言葉が出てくると調べたり、反対の意見を検索したりしていて決して受動的ではない。Cさんは「フェイクニュースを見ていない人は、なぜ見ていないのか」という質問に対して興味深い指摘をしている。

やっぱり、調べないからじゃ。政治系で調べたら絶対出てくる。興味ないから調べないだけでは。目につくところまでいってない。（Cさん）

調査に協力してくれた若者は、トレンド機能を利用したり、ハッシュタグ検索で立ち位置が異なる新聞を比べたりするなど、ニュースを相対的に読み解く能動的なスキルを有しているが、それを受動的だと表現している。

ニュースは景色のようなもの

このような受動的なニュース接触の態度について、Eさんは景色という言葉で表現している。

ファッション、ラーメン、ヤンキー。いろんなもの〔が「Twitter」で流れてくる〕。それって、車で景色を見ているのとなんら変わらない。あのお店面白そう、どこの交差点だったっけってなる。パーッと見て、気になったからマーク付けとこう。でもどこいったっけ。リツイートしてもアカウント自体が削除されて、たどれないときはたどれない。店あったなーと思ったのに、更地になっていたようなもの。見たような気がするけど、わからない。だから景色。（Eさん）

玉石混交の大量の情報が景色のように流れ、何となく印象に残るものもなかにはある、とすればフェイクニュースも検証記事も、内容を具体的には覚えておらずあいまいな状態だったことも理解できる。

そして、このような受動的な情報接触は、リツイートや「いいね」のような、一見すると能動的だととらえられるような行動にも現れていて、Eさんはそれをバイキングと表現している。

リツイートは何も考えてないんじゃないですかね。バイキングみたいな感じじゃないですか。おいしそうだから取っとこうみたいな。軽い感じ。「いいね」したものって、暇なときに読もうと付けてる人もいるだろうし。深い意味はそれほどないかな。（Eさん）

「新聞は信頼しているほう」

景色のように大量に流れていく情報を相対的に読み解いていくスキルは、新聞に対しても向けられる。

新聞は百パーセント信じていない。七割五分くらい。（Aさん）

新聞は信頼しているほうだと思う。百パーセントではないが、ブログなんかよりずっと信頼できる。（Cさん）

検証記事などの取り組みは見ていなかったが、判断材料として有益であるともコメントしている。

あったほうが、判断するときに材料になるのであったほうがいいと思う。（Bさん）

根拠があればやったほうがいい。予測や推測で書くのであれば、混乱する人がいるのでやらな

いほうがいいと思う。（Fさん）

新聞はおおむね信頼しているが、懐疑的な気持ちもある。Eさんは地方紙の基地報道を評価しながら、社説は読まないという。その理由は読むと意見が偏ってしまうことだ。

地方紙の社説は読まない。偏った方向にいってしまって、納得すると、そこに傾いてしまうから。（Eさん）

インターネットやソーシャルメディアよりも既存メディアのほうが信頼度が高いが、それでも信じているわけではない。どのようなメディアや情報に対しても態度を保留し、偏った情報に注意するために、極端な言説の有無などを目安にしながら、ソーシャルメディアを検索して確認してバランスを取っていた。

ニュースに対して受動的であろうとするのは、能動的に読み解くと、考え方が固定化したり、極端な言説に近づいたりしてしまう危険性が高まるため、一歩引いておくためである。景色とバイキングという言葉で表現される若者の態度は汚染されたニュース生態系で生きるために経験的に獲得したサバイバルの知恵と言える。

5　見た／見ていないでメディア接触に差

アンケートでは、フェイクニュースを見たかどうかに加えて「Twitter」や「Yahoo! ニュース」などのニュースメディアへの接触状況について、日常的に利用する場合と選挙に関するニュースを見る場合とで分けて質問している。フェイクニュースを見た回答者と、見ていない回答者のメディア接触を比較すると差があることもわかった。フェイクニュースを見た回答者は、ソーシャルメディアだけでなく、ニュースサイトや地元紙のサイトにも多く接触する傾向があった。

選挙でネットへの接触が減少する

「Twitter」に「毎日接している」と回答したのは、フェイクニュースを「見た」では六四％、「見ていない」では三七％だった。「まったく接していない」と回答したのは、「見た」の一三％に対し、「見ていない」は二九％だった。選挙に関するニュースの場合、「見た」では「毎日接している」は四九％に減少したものの、「数日に一度」が一八％から二三％に増加した。「見ていない」でも「毎日接している」は二一％に減少、「数日に一度」も二四％から二〇％に減少した。選挙のニュースに関しては、「見た」も「見ていない」も「Twitter」への接触が減少している。

「Twitter」以外の「Instagram」と「Facebook」は、「まったく接していない」が最も多かった。

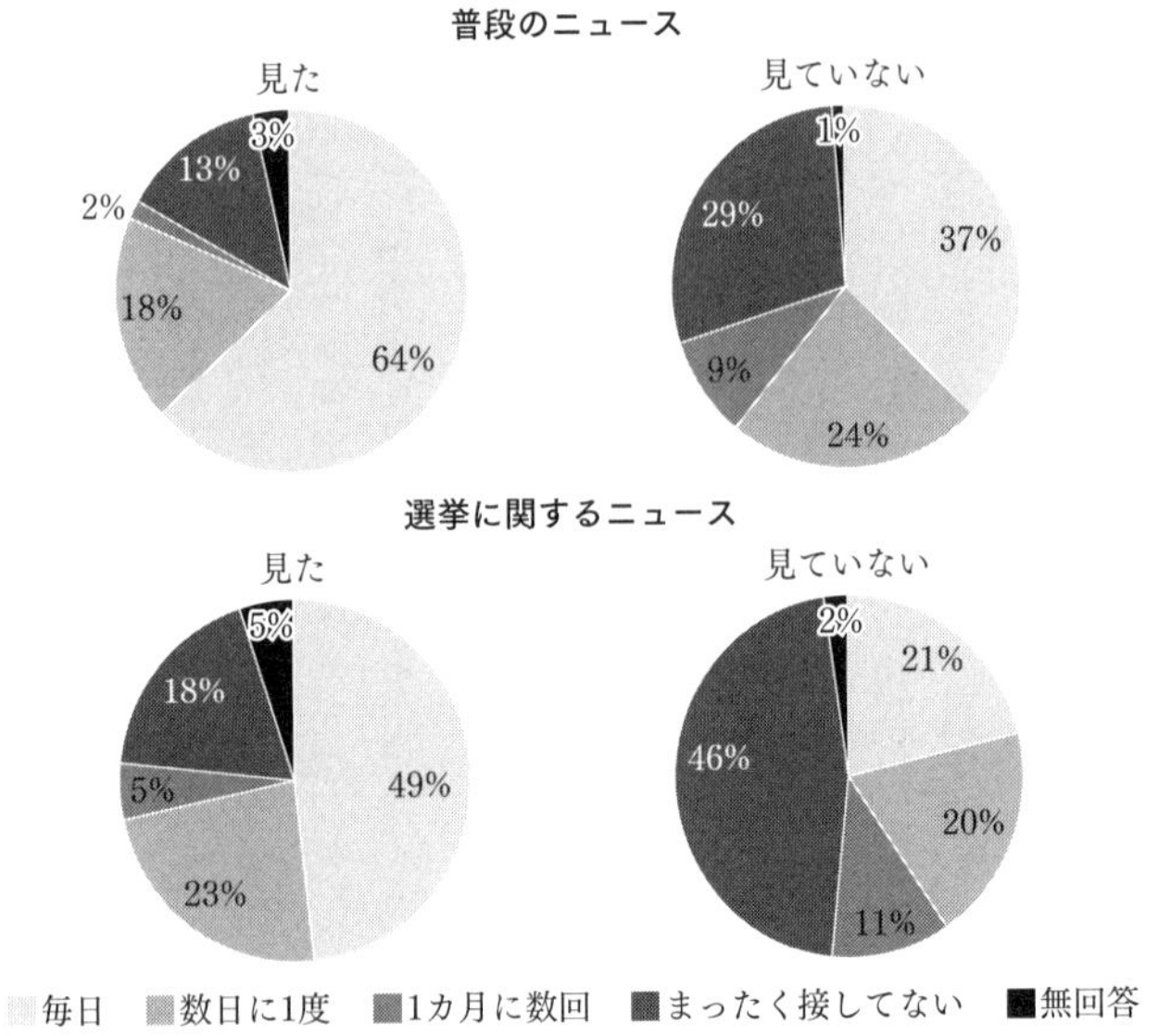
普段のニュース
見た
3%
13%
2%
18%
64%
見ていない
1%
29%
37%
9%
24%
選挙に関するニュース
見た
5%
18%
5%
49%
23%
見ていない
2%
21%
46%
20%
11%
毎日
数日に1度
1カ月に数回
まったく接してない
無回答

図2　「Twitter」の利用状況。フェイクニュースを見ていない人は「Twitter」への接触が少ない

「YouTube」も「まったく接していない」が最も多かったが、「Instagram」と「Facebook」よりは接している割合が多かった。ニュースを見るソーシャルメディアは最も多いものが「Twitter」、次いで「YouTube」だった。

インターネットで大きな影響力をもつポータルサイトの「Yahoo! ニュース」については、「毎日接している」と回答したのは、フェイクニュースを「見た」で三二%、「見ていない」で一八%だった。「まったく接していない」という回答は、「見た」で一五%、「見ていない」で三一%だった。

スマートフォンを利用する若者に存在感がある「LINE NEWS」については、「毎日接している」はフェイクニュースを「見た」で五四%、「見ていない」で

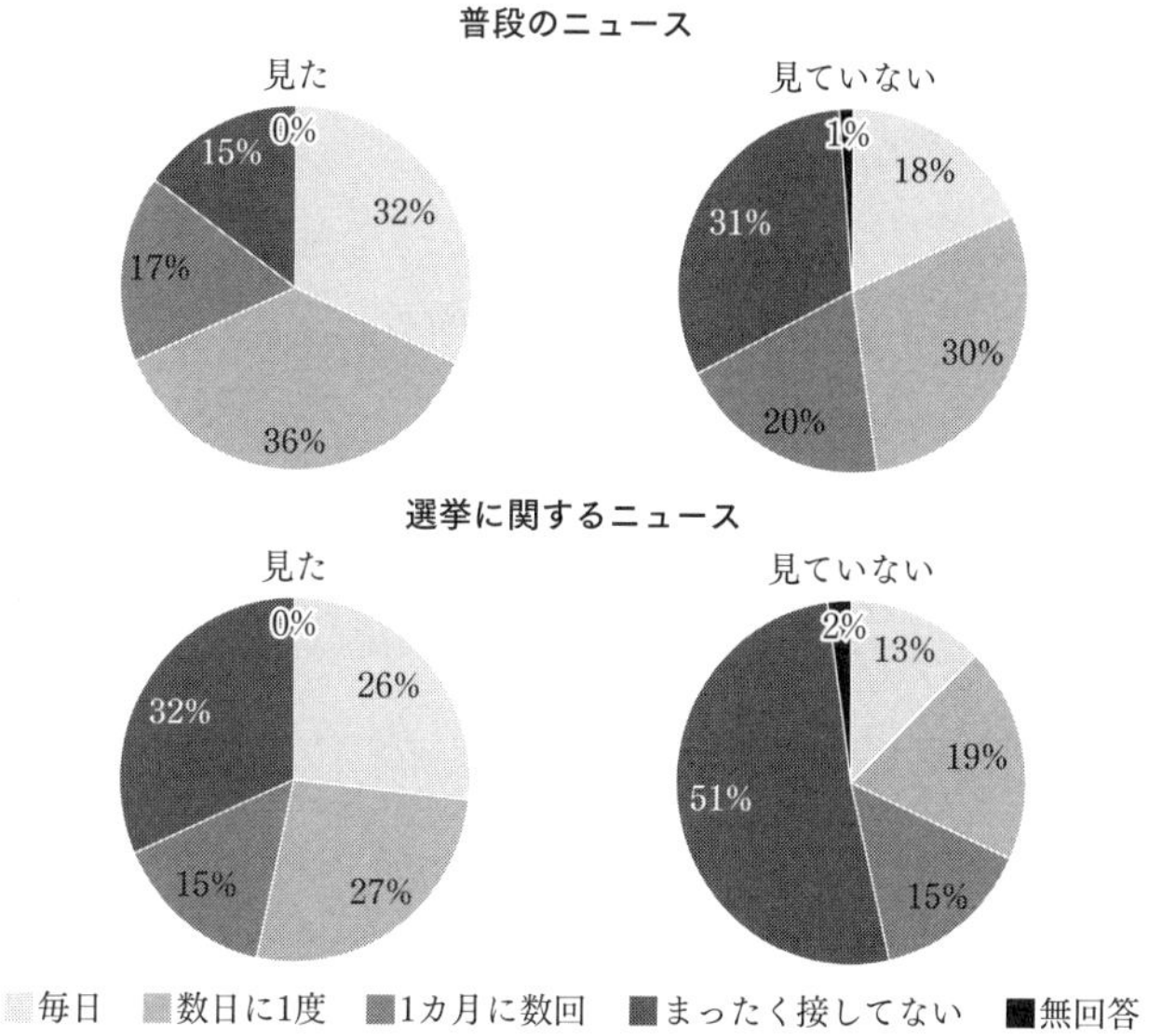
普段のニュース
見た
0%
32%
36%
17%
15%
見ていない
1%
18%
30%
20%
31%
選挙に関するニュース
見た
0%
26%
27%
15%
32%
見ていない
2%
13%
19%
15%
51%
毎日
数日に1度
1カ月に数回
まったく接してない
無回答

図3　「Yahoo! ニュース」の利用状況。選挙に関するニュースはフェイクニュースを見た者、見ていない者どちらも接触が減少する

四〇%だった。「まったく接していない」という回答については「Yahoo! ニュース」ほどの差がなく、「見た」で一三%、「見ていない」で一六%だった。若者は、「Yahoo! ニュース」よりも「LINE NEWS」に接している。

選挙に関するニュースでは、「Yahoo! ニュース」も「LINE NEWS」も接触が減少し、「まったく接していない」が増加する。「Yahoo! ニュース」では五一%、「LINE NEWS」では三七%が「まったく接していない」と回答している。

選挙で地方紙への接触頻度が増加する

既存メディアへの接触ではテレビと新聞で差が出た。テレビに「毎日接している」と回答したのは、フェイクニュースを「見た」で五二%、「見ていない」は

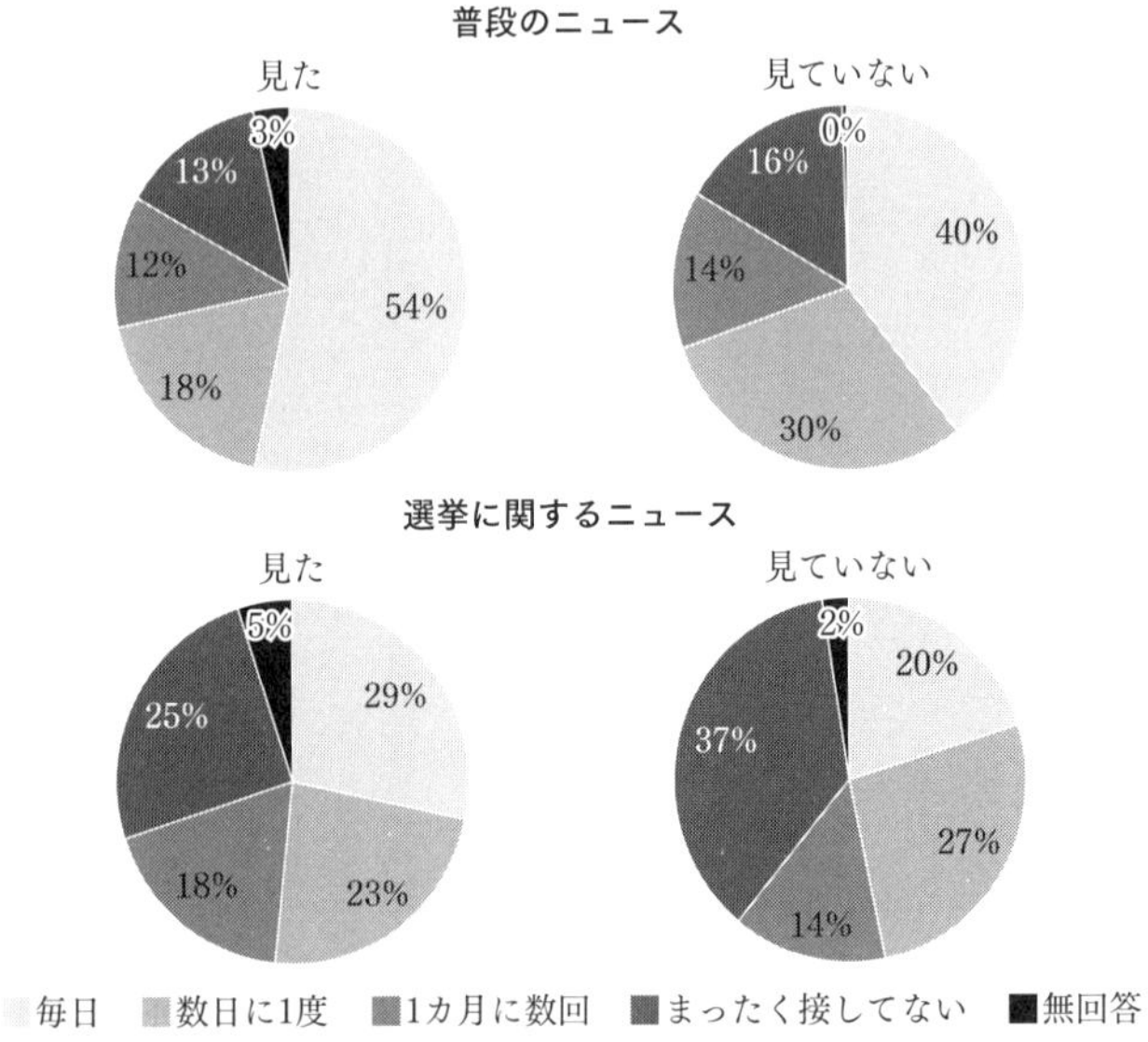
普段のニュース
見た
3%
13%
12%
54%
18%
見ていない
0%
16%
40%
14%
30%
選挙に関するニュース
見た
5%
29%
25%
18%
23%
見ていない
2%
20%
37%
27%
14%
毎日
数日に1度
1カ月に数回
まったく接してない
無回答

図4 「LINE NEWS」の利用状況。選挙に関するニュースはフェイクニュースを見た者、見ていない者どちらも接触が減少する

四一％と非常に多く、「まったく接していない」は一〇％以下だった。選挙に関するニュースだと「毎日接している」がフェイクニュースを「見た」で三四％、「見ていない」で二七％と減少する。最も多くの者が接しているのがテレビだが、選挙のニュースに関しては接触頻度が減少するのは、「Yahoo!ニュース」や「LINE NEWS」と同様である。

全国紙は「まったく接していない」がどちらも約七〇％だった。第3章「汚染されたニュース生態系」（藤代裕之）でも紹介したように、沖縄では全国紙のシェアがほとんどないが、「数日に一度」の接触が一〇％程度あり、インタビューから大学の授業などで全国紙を読んでいるケースがあった。

高いシェアを誇る地方紙の紙版やサイ

トは、「Yahoo! ニュース」や「LINE NEWS」に比べると接触している割合が少ないが、テレビとは逆に選挙に関するニュースの接触頻度が増加する傾向にある。

紙版では、選挙に関するニュースと比べた場合、「毎日接している」ではフェイクニュースを「見た」が一五%から一八%に、「見ていない」が九%から一〇%に、「数日に一度」では「見た」が二七%から三二%に、「見ていない」が二五%から二九%に、それぞれ増加していた。選挙に関連する話題を得ようと紙版への接触の度合いを増やしていることがうかがえる。

同じ地方紙でもウェブ版では、選挙に関するニュースの場合、フェイクニュースを「見た」では「毎日接している」が八%から一〇%に、「数日に一度」が二二%から三〇%に増加している。一方、「見ていない」では「毎日接している」も「数日に一度」もほとんど変化がなかった。地方紙でも、紙版とウェブ版では異なる結果になった。

このような選挙に関するニュースへの接触頻度の増加は、紙版の新聞のシェアが高く多くの家庭に紙版の新聞が存在しているため、接触しようと思えば気軽に手に取れる状況があることが要因だと考えられる。

フェイクニュースを見たとの回答者は、ニュースメディアへの接触頻度が高い。一方、見ていないとの回答者は、ニュースメディアへの接触頻度が低く、「Twitter」への接触も少なかった。これらの結果から考えられるのは、フェイクニュースを見たという回答者は、フェイクニュースや関連する報道にふれているため、フェイクニュースが拡散していることを知っているが、見ていないと回答した人は、実際にはフェイクニュースにふれているがそれに気づいていないという可能性であ

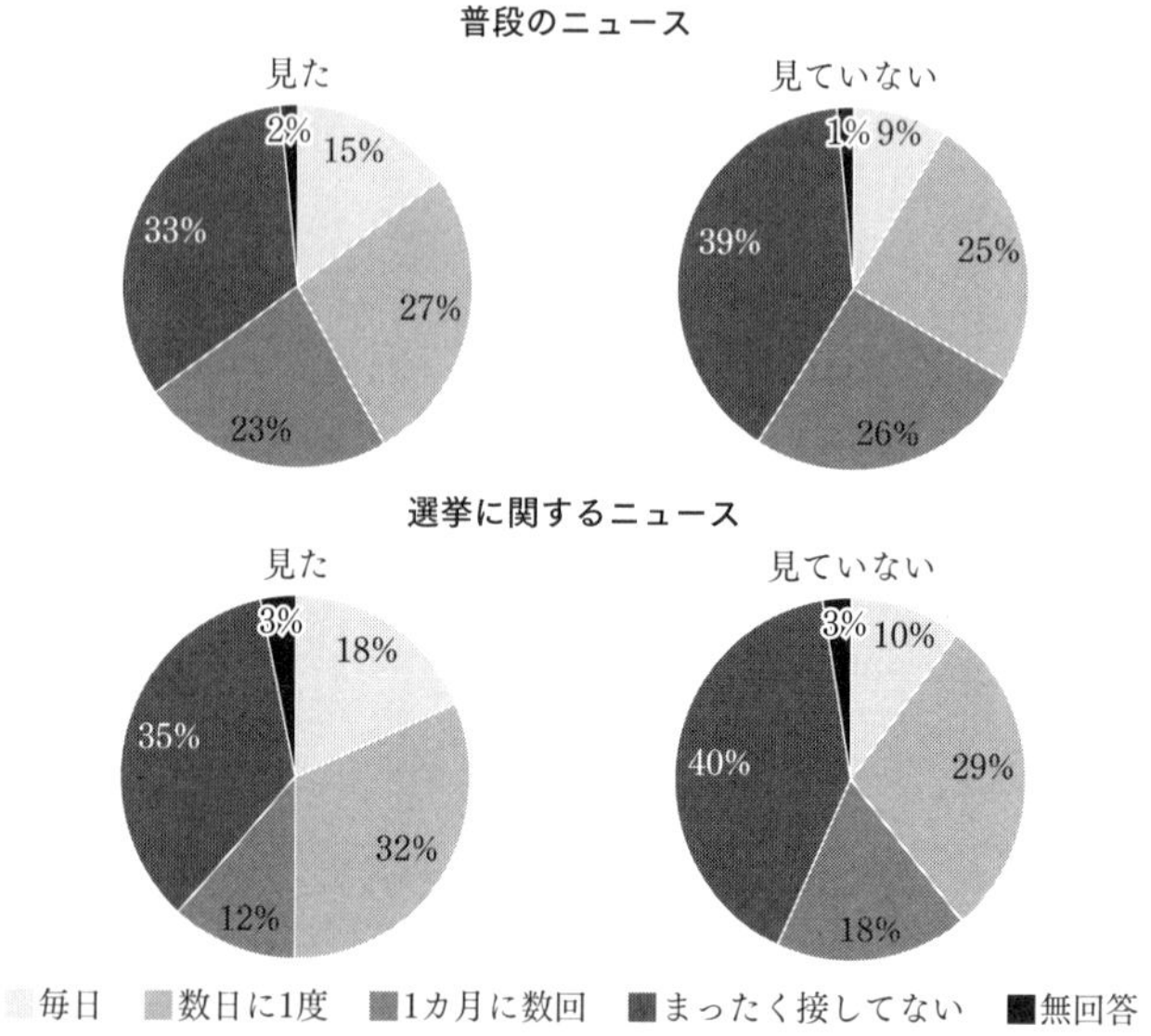
普段のニュース
見た
2%
15%
27%
23%
33%
見ていない
1%
9%
25%
26%
39%
選挙に関するニュース
見た
3%
18%
32%
12%
35%
見ていない
3%
10%
29%
18%
40%
毎日
数日に1度
1カ月に数回
まったく接してない
無回答

図5　地方紙（紙版）の利用状況。選挙に関するニュースの接触割合は変わらないが頻度が増加する

る。もう一つは、フェイクニュースが拡散している「Twitter」への接触頻度が少ないことから、「Twitter」を通したフェイクニュースに接していないという可能性である。

フェイクニュースを見た者と見ていない者の差は、テレビや「LINE NEWS」はそれほど大きくないが、「Yahoo! ニュース」や地方紙では大きくなる。特に地方紙は紙版もウェブ版も、選挙に関するニュースで接触頻度が増えている。第4章では、フェイクニュース検証記事を紙面で紹介することに懐疑的な記者の声があった。シェアが高い地方紙の紙版は家庭や学校にあるため選挙に関心をもった若者が接触しやすいが、ウェブ版は検索しなければたどり着けず、接触する機会に差が生じたと考えられる。

6 「フェイクを信じる若者」は本当か

本章の調査は簡易的なものであり、ヒアリング対象者の人数は六人と少なく、この結果をもって沖縄の学生全体の傾向を示しているわけではない。だが、景色やバイキングなどのキーワードは、同時期に進めていた大学生のニュース接触調査とも重ね合わせて、ソーシャルメディア時代の情報接触スタイルを明らかにした書籍『アフターソーシャルメディア』(5)を筆者がまとめるにあたって重要な指針になり、本章の調査を裏付ける部分がある。

まず、若者のニュースに対する能動性である。『アフターソーシャルメディア』ではNHK放送文化研究所の調査を紹介しているが、「ニュースには意識して自分から接している」という能動的接触派は十六歳から六十九歳の六五%、「ニュースはたまたま気付いたものに接するだけで十分だ」という受動的接触派は三四%だったが、十六歳から十九歳、二十代では五〇%を超えている。マスメディアの時代は、ニュースは貴重なもので、新聞やテレビという限られた媒体でしか得ることができなかった。ソーシャルメディアの登場は「ニュースの拡張」を引き起こし、スマートフォンにはさまざまなアプリからの通知をはじめ、大量のニュースが押し寄せている。だからといって、若者はすべてをうのみにしているわけではない。

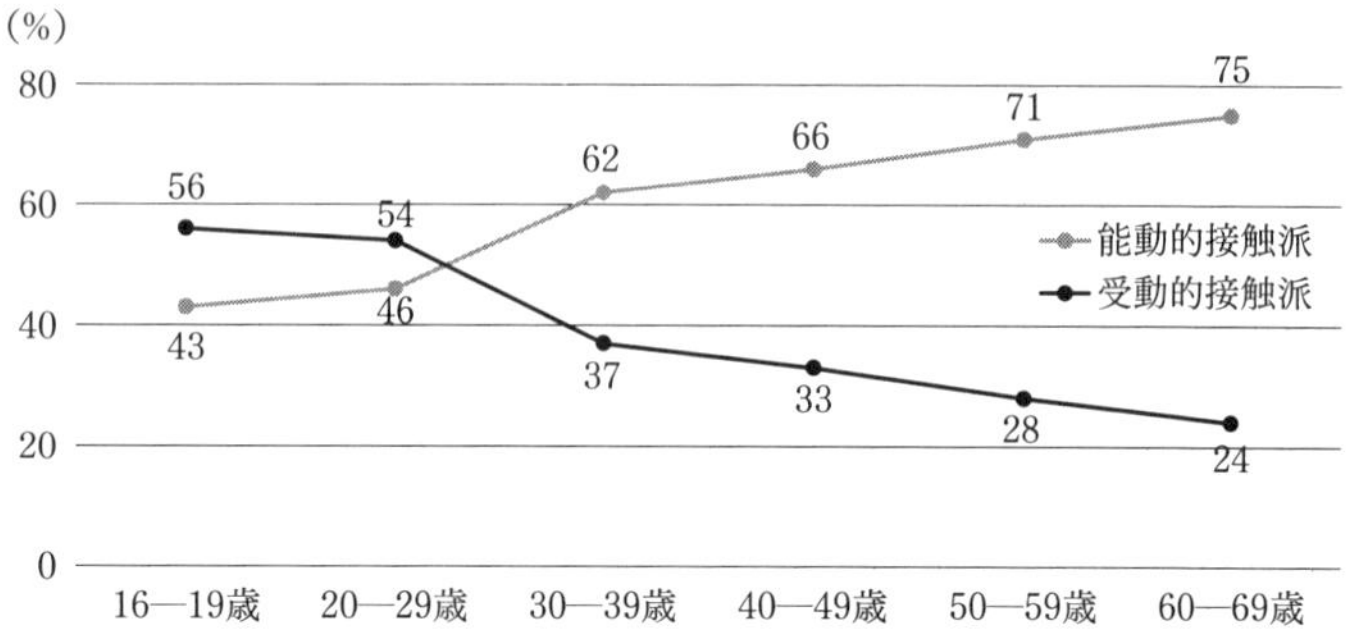

図6　政治・経済・社会の動きを伝えるニュースに対する意識
（出典：法政大学大学院メディア環境設計研究所編、久保田麻美／白井瞭／土橋臣吾／野々山正章／藤代裕之／保高隆之／吉川昌孝／渡辺洋子『アフターソーシャルメディア――多すぎる情報といかに付き合うか』日経 BP、2020年、図表2-2）

偏った情報にふれるのを避ける

本章の調査でも、若者は「Twitter」のトレンドなどの機能を利用したり、異なる意見を検索したりしていたが、これは利用者ごとの属性や閲覧履歴などのデータをもとに表示する情報が最適化されるというインターネットやソーシャルメディアの仕組みによって、偏った情報ばかりにふれることを避けるためだ。

『アフターソーシャルメディア』でも、利用者に最適化した情報を推奨するレコメンド機能を知っているか聞いたところ、五十代以下は「知っていた」という回答が多く、六十代以上は「知らなかった」が多かった。そして、「Yahoo!ニュース」や「LINE NEWS」を利用する理由の多くは「使いやすいから」であり、「正確な情報を知ることができるから」は非常に少ない。本章の調査でも、選挙に関連するニュースでは「Yahoo!ニュース」や「LINE NEWS」への接触が減少しているが、地方紙（紙版）への接触割合は変わらず、頻度が増加していた。

地域でのシェアが高いために身近で接触しやすいという理由だけではなく、「ニュースの拡張」によってさまざまなニュースが流れ込む「Yahoo! ニュース」や「LINE NEWS」はどちらも日本全体のニュースを扱う既存メディアでいえば全国紙やテレビキー局のような存在であるため、県知事選挙というローカルな話題に接触する機会が少ないことも原因ではないか。

フェイクニュースも検証記事も覚えていないというのは、スマートフォンからもたらされるニュースが利用者に短時間で処理されているからだ。スマートフォンを使ってソーシャルメディアを閲覧したり、「LINE」で友人とやりとりしたりするなかで、ニュースに偶発的に出合っても、意識は一瞬でほかのことに向かうようになっている。スマホからのニュースは、テレビのザッピングのように流し見されている。『アフターソーシャルメディア』で明らかにしたこのような若者のニュース接触と本章の調査を考え合わせれば、「若者がネット上のフェイクニュースを信じている」という言説に対しては懐疑的な見方が強まる。

新型コロナウイルス感染症に関するフェイクニュースの接触や拡散を調査した Innovation Nippon 2019 の報告書「日本におけるフェイクニュースの実態と対処策」[6]では、若者が接触し、拡散しやすい傾向にあるが、フェイクニュースを信じてしまう割合は五十代と六十代で高い。

朝鮮学校への補助金に批判的な匿名ブログの記述を信じて弁護士に懲戒請求をおこなった人たちには中高年層が多いというニュース記事もある。懲戒を受けた弁護士は、「韓国や中国を良く思っていない中高年層が多いです。訴えようと思って調べたら、もう亡くなっているというケースもあります。男性、女性の割合はそれほど偏りがありません[7]」と述べている。

こういったニュースや本章の調査をふまえるなら、フェイクニュースを安易に若者に、特に若者のメディアリテラシー不足に結び付けることはいったん保留しておきたい。

7　汚染のなかで生きる知恵

本章の調査で浮かび上がった、能動的なスキルをもちながら受動的な姿勢でバランスを取ることを求める姿は、汚染されたニュース生態系のなかで生きる若者が経験的に獲得したサバイバルの知恵と言える。フェイクニュースを信じていないとか、見分けるスキルをもつというよりも、距離を置き、判断を保留していると理解するのが適切だろう。

拡散力をもったビジネス保守クラスタのコンテンツは、「YouTube」などで若年層に到達している。その理由は「面白かった」からだ。その後、大学で学んだり家族と話したりすることで若者はそれらから離れていった。学びの機会がない場合は、フェイクニュースを信じ込んだままという場合もあるだろう。気になるのは、調査協力者の態度からは、かつてそうしたコンテンツを信じた経験があるためにインターネットに対して懐疑的になっているという部分があり、その極端な振れ幅にはリスクが潜んでいることだ。

正解がないあいまいな状況を耐えるということは、不安定な状態に陥るということでもある。そのためバランスを取ることを求めることで安定するための工夫をしているといえるが、そのバランスはひとたび崩れると極端に振れる。バランスを取ろうとしている若者が批判的な思考を学べば、信頼を売りにするにもかかわらず失策を続ける既存メディアを疑う方向に傾くことは容易に想像できる。若者のスキルをメディアリテラシーが高いと捉えるのは早計だろう。個人的な経験ではなく、メディアリテラシーを体系的に学ぶことが求められる。

本書におけるこれまでの調査を考えれば、若者にバランスを強いるようなニュース生態系こそが問題である。極端な意見は拡散力があって面白いため、魅力的である。若者は新聞社のフェイクニュース検証記事を有意義だと評価しているものの、届いていない。このような仕組みは、プラットフォーム企業を中心にしたニュース流通の仕組みとビジネスに原因がある。

若者の関心に応える努力を

選挙に関するニュースについて地方紙（紙版）での接触が増えることを、本調査を担当したゼミ生は「ギアを上げる」と表現した。若者は決して選挙に関心がないわけではなく、ニュースを得ようとしているが、日常的に接触しているポータルサイトなどは県知事選挙というローカルニュースに接触することは難しい。地域に浸透する地方紙（紙版）はその受け皿になっているが、紙の部数は地方でも年々減少していて、有権者が選挙に関するニュースを得にくくなる危険性がある。「Yahoo! ニュース」や「LINE NEWS」は全国紙やキー局のようなものだと例えたが、インターネットは人々のアクセスエリアなどを参考にアルゴリズムを使えば選挙期間中に、関連するニュースを見やすい場所に表示させることが可能である。これは「Twitter」も同様である。ヒアリング調査にあったように、選挙に関心をもち「Twitter」を検索してフェイクニュースに接触するという状況は改善すべきである。プラットフォーム企業は、選挙という民主主義の根幹である重要な出来事に対するニュース提供の役割を果たしていない。プラットフォーム企業は、地方紙と連携して選挙に関するニュースの接触を増やす努力をおこなわなければならない。

本書では、汚染されたニュースがどのように拡散しているか、それにどのように対抗していくかを述べているが、どのようにして必要なニュースを届けるかという視点を忘れてはならないことを、本調査は示唆している。

注

(1) 與那覇里子「フェイクニュースと若者を結びつける新聞言説はどのように広がったか」「社会情報学」第八巻第三号、社会情報学会、二〇二〇年、一―一三ページ

(2)「Twitter のトレンドについてのよくある質問」「Twitter ヘルプセンター」(https://help.twitter.com/ja/using-twitter/twitter-trending-faqs)［二〇二一年七月十七日アクセス］

(3) KAZUYA『ここがヘンだよ「反日」韓国――彼らがウソをつくほど日本が得をする法則』(知的発見！BOOKS)、イースト・プレス、二〇一四年

(4)「モーメントについて」「Twitter ヘルプセンター」(https://help.twitter.com/ja/using-twitter/twitter-moments)［二〇二一年七月十七日アクセス］

(5) 法政大学大学院メディア環境設計研究所編、久保田麻美／白井瞭／土橋臣吾／野々山正章／藤代裕

之／保高隆之／吉川昌孝／渡辺洋子『アフターソーシャルメディア――多すぎる情報といかに付き合うか』日経BP、二〇二〇年
（6）山口真一／菊地映輝／青木志保子／田中辰雄／渡辺智暁／大島英隆／永井公成「Innovation Nippon 2019 報告書「日本におけるフェイクニュースの実態と対処策」」「Innovation Nippon 研究報告書」（http://www.innovation-nippon.jp/?p=815）［二〇二一年七月十七日アクセス］
（7）猪谷千香「「大量懲戒請求」でブログ読者の敗訴つづく…渦中の佐々木亮弁護士がみた事件の真相」「弁護士ドットコムニュース」、二〇二〇年（https://www.bengo4.com/c_23/n_12185/）［二〇二一年七月十七日アクセス］

［付記］調査の一部は「沖縄タイムス」が記事化している（「沖縄タイムス」二〇一九年一月七日付）。本章は二〇一九年度秋季（第四十一回）情報通信学会大会の発表、根本藍／藤代裕之「フェイクニュースに対する若者の接触実態の解明」に加筆し修正したものである。

第7章　汚染とメディアリテラシー

耳塚佳代

1　幅広い世代の問題

フェイクニュースが社会問題として浮上して以降、メディアリテラシーにあらためて注目が集まり、フェイクニュース対策として大きな期待が寄せられている。特に、インターネットに親しむ若い世代に向けたリテラシー教育が盛んに議論され、欧米では十代の早い時期からメディアリテラシーを学ばせようという機運が高まっている。

ソーシャルメディアを使う私たちは、情報の受け手であると同時に発信者・拡散者でもある。誰もがニュース生態系を構成する一部であり、ユーザー視点からみた対策も必要だ。だが、本書の各章で明らかにしているように、生態系の汚染は国内でも深刻化していて、もはや個人でフェイクニュースを見分けるのは困難になっている。汚染の解決策としてメディアリテラシーに過度なフォーカスを当てることは、自己責任論を増長させ、汚染に加担するそのほかのプレーヤーに自身の根本原因から目を背ける口実を与えることにもなる。また、一言でメディアリテラシーといっても、実にさまざまなカリキュラムやアプローチが存在していて、その効果の検証が不可欠だ。

本章では、メディアリテラシーは必要か／不要かという二元論ではなく、フェイクニュースを含めたニュース生態系の汚染が問題になっているいま、必要なメディアリテラシーとは何か、それをどのように推進していくのかを、海外におけるメディアリテラシーの議論を整理し、日本国内での取り組みを紹介する。そのうえでメディアリテラシー教育の課題を指摘する。

第６章「フェイクニュースのなかを生きる若者」（藤代裕之）とも関連するが、メディアは「フェイクニュースにだまされているのは若者だ」という言説を流している。一方で、若い世代はパソコンやスマートフォンなどのデジタル・デバイスやソーシャルメディアの利用に慣れ親しんでいて、大人よりもメディアリテラシーが高いというイメージもある。後述するように、若者がフェイクニュースにふれ、拡散していることを示すアンケート結果もある。実際のところ、若者が情報の信頼性を判断するスキルはどの程度なのだろうか。少なくとも欧米では、若者が情報の真偽を見抜くスキルは高くないことがわかっている。

二〇一六年にアメリカのスタンフォード大学の研究チームが、アメリカの中・高生と大学生約八

写真1 アメリカのスタンフォード大学のサム・ウィンバーグ（筆者撮影）

千人を対象にしてスキルに関して調査[1]をした。内容は、ニュース記事、スポンサードコンテンツ、広告、利益団体によるコンテンツなどを見分けることができるかどうかを測るものだ。その結果、八〇%以上がネイティブ広告（ニュース記事にみせかけた広告）を本物のニュース記事だと回答したほか、情報源を明示していない写真の信憑性を疑うことができたのは二〇%未満だった。研究を率いた教育学者のサム・ウィンバーグに筆者らが一八年にインタビューした際、同氏は「若者のスキルがここまで低いとは想像していなかった」と明かした。若者がパソコンやスマホなどのデジタル・デバイスを使いこなすスキルは高い一方で、情報の信頼性を評価するスキルとのギャップに当初は驚いたという。

ほかの国でも同様に、若者がインターネット情報の真偽やニュース記事と広告などの違いを見抜く能力は高くないことが示されている。イギリスの約二千人を対象にした調査[2]では、「イギリス王室のヘンリー王子とメーガン妃が極秘で結婚式をおこなった」とする偽ニュースをはじめ、六つのコンテンツの真偽をすべて見抜けたのは一・九%だった。また、オーストラリアの千人を対象にした調査[3]では、三四%が偽情報を見抜く自信があると回答した一方で、五四%はインターネットの情報が正しいかどうかを普段はほとんど、またはまったく確認しないと回答した。

しかし、リテラシーの欠如は若者に限ったことではない。スタンフォード大学のチームによる別の研究[4]では、大人のリテラシーに関する興味深い結果が出ている。同大の学部生二十五人、博士号保持者十人、情報が事実かどうかを分析できるスキルをもつファクトチェッカー十人がインターネット情報の信頼度をどのように評価するかを比べたところ、正確に評価できた割合はファクトチェッカーが一〇〇%だったのに対し、博士号保持者は五〇%、学部生は二〇%にとどまった。この研究は、高い水準の教育を受けている大人でも、インターネット情報の信頼性を見抜くスキルが必ずしも高いわけではないことを示唆している。また、政治コミュニケーションを研究する、プリンストン大学のアンドリュー・ゲス、ソーシャルメディア研究で知られる、ニューヨーク大学のジョナサン・ネイグラーらによる研究[5]では、二〇一六年のアメリカ大統領選挙の際、「Facebook」上でフェイクニュースをシェアしていたのは六十五歳以上のユーザーが多く、拡散率は若い世代の七倍に上った。

インターネット上では、ユーザーの嗜好や行動パターンを詳細に分析し、選挙やマーケティング戦略に活用するマイクロターゲティングやソーシャルメディアアカウントの自動化といった技術によって、一般ユーザーが偽情報を拡散する主体としてターゲットにされている。また、偽情報の発信者は、特にソーシャルメディア上で影響力をもつインフルエンサーに拡散させるという手法も用いていて、ますます多くの一般ユーザーが偽情報にさらされるようになっている。若者のほうがソーシャルメディアやメッセージアプリをより頻繁に使っていることをふまえれば、メディアリテラシーについて議論する際、主に若い世代に焦点が当たることは理解できる。しかし、前記のような国内外の調査結果をみても、若者だけでなく大人も含めた幅広い世代の問題だと認識する必要がある。

2　メディアリテラシーの課題

フェイクニュースが世界的な問題として浮上して以降、メディアリテラシーは特にその重要性が強調されてきた。まず、海外における議論を整理する。

フェイクニュース研究などをおこなう、カナダのレジャイナ大学のゴードン・ペニークックらによれば、偽情報や誤情報を信じやすいかどうかは、個人の党派的イデオロギーとの関連は薄く、批判的思考などがより強く関連していて、メディアリテラシー教育が偽情報・誤情報を見抜くのに有効であることが明らかになっている(6)。また、アメリカのカリフォルニア大学のメディアリテラシー研究者ジョセフ・カネーらが十五歳から二十七歳の二千百一人を対象にした研究(7)によれば、高い水準のメディアリテラシー教育を受けたことがある人は、事実に基づいたコンテンツと、誤情報を含むコンテンツを見分けるスキルが高かった。しかし、あとで詳しく検証するように、すべてのカリキュラムが同じ効果をもたらすわけではなく、メディアリテラシー教育にも、現在のニュース生態系のありように対応した変化が求められている。

メディアリテラシーは包括的な概念であり、さまざまな定義があるが、テレビ、映画、ソーシャルメディア、ウェブサイト、音楽などあらゆるメディアが発信する情報が含んでいるメッセージを批判的に解読・分析するスキルを教える分野である。[8] ユネスコ（国際連合教育科学文化機関）の定義によれば、メディアリテラシーには、メディアの役割と機能の理解、メディアコンテンツの批判的分析と評価、民主的プロセス・知的議論・学びのためのメディア使用、コンテンツ作成などのスキルが含まれる。ユネスコのカリキュラム[9]では、メディアリテラシーに加え、情報リテラシー、デジタルリテラシー、ライブラリーリテラシー、コンピューターリテラシー、インターネットリテラシーなどを含むメディア情報リテラシーという概念を用いている。

メディアリテラシーの定義は流動的で、国によってもその取り組み内容は異なる。アメリカでは、テレビ番組が若者に及ぼす悪影響への懸念を背景に、一九七〇年代から批判的思考の重要性が語られ始めた。この頃のメディアリテラシー教育は、政府主導だったことや、八〇年代の不況下ではグローバルな競争力を育てる教育のほうが重視されたことからあまり根付かなかったが、九〇年代になると、映画やテレビの性・暴力描写が問題になり、再び注目を集めるようになった。[10] この頃から、情報消費者を単に有害な情報から守る受動的な教育から、ユーザーが主体的に多様な情報にふれて分析したり、さまざまなツールを使って自ら発信・表現したりすることに重きを置く「エンパワメント」へとシフトした。こうした流れも受けて、特に現代のアメリカでのメディアリテラシー教育は、①若者の関与、②教師トレーニングとカリキュラム、③保護者支援、④政策イニシアチブ、⑤

効果的なメディアリテラシー教育のためのエビデンス構築（能力アセスメントなど）の五つの分野で発展してきた。しかし、それぞれのテーマのなかにも、実にさまざまなアプローチが含まれていて、教え方や何に焦点を置くかは指導者の裁量によるところが大きい(11)。

注目されるニュースリテラシー

ニュースリテラシー教育の専門家である香港大学の鍛治本正人らによれば、二〇〇〇年代半ばごろから、メディアリテラシー、ジャーナリズム教育、情報テクノロジーなどの領域内で、信頼できるニュースコンテンツと偽情報を見分けるスキルに重点を置くニュースリテラシーの分野が台頭し、一六年のアメリカ大統領選挙以降、特に注目されるようになった(12)。従来のメディアリテラシーの概念は、メディアが発信するメッセージはコンテンツ作成者による特定の視点を反映したものであるという考えに基づいていて、そのメッセージを批判的に解読することに重きが置かれてきた。

一方、ニュースリテラシーは、ニュースコンテンツに的を絞り、その内容が事実かどうか、信頼できるかどうかに焦点を置いている。例えばアメリカのニュースリテラシー教育では、ジャーナリズムの規範に基づき、ニュースの「質」を左右する正確性や公平性、適時性、バランスが取れているかどうかなどの価値を教える「ジャーナリズムスクール・アプローチ」を取っている(13)。インターネット情報の信頼性評価は従来のメディアリテラシー教育カリキュラムでもふれているものの、ニュースリテラシー教育に比べるとその重要性はあまり強調されていない。ニュースリテラシー教育の分野は、ソーシャルメディアが主流になった現代のメディア環境により対応した新しい取り組みとして注目されている。

さらに近年では、メディアリテラシー教育以外の領域での研究結果をカリキュラムに反映させる、分野横断的な取り組みもある。例えば、人は分析的思考よりも「勘」を頼りに行動する傾向があるとする社会心理学分野の研究や、人が党派的立場をどのように正当化するかに関する政治科学分野の研究などは、メディアリテラシー教育にとっても示唆に富む知見である。[14]ニュースリテラシー教育の分野でも、社会心理学や認知科学の研究にヒントを得て、ユーザーがニュースを消費・シェアする際のパターンをもとにしたカリキュラムを構築する動きがある。

時代遅れのチェックリスト

従来からメディアリテラシー教育に幅広く取り入れられてきたアプローチの一つに、チェックリスト方式がある。アメリカでは、幼稚園から高校・大学までのカリキュラムで最もポピュラーなアプローチとして、二〇〇〇年代半ばから用いられてきた。[15]チェックリストとは、ある言説やニュースの信頼性・信憑性を確認するにあたって、適時性、内容の正確性、情報発信者の意図、ウェブサイトのＵＲＬ、筆者の連絡先が掲載されているかどうか、などの項目を一つずつ確認していく手法であり、例えばアメリカではチェック項目の頭文字を取ったＲＡＤＣＡＢ（Relevancy, Appropriateness, Detail, Currency, Authority, Bias）やＣＲＡＡＰ（Currency, Relevance, Authority, Accuracy, Purpose）などが主流だった。[16]

しかし、こうしたチェックリストはもともと、限られた予算のなかで適切な図書館資料を選定す

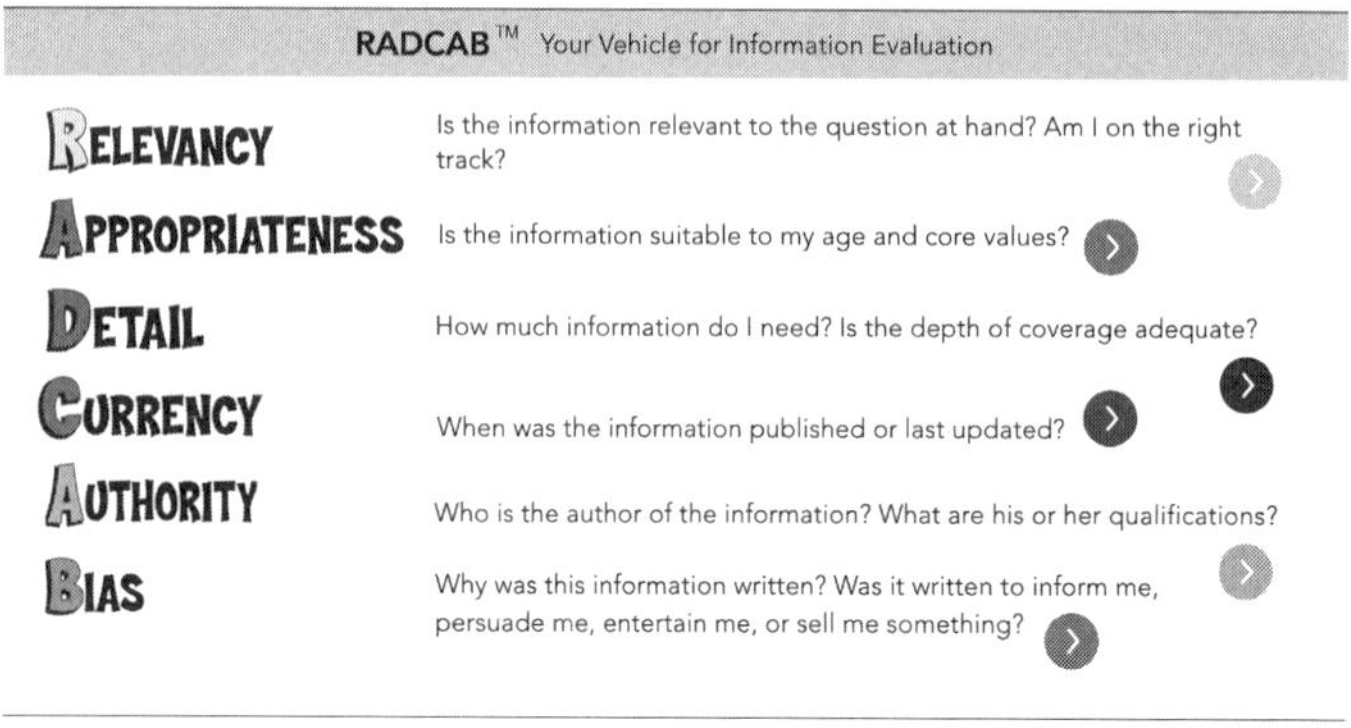
RADCAB™ Your Vehicle for Information Evaluation
RELEVANCY
Is the information relevant to the question at hand? Am I on the right track?
APPROPRIATENESS
Is the information suitable to my age and core values?
DETAIL
How much information do I need? Is the depth of coverage adequate?
CURRENCY
When was the information published or last updated?
AUTHORITY
Who is the author of the information? What are his or her qualifications?
BIAS
Why was this information written? Was it written to inform me, persuade me, entertain me, or sell me something?

図1　チェックリスト RADCAB[17] のスクリーンショット

る目的で作成されたという経緯があり、チェック項目は必ずしもソーシャルメディアやウェブサイトの情報確認に適したものではない[18]。また、チェックリストにはしばしば十から三十の項目があり、スマートフォンで簡単にコンテンツをシェアできる時代に、毎回大量の項目を確認する手法は実用的ではないという指摘もある[19]。一方、ソーシャルメディア時代により対応した確認項目を含むチェックリストも作成されている。例えばフェイスブック社が作成したチェックリスト[20]では、釣り見出しに注意する、記事内の画像も確認する、風刺やパロディーサイトの記事かどうかを確かめる、といった項目も含まれていて、こうした点の確認は情報の信憑性を判断するにあたって役立つ場合もある。

しかし、チェックリストの多くが確認を求めている事項は、偽情報やプロパガンダの発信者にとっては簡単に偽造・改竄できる情報でもあり、ユーザーを誤った方向に導いてしまう可能性があり、時代遅れになっている。スタンフォード大学で、ウィンバーグと同じ研究チームに所属するジョエル・ブレイクストーンは、従来のチェックリストの問題点として、事実検証スキルが高い人がどのような点を確認して情報の真偽を見抜いているのかに関する具体的な研究に基づいていないと指摘している。[21]

ここまで海外のメディアリテラシーの議論を整理してきたが、従来のメディアリテラシーは汚染されたニュース生態系において十分に対応できないという課題がわかってきた。

3　距離を置くことの大切さ

汚染されたニュース生態系では距離を置くことが大切との指摘がある。

インターネット情報の信頼性評価に特化したメディアリテラシー教育に取り組むアメリカのワシントン州立大学バンクーバー校のマイク・コールフィールドも、膨大な確認項目を含む従来のチェックリスト方式では、さまざまな情報が素早く拡散するソーシャルメディア時代のメディア環境に対応しきれないと指摘し、ファクトチェッカーのスキルを教育現場でも活用することを提案している。[22] コールフィールドは、情報が事実かどうかを見極める四つのスキル「ＳＩＦＴ」を学ぶオンラインコース「Check, Please!」を立ち上げた。ＳＩＦＴは、Stop（コンテンツを読む前に、どんなサイトなのかを一度立ち止まって考える）、Investigate the Source（情報源を確認する）、Find Better Coverage（ほかの情報源にもあたり、より信頼できる記事を探す）、Trace Claims, Quotes and Media to the Original Context（オリジナルのソースをたどる）の頭文字を取ったものだ。

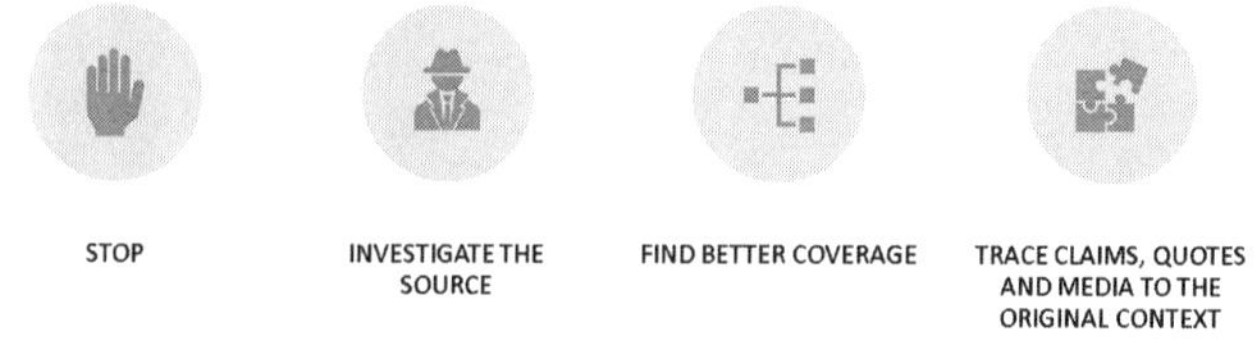
STOP
INVESTIGATE THE SOURCE
FIND BETTER COVERAGE
TRACE CLAIMS, QUOTES AND MEDIA TO THE ORIGINAL CONTEXT

Infographic showing the steps of SIFT: Stop, investigate the source, find trusted coverage, trace claims, quotes and media to the original context.

図2　SIFT のスキル：“Check, Please!” のウェブサイトのスクリーンショット[(23)]

ここで注意したいのは、SIFTのスキルは、情報の真偽を暴くために時間をかけて深掘りするためのものではなく、むしろ怪しい情報から距離を置くのが目的だという点だ。膨大な情報があふれるインターネットでは、ユーザーのアテンション（注意）にこそ希少価値がある。フェイクニュースやプロパガンダの発信者はユーザーの注意を引くことに長けていて、長時間を費やして細部まで情報を検証しようとするほど、それまで知らなかった陰謀論や偽情報にふれる可能性は高くなる。インターネット上でむやみに検索を繰り返せば、かえって何が本当なのかわからなくなってしまう危険性がある。これは第6章でみたように若者が極端な言説から距離を置き、バランスを取ろうとしていた姿からもうかがえる。ただ、ニュース生態系の汚染は深刻化しているため、汚染水から真水だけを取り出す高度なスキルを個人的な経験に求めることは現実的ではない。

「だいたいの見当を付ける」

SIFTはこうした考え方に基づき、三十秒から九十秒とごく短時間で、簡単に実践できるように設計されている。コールフィールドは、応用するスキルを、一般ユーザーでもなじみやすいごくシン

写真2　マイク・コールフィールド（筆者撮影）

プルなものに限定している。例えば、ウェブサイトが信頼できるかどうか、風刺サイトではないかなどを知るためにウェブサイト名そのものを「Google」で検索する、知らない組織名があったら「Wikipedia」で調べる、ブラウザで新しいタブを立ち上げて、同じニュースが違う媒体でも報道されているか確認する、などだ。「Wikipedia」には間違った記述もあるため大学のレポートを書く際などには引用しないと教えられるのが一般的であり、「Google」の検索結果も必ずしも信頼できるものばかりではない。だが、情報の信頼性を短時間で判断し、深入りを防ぐという意味では、こうしたツールを活用すれば十分なのである。日常的にソーシャルメディアを使い、毎日膨大な量のコンテンツにふれるユーザーにとって、ジャーナリストの調査報道並みのスキルは必要なく、情報の信頼性について「だいたいの見当を付ける」ことにとどめておくのが重要だ、という考え方がＳＩＦＴの背景にある。コールフィールドは、二〇一八年に筆者らがインタビューした際、一見基本的とも思える確認さえおこなう習慣がない学生が大半で、教員や保護者でさえも「できていない」と明かした。

　アメリカでは、比較的スキルが高い学生向けに、こうしたスキルを実践に応用してインターネット上のうわさを検証し、ウェブサイトに検証結果を掲載する“Digital Polarization Initiative”という取り組みが複数の大学でおこなわれている。だが、前述のような状況をふまえれば、実践的な取り組みの導入には慎重になるべきだろう。また、政治家の発言やニュース記事ではなく、主にソーシャルメディアで拡散するUGC（ユーザー生成コンテンツ）の信頼性評価に用いるデジタルツールの活用も主流になっていて、スマートフォンでも簡単に使える「Google画像検索」などのツールを教育現場でも用いている。しかし、言論が統制されていたり、メディア環境の多様性が乏しかったりする国・環境では、インターネットやデジタルツールを活用して複数の情報源を確認するこのような手法の導入は難しいという点にも留意したい。

アセスメントで「現在地」を知る

教育現場でどのような手法を取り入れるのが有効かを検討するにあたっては、教育の対象者にインターネット情報の信頼性を評価するスキルがそもそもどの程度あるのか、「現在地」を知る必要がある。しかし、有効なアセスメントツールはほとんど存在していない。従来のアセスメントは「ウェブサイトに掲載されている情報の信頼性をどのように判断しますか？」という質問に筆記形式で答えさせるものや、「探している情報がウェブ上で見つかったら、事実だと思う」という質問に「はい」か「いいえ」で答えてもらう形式のものなどがほとんどで、客観的な測定法とはいえない。

こうした状況をふまえ、前述のスタンフォード大学の研究チームは「オンラインの社会的・政治的情報を効果的に検索・評価・検証するスキル」(Civic online reasoning skills) を測るアセスメントツールを開発した。アセスメントは、①情報発信源を特定する、②コンテンツが事実であるという証拠を探す、③複数の情報源を確認する、といったスキルを、筆記回答を用いた実践的なタスクで測定し、パフォーマンスの評価指標であるルーブリックに基づいて若者のスキルを判定するものだ。[24]

imgur
upload images
sign in
sign up
Fukushima Nuclear Flowers
a month ago
Not much more to say, this is what happens when flowers get nuclear birth defects

図3　スタンフォード大学でのアセスメントツールに用いられている写真[25]

タスクの一例として、「福島の放射能に汚染された花」というキャプションが付いた、福島第一原子力発電所事故の影響で変異したような印象を与える植物の写真について、「福島第一原発近くの状況に関する強い証拠だと思うか」を筆記形式で説明させるものがある。この写真には、発信元や撮影場所などに関する情報はまったく記載されておらず、当然ながら信頼に値しないコンテンツである。アセスメントでは、この写真が信頼できる証拠だと思うかどうかの理由や、思考プロセスも含めて評価する。

社会学者の西田亮介は、フェイクニュース対策としてメディアリテラシー教育をおこなうことについて「何もしないよりはマシということは疑いえない」としながらも、「実効性については十分検討されておらず、事業者のエクスキューズとしての側面も否定できないように思われる。そもそも現代のように情報量も情報接触頻度も劇的に増加した情報環境のもとで（略）新たなメディアリテラシー向上施策を実効的な人口に膾炙することができるのか、また過去に実現できたことがあるのかは問われなければならない[26]」と、具体的なアセスメントに基づかないメディアリテラシー教育の推進に苦言を呈している。メディアリテラシー教育をおこなううえでは、客観的なアセスメントをもとに、まずは教える側が若者のスキルを把握することも重要だ。

4　批判的思考の危険性

ここからは日本国内での取り組みを紹介し、海外での議論もふまえメディアリテラシー教育の課題を指摘する。

日本のメディアリテラシー教育は、この分野の研究・教育が盛んな欧米の影響を受けてきた。日本国内では、一九九四年の松本サリン事件などを契機に、主要報道機関が発信する情報に対する不信感が増したことから、批判的思考の重要性が指摘されるようになった[27]。社会学者の吉見俊哉は、メディアリテラシーを「メディアで語られたり、表現されたりしていることが、いったいどのような文脈のもとで、いかなる意図や方法により編集されたものであるのかを批判的に読み（略）対話的なコミュニケーションを作り出していく能力」[28]と定義し、「あらゆる情報は編集されている」「あらゆる現実も編集され、構成されたもの」であるという考え方が、メディアリテラシーの基本概念だとしている。メディアリテラシー教育のカリキュラムはメディア環境の変化とともに変遷してきたが、日本では従来、主に新聞やテレビなどの既存メディアが発信する情報にはどのような意図があるのかを批判的に読解することに重点を置いてきたといえる。

二〇一六年のアメリカ大統領選挙以降、フェイクニュースへの懸念は日本にも波及し、ソーシャルメディアで拡散する偽情報・誤情報対策を取り入れた新しいメディアリテラシーのカリキュラムが国内でも議論されるようになった。海外で盛んになっているニュースリテラシー分野の取り組みの一部を取り入れた実践の事例もある。

元「朝日新聞」記者の平和博は、教育現場で新聞を活用した授業を推進するＮＩＥ（Newspaper in Education）の取り組みにふれ、新聞記者が日常的におこなっている事実確認の手法を、偽情報や真偽があいまいな情報があふれるオンライン時代のメディアリテラシーに組み込むことの重要性を指摘している。[29]ＮＨＫは、メディアについて学び、メディアリテラシーを育むための番組『メディアタイムズ』（二〇一七―二〇年）を制作している。この番組の「フェイクニュースを見抜くには」[30]という回では、①発信元を探る、②ほかのメディアも調べてみる、③文章の表現に注目する、などのスキルを紹介している。また、メディア研究者の野村浩子は、オンラインの偽情報・誤情報拡散の増加を受けてメディアリテラシー教育を再考する試みとして、大学の授業カリキュラムを作成・実践した。野村の授業は、まず「フェイクニュースの影響力」「フェイクニュースの類型と意図」「偽情報はなぜ拡散するのか、仕組みと心理」という、偽情報拡散の背景とメディア環境の変化についての講義をしたあと、偏った情報摂取について意識的に考えてもらうため、新聞の読み比べや調査研究をアクティブラーニングで実施するというものである。野村のカリキュラムは新聞を用いているものの、インターネットのフィルターバブルに陥らない批判的な視点を養ううえでも効果があったとしている[31]。

このように、日本国内でも偽情報・誤情報対策を意識したメディアリテラシー教育に関する議論は始まりつつある。しかし、野村も指摘するように、実際の取り組みはまだ少なく、効果も不明瞭である。

フェイクニュース拡散を調査した Innovation Nippon の報告書によると、日本の教育現場では、デバイスの使い方やSNSを使う際のマナー・危険性など、ITリテラシーに関する授業が中心で、偽情報・誤情報対策を含む情報との接し方に関する教育はあまり進んでいない。そのため、単にこれまでの教育を拡大させるのではなく、カリキュラムの改善が必要だとも指摘している[32]。

一方で、新たなカリキュラムの多くも、「情報を疑う」「自分で調査をする」というアプローチが主流である点には変わりない。分断・分極化が進む社会では、情報を疑うことや、ユーザー自らが情報の信頼性を調査・判断するメディアリテラシーだけの教育には限界があると指摘する声もある。

リテラシー教育は逆効果

ソーシャルメディア研究で知られるダナ・ボイドは、政治信条によってユーザーが好むメディアが大きく異なり、「信頼できる情報源」のコンセンサスが存在しない社会では、批判的思考を重視するメディアリテラシー教育が自分の信念を強化する方向にはたらき、むしろ逆効果になる可能性を指摘している。ボイドは、クリティカル・シンキングという概念やファクトチェックが陰謀論や極端に党派的な情報を広めようとするグループの「武器」として利用されている側面があると主張する。例えば「ワクチン接種と自閉症には関連がある」という根拠がない主張をメディアが否定することで、すでにメディアに対して不信感を抱いているユーザーは、メディアの言っていることが事実なのかどうかを自分で調べようとする。その結果、インターネット上の根拠がない情報や陰謀論に接触する機会が増える。(33)メディアが否定すればするほど、より多くの人が「批判的思考」を実践し、「マスコミが報道しない真実」にたどり着くというわけだ。メディアリテラシーの必要性に変わりはないが、それは政治的分断やニュース生態系の汚染に対する解決策にはならないというのがボイドの問題意識だ。これは、前述のコールフィールドの指摘とも関連する。ボイドの主張に対しては、ニュース生態系の汚染と社会の分断は、「Facebook」や「Google」などのソーシャルメディア企業がきちんと対策を取らないことが原因であり、メディアリテラシー教育を批判するのは筋違いだ、といった反論が寄せられた。しかしボイドは、いま社会で起きている問題の原因は一つではなく、生態系全体の問題であると指摘し、メディアリテラシー教育のあり方を議論することも重要だと主張する。善意であっても効果が証明されていない教育介入は「むしろ有害である」とも述べている。(34)

また、アメリカで極端な陰謀論や偽情報を信じる極右的な人々は、リテラシー能力が低いのではなく、むしろメディアによる情報に懐疑的であり、体制に批判的な傾向があるという指摘もある。社会学者のフランチェスカ・トリポディは、アメリカ国民の約四分の一を占め、トランプの支持層でもあったキリスト教福音派に属する保守層のメディアリテラシーに関して調査した。トリポディは、教会で開かれる『聖書』勉強会に通ううち、彼らが『聖書』を深く読み込んで自分なりに解釈するスキルを政治的話題にも応用している様子を目にした。ある日、勉強会の話題は『聖書』から新しい税制改革法に移り、『聖書』を読み解く「リテラシー」を用いて、主要メディアの報道や解説に頼らず「この法案が本当に意味するところは何か」を「読み解いて」いたという。トリポディは、「トランプ支持者は批判的思考ができないから偽情報にだまされている」というリベラル派の批判は的外れだと指摘している。[35] ボイドやトリポディの主張は、「疑う」ことを教える教育が過度なメディア・既存体制不信と結び付き、自分の信念を強化する偽情報や陰謀論、極端に党派的な情報を信じる流れを強化するのではないかという教育現場の懸念につながっている。

批判的思考がメディア批判につながる

こうした指摘は日本にも当てはまる。ネット右翼の研究をおこなう倉橋耕平によれば、メディアリテラシーは「左翼が推進する教育」ととらえられている。[36] また、本書の編著者の藤代裕之は、インターネットが普及するにつれて、既存メディアの報道は偏っているが、編集過程を経ていないインターネットの情報は正しいという「マスゴミ批判」がオンラインにあふれるようになり、「人々が偽ニュースを受け入れる素地」になっている、と指摘する。[37] 報道機関が「フェイクニュース」と関連づけられ、ジャーナリズムへの信頼度が低下している傾向をふまえると、特に従来のような、メディアが発信する情報の背後にある意図を批判的に読み解く、メディアをうのみにしない、というアプローチは、偽情報・誤情報対策の文脈では「メディアが報道しない事実を伝える」とうたう偽情報や陰謀論への接触・信頼を増すことになる可能性がある。フィルターバブルによって自分の関心・政治信条に合致するニュースへの偏った接触が増していけば、メディアが発信する情報を疑うスキルをやみくもに教えることが、さらなる分断を生むことにもつながりかねないことには留意すべきである。

普段摂取する情報に対して懐疑的なユーザーと、すべてのメディア・情報は信頼に値しないというシニカルな態度に陥るユーザーは紙一重である。コールフィールドは、オンライン情報のメディアリテラシーに関する新たなカリキュラムの多くも「偽情報を暴く」という点に重きを置いていて、そうしたアプローチは不可欠だが、「疑う」ことを教えると同時に「どの情報なら信頼できるのか」も軸にするべきである、と指摘している。(38)

5　ジャーナリストも見抜けない

メディア不信が増し、フェイクニュースという言葉が報道機関に対する批判の文脈で使われる傾向が強まるなか、質が高いジャーナリズムの重要性はこれまでになく増している。

すでに述べたように、メディアリテラシー教育には、現在の複雑なメディア環境に対応した変化が求められている。オンラインで拡散する有害な情報は「虚偽情報」と「事実」に簡単に二分できるものではなく、災害時などに流れる根拠がないうわさや不確かな情報、ニュース記事の体裁をとった広告、質が低い報道、極端に党派的なウェブサイト、定評ある報道機関を装った偽情報ウェブサイト、過去のニュース記事があたかも直近の出来事のように拡散されるケースなど、さまざまなコンテンツが存在する。

ユネスコのハンドブックでは、単に偽情報を見抜くだけではなく、質が高いジャーナリズムとそうでないさまざまな情報を見分けることの重要性にふれている。しかし、そうしたユーザー側の取り組みを推進するには、大前提として健全なジャーナリズムとメディアの信頼構築、メディア環境の多元性が担保されなくてはならない。世論調査会社ギャラップがアメリカで二〇一六年におこなった調査によると「マスメディアが「ニュースを十分に、正確に、公平に」報じていると思う」と回答したのは三二%で、メディアへの信頼度は過去最低だった。日本国内では「WELQ（ウェルク）」による不正確な医療情報記事の公開や、やらせによる高評価レビュー疑惑が話題になった「食べログ」問題などにみられるステルスマーケティングも問題になっていて、既存メディアや大手企業のプラットフォームであれば信頼できるという状況ではなくなっている。(39)

メディアリテラシー教育に、事実検証の「プロ」であるファクトチェッカーやジャーナリストが用いるスキルを応用する取り組みがあることは先に述べた。しかし、普段から取材の一環として事実確認をするジャーナリストであっても、現在の深刻な情報汚染問題に適切に対処するのはたやすいことではない。

アメリカのシンクタンクであるインスティテュート・フォー・ザ・フューチャーが約千人のジャーナリストを対象におこなった調査によると、八〇％以上がオンラインの誤情報にだまされた経験があるという。さらに、誤情報に関する報道のトレーニングを受けたことがあるジャーナリストは一四・九％にとどまっている(40)。これらの数字をみても、ジャーナリストだからといって必ずしもメディアリテラシーが高いわけではなく、オンライン情報の真偽を見抜くスキルにはかなりのばらつきがあることが予想できる。

こうした状況を背景に、世界では、ジャーナリズムの質向上のための取り組みと教育が広がっている。Google News Initiative、国際ファクトチェックネットワーク（ＩＦＣＮ）などは、アジア・太平洋地域のジャーナリストやファクトチェッカーが集まって偽情報対策を議論する「APAC Trusted Media Summit」を年一回開催している。筆者も二〇一八年に参加し、三日間のワークショップで事実検証のスキルを学んだ。ワークショップでは、事実検証に必要なデジタルツールの紹介のほか、報道することによって逆に誤情報が広く拡散してしまった事例や、メディアがソーシャルメディア上の誤情報を検証せずに流してしまった事例なども取り上げた。一九年のサミットでは、参加者でニューズルーム（報道機関の編集局）を作って、政治家に関するセンシティブな情報や災害に関する情報をどう伝えるかや、効果的な記事のタイトルを考えるワークショップをおこなった。また、香港大学やニューヨーク州立大学ストーニーブルック校などは、アジア地域のメディアリテラシー教育者やジャーナリストを対象に「教える側」を育てるプログラムを開催している。筆者が参加した一八年のワークショップでは、ミャンマー、フィリピン、マレーシア、ベトナムなどからの参加者とともにニュースリテラシー教育のカリキュラムについて議論し、実際に模擬授業もおこなった。

日本国内でも同様の取り組みは広がりつつある。例えば、記者や編集者の知識を高める目的で開催している報道実務家フォーラムでは、全国紙、地方紙、テレビ局などの記者が集まり、取材のスキルや舞台裏について議論している。また、「Google」の報道支援チーム Google News Lab は、記者・編集者向けに、偽情報を見極めるスキルなどに関するトレーニングを提供していて、国内で四千人以上が受講している。

ジャーナリストのメディアリテラシースキルを向上させ、報道の質を底上げする機運は確実に高まっている。だが、第3章「汚染されたニュース生態系」（藤代裕之）や第5章「ファクトチェックが汚染を引き起こす」（藤代裕之）でみたように、影響力があるメディアにフェイクニュースを報道させてニュース生態系を汚染しようとするフェイクニュース拡散者の意図を理解していなかったり、ソーシャルメディアでごく一部の人が発信した情報を検証せずに報道したりして、既存メディアが拡散に加担する事例があとを絶たない。そして、それがジャーナリズムの信頼低下につながるという悪循環に陥っている。情報が事実かどうかを確認するのが仕事であるジャーナリストにとっても、現在の汚染されたニュース生態系に対処するには高いスキルが求められることを考えれば、一般ユーザーにとってはそれがさらに困難であることは想像にかたくない。

6　リテラシーは無効化されている

個々のユーザーが現在の情報・メディア環境に対する理解を深め、メディアリテラシーを高めていくことの重要性に変わりはない。だが、フェイクニュースをニュース生態系の汚染という大きな問題としてとらえた場合、メディアリテラシーは現時点では有効性が乏しく、無効化されているといえる。本章で研究を引用したウィンバーグも、カリキュラムを開発した目的は、ニュース生態系の汚染問題をメディアリテラシーによって完全に解決することではなく、ユーザーが誤ってフェイクニュースを拡散してしまう確率を少しでも減らすことだ、とインタビューで述べている。第２章「フェイクニュースはどのように生まれ、広がるのか」（藤代裕之／川島浩誉）や第5章で見たように、ソーシャルメディアでごく一部の人が発信したフェイクニュースやデマがミドルメディアによってまとめられ、既存メディアに届けられるという生成・拡散プロセスが少しずつ明らかになってきている。ユーザーが汚染水を飲まないように気をつけることは不可欠だが、汚染に加担しているミドルメディアやソーシャルメディアの運営企業、そしてジャーナリズムを担うメディア側での対策が不可欠である。

本章でも考察したように、メディアリテラシー教育と一言でいっても、そのアプローチやカリキュラムは実に多様であり、先に見たチェックリストのように効果がないものもある。また、コールフィールドが指摘するように、情報の真偽を自分で確かめることを教える際、やみくもに時間をかけて調べることを教えるだけでは逆に大量の真偽不明な情報にふれることになり、ユーザーを誤った方向に誘導してしまう。特に、政治的分断とメディア不信が深まる社会では、批判的思考の安易な推進が、分断と不信をさらに増長しかねないという指摘は真剣に受け止めるべきではないだろうか。批判的思考力がメディアをおとしめる目的で利用され、「マスゴミ」批判に回収される危険性がある。

本書を通じて繰り返し述べているように、フェイクニュースは、ニュース生態系の構造的な問題のなかで生み出されている。そしてフェイクニュースは、本物のニュースを模した形で紛れ込んでくる。それをふまえると、情報の背景にある意図やイデオロギーを読み解くというよりも、ニュースコンテンツに焦点を絞り、その内容の正確性・信頼性を判断するニュースリテラシーのスキルが必要とされているのではないだろうか。ダナ・ボイドも、コンテンツがどういった分脈（意図）で提示されているのかを批判的に読み解くのではなく、むしろ分脈や感情とは距離を置いてコンテンツを分析すべきではないかと提案している。(41) 批判的思考の危険性への注目はこれまで決して高いものではなかったが、「ニューヨークタイムズ」は二〇二一年二月十八日に、コールフィールドの意見を紹介し、批判的な思考がフェイクニュースを見抜くのに役立たないというオピニオンを掲載した。(42)「はじめに」（藤代裕之）でもふれているように、フェイクニュースや陰謀論があふれる「ウサギの穴」に迷い込む可能性がある従来のメディアリテラシーは、新たなニュース生態系が確立されないかぎり、一旦距離を置くべきではないだろうか。

本章では、主に海外の取り組みに注目したが、すべてのカリキュラムを紹介しているわけではない。また、日本の取り組みについても、網羅的なレビューにはなっていないことは付記しておきたい。

注

(1) Sam Wineburg, Sarah McGrew, Joel Breakstone and Teresa Ortega, "*Evaluating Information: The Cornerstone of Civic Online Reasoning*," *Stanford Digital Repository*, 2016.

(2) National Literacy Trust, "Fake News and Critical Literacy; Final Report," 2018. (https://literacytrust.org.uk/research-services/research-reports/fake-news-and-critical-literacy-final-report/) [二〇二〇年一月十七日アクセス]

(3) Tanya Notley, Michael Dezuanni, Hua Flora Zhong and Saffron Howden, *News and Australian Children: How Young People Access, Perceive and Are Affected by the News*, Western Sydney University and Queensland University of Technology, 2017.

(4) Sam Wineburg, Sarah McGrew, "Lateral Reading: Reading Less and Learning More When Evaluating Digital Information," *Stanford History Education Group Working Paper*, No. 2017-A1.

(5) Andrew Guess, Jonathan Nagler and Joshua Tucker, "Less Than You Think: Prevalence and Predictors of Fake News Dissemination on Facebook," *Science Advances*, 5(1), eaau4586, 2019.

(6) Gordon Pennycook, David G. Rand, "Lazy, Not Biased: Susceptibility to Partisan Fake News is

Better Explained by Lack of Reasoning Than by Motivated Reasoning," *Cognition*, (188), 2019, pp. 39-50.
(7) Joseph Kahne, Benjamin Bowyer, "Educating for Democracy in a Partisan Age: Confronting the Challenges of Motivated Reasoning and Misinformation," *American Educational Research Journal*, 54(1), 2017, pp. 3-34.
(8) Michael RobbGrieco, Renee Hobbs, *A Field Guide to Media Literacy Education in the United State*, Media Education Lab, University of Rhode Island, 2013.
(9) Carolyn Wilson, Alton Grizzle, Ramon Tuazon, Kwame Akyempong and Chi-Kim Cheung, *Media and Information Literacy Curriculum for Teachers*, UNESCO Publishing, 2014.
(10) 菅谷明子『メディア・リテラシー——世界の現場から』(岩波新書)、岩波書店、二〇〇〇年
(11) Monica Bulger, Patrick Davison, "The Promises, Challenges, and Futures of Media Literacy," *Journal of Media Literacy Education*, 10(1), 2018, pp. 1-21.
(12) Masato Kajimoto, Jennifer Fleming, "News Literacy," *Oxford Research Encyclopedia of Communication*, 2019.
(13) RobbGrieco, Hobbs, *op. cit.*
(14) Bulger, Davison, op. cit.
(15) Mike Caulfield, "A Short History of CRAAP," HAPGOOD, 2018. (https://hapgood.us/2018/09/14/a-short-history-of-craap/) [二〇二〇年一月十三日アクセス]
(16) Mike Caulfield, "Yes, Digital Literacy. But Which One?," HAPGOOD, 2016. (https://hapgood.us/2016/12/19/yes-digital-literacy-but-which-one/) [二〇二〇年一月十三日アクセス]

(17) "RADCAB: Your Vehicle for Information Evaluation" のウェブサイトからスクリーンショット（https://www.radcab.com/）［二〇二〇年一月十三日アクセス］。
(18) Caulfield, op. cit.
(19) Joel Breakstone, Sarah McGrew, Mark Smith, Teresa Ortega and Sam Wineburg, "Why We Need a New Approach to Teaching Digital Literacy," Phi Delta Kappan, 2018. (https://kappanonline.org/breakstone-need-new-approach-teaching-digital-literacy/)［二〇二〇年一月二十三日アクセス］
(20) "Tips to Spot False News," Facebook Help Center (n.d.). (https://www.facebook.com/help/188118808357379)［二〇二〇年一月二十一日アクセス］
(21) Breakstone, McGrew, Smith, Ortega, Wineburg, op. cit.
(22) Caulfield, "Yes, Digital Literacy. But Which One?".
(23) "Introducing SIFT"（https://www.notion.so/Introducing-SIFT-04db7879dd7a4efaa76bfb2397d11ffd）［二〇二一年七月十四日アクセス］
(24) Wineburg, McGrew, Breakstone, Ortega, op. cit.
(25) スタンフォード大学 "Civic Online Reasoning" のウェブサイトからスクリーンショット（https://cor.stanford.edu/）［二〇二一年七月十四日アクセス］。
(26) 西田亮介「近年の日本における偽情報（フェイクニュース）対策と実務上の論点」「情報通信学会誌」第三十九巻第一号、情報通信学会、二〇二一年、一三―一八ページ
(27) 後藤康志「日本におけるメディア・リテラシー研究の系譜と課題」「現代社会文化研究」第二十九号、新潟大学大学院現代社会文化研究科紀要編集委員会、二〇〇四年、一―一八ページ
(28) 吉見俊哉『メディア文化論――メディアを学ぶ人のための15話』（有斐閣アルマ）、有斐閣、二〇〇

四年
(29) 平和博「「フェイクニュース」問題から考える 新聞で磨くメディアリテラシー」「NIEニュース」第八十八号、日本新聞協会、二〇一七年(https://nie.jp/publication/pdf/ver_88.pdf?2017)［二〇二〇年一月二十九日アクセス］
(30)「メディアタイムズ」「NHK for School」(https://www.nhk.or.jp/school/sougou/times/)［二〇二一年七月十四日アクセス］
(31) 野村浩子「大学におけるメディア・リテラシー育成のための授業のあり方――フェイクニュースが蔓延するなか、求められる教育を探る」「淑徳大学人文学部研究論集」第三号、淑徳大学人文学部紀要委員会、二〇一八年、一五―二七ページ
(32) 山口真一/菊地映輝/青木志保子/田中辰雄/渡辺智暁/大島英隆/永井公成「Innovation Nippon 2019 報告書「日本におけるフェイクニュースの実態と対処策」」「Innovation Nippon 研究報告書」(http://www.innovation-nippon.jp/?p=815)［二〇二一年七月十四日アクセス］
(33) danah boyd, "*Did Media Literacy Backfire?*," *Journal of Applied Youth Studies*, 1(4), 2017, p. 83.
(34) danah boyd, "A Few Responses to Criticism of My SXSW-Edu Keynote on Media Literacy," Medium, 2018 (https://zephoria.medium.com/a-few-responses-to-criticism-of-my-sxsw-edu-keynote-on-media-literacy-7eb2843fae22)［二〇二一年七月十四日アクセス］
(35) Francesca Tripodi, "Alternative Facts, Alternative Truths," Data & Society: Points, 2018. (https://points.datasociety.net/alternative-facts-alternative-truths-ab9d446b06c)［二〇二一年六月十五日アクセス］
(36) 倉橋耕平「ネット右翼と参加型文化――情報に対する態度とメディア・リテラシーの右旋回」、樋

口直人／永吉希久子／松谷満／倉橋耕平／ファビアン・シェーファー／山口智美『ネット右翼とは何か』（青弓社ライブラリー）、青弓社、二〇一九年、一〇四―一二〇ページ

(37) 藤代裕之『ネットメディア覇権戦争——偽ニュースはなぜ生まれたか』（光文社新書）、光文社、二〇一七年

(38) Mike Caulfield, "Media Literacy Is About Where To Spend Your Turst. But You Have To Spend It Somewhere," HAPGOOD, 2018.（https://hapgood.us/2018/02/23/media-literacy-is-about-where-to-spend-your-trust-but-you-have-to-spend-it-somewhere/）［二〇二〇年一月三十日アクセス］

(39) 前掲『ネットメディア覇権戦争』

(40) Daniel Funke, "Study: Journalists Need Help Covering Misinformation," Poynter, 2019.（https://www.poynter.org/fact-checking/2019/study-journalists-need-help-covering-misinformation/）［二〇二一年七月十四日アクセス］

(41) danah boyd, "You Think You Want Media Literacy...Do You?," Data & Society: Points, 2018（https://points.datasociety.net/you-think-you-want-media-literacy-do-you-7cad6af18ec2）［二〇二一年七月十四日アクセス］

(42) Charlie Warzel, "Don't Go Down the Rabbit Hole," The New York Times, 2021.（https://www.nytimes.com/2021/02/18/opinion/fake-news-media-attention.html）［二〇二一年七月十四日アクセス］

［付記］本章は、耳塚佳代「「フェイクニュース」時代におけるメディアリテラシー教育のあり方」（「社会情報学」第八巻第三号、社会情報学会、二〇二〇年、二九―四五ページ）に加筆し修正したものである。

第8章　新たなニュース生態系の確立に向けて

藤代裕之

1　複合要因による生態系の汚染

フェイクニュースはミドルメディアによって生成され、ポータルサイトを頂点としたニュース生態系で拡散していることを本書は明らかにした。生態系を駆動するのは、ページビューがすべてを決めるインターネットのビジネスモデルだった。フェイクニュースの生態系はニュースの生態系そのものであり、現状の生態系を浄化するだけでは根本的な解決を見いだせなかった。

本章では、新たなニュース生態系の確立に向けて、プラットフォームを運営する企業、既存メデ

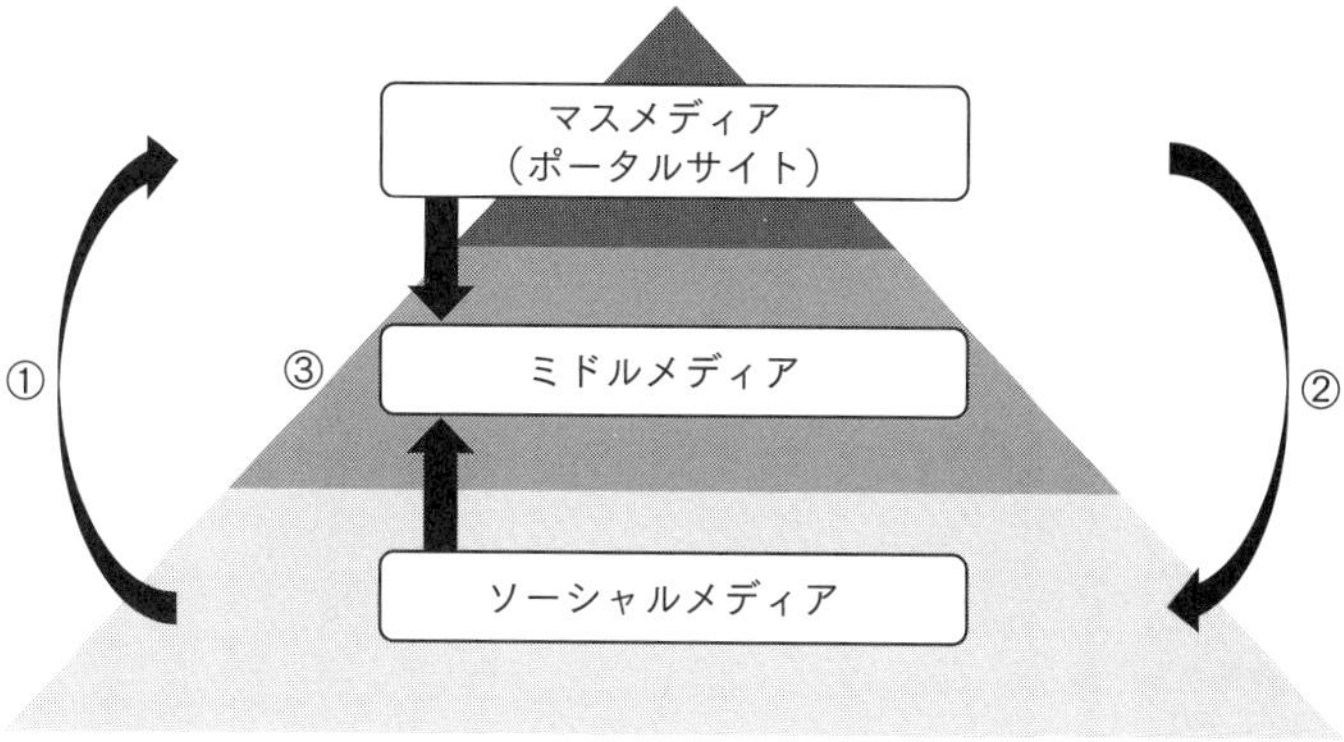

図1　フェイクニュースの生態系の構造。ポータルサイトを頂点に、ミドルメディアが中核になり、メディア間の相互作用によって汚染が循環する

ィア、個人が取り組むことを検討する。

誰も生態系に責任をもっていない

フェイクニュースの生態系の構造を図１に示す。生態系の頂点に位置するのは、インターネットで大きな影響力をもつポータルサイトである。中核にはミドルメディアが位置する。ミドルメディアは、③マスメディアの話題とソーシャルメディアの話題を組み合わせる役割によってフェイクニュースを生成する。生成されたフェイクニュースは、フェイクニュース・パイプラインを通じてポータルサイトに到達する。ポータルサイトにたどり着いたフェイクニュースは掲示板や「Twitter」などのソーシャルメディアに広がり、生態系全体に拡散する。さらにフェイクニュースは、ミドルメディアの①ソーシャルメディアの話題をマスメディアに届ける役割と②マスメディアの話題をソーシャルメディアに届ける役割によって生態系を循環する。情報を発信する人々は、ミドルメディアに「ネットの反応」として利用されたり、フェ

イクニュースを拡散したりして生態系の構造のなかに取り込まれ、汚染の拡大を担わされている。汚染の要因はミドルメディアだけではない。無責任なポータルサイト、既存メディア、プラットフォーム企業による複合的なものであり、誰もニュースの生態系に責任をもっていなかった。

フェイクニュース・パイプラインが生まれたのは、ポータルサイトが配信先を増やして「ニュースの拡張」が起きた結果である。ミドルメディアは既存メディアのニュースに対するソーシャルメディアの批判的・否定的反応を加えることでフェイクニュースを生成している。多くの場合、ネットの反応は引用元やデータが提示されず、事実を確認できないため、いくらでもフェイクニュースを生成することが可能である。ミドルメディアとポータルサイトのどちらにも、生成を止める仕組みは存在していない。ミドルメディアはニュースの正確さよりもページビューを稼ぐことが重要であり、ポータルサイトはプラットフォームであることを主張し、配信されるニュースの正確さを確認していない。

フェイクニュースは「こたつ記事」で生成されている。インターネットメディアから始まった「こたつ記事」は、スポーツ紙を含む既存メディアに広がり、全国紙も手を染めていて「話題の捏造」の要因になっていた。インターネットのニュースの生態系では影響力が乏しい既存メディアはミドルメディア化しページビューを稼ぐことを重視するようになった。ネットの話題を取り上げるようになった既存メディアが「デマ」を作り出し「話題の捏造」をおこなっていたのは、「こたつ記事」など記事制作手法に課題があるからだ。フェイクニュース拡散時には、特定のまとめサイトやソーシャルメディアのアカウントの動きが活発になる。これらは有機的なつながりをもち、相互作用を促進する。一方、フェイクニュースへの対抗時の動きは乏しく、つながりを欠き、拡散力が低い。このような生態系を駆動するのは、プラットフォーム企業が提供しているページビューを重視するインターネットのビジネスモデルである。このような複合的なフェイクニュース生態系の汚染の連鎖を断ち切り、対抗する情報を人々に届ける動きをサポートしていく必要がある。

2　汚染の連鎖を断ち切る

生成の抑制——パイプラインを無効化する

あらためて確認するが、フェイクニュースの生成をゼロにすることはできない。間違った情報の発信をゼロにすることはできないし、ときとしてソーシャルメディアを兵器として利用している国家がフェイクニュースを発信しているという背景もある。だが、本書で明らかにしてきたニュース生態系の構造をふまえれば、汚染の連鎖を断ち切ることは可能といえる。フェイクニュースの抑止方法を、ここまでに分析した枠組みである生成の抑止と拡散の抑止の二つに分けて検討する。

「ニュースの拡張」によって生まれたフェイクニュース・パイプラインを無効化する最大の方法は、「こたつ記事」の根絶である。フェイクニュースは根絶できないが、「こたつ記事」の根絶は可能である。ミドルメディアは、③マスメディアの話題とソーシャルメディアの話題を組み合わせる役割によってフェイクニュースを生成していたが、これはある事象に対して一部のネットの反応を加えたものを「ネットの話題」として報じる「こたつ記事」と同じだった。

ポータルサイトだけでなく、ニュースを集めて表示しているキュレーションサイトには、スポーツ紙やインターネットメディアの記事を中心に、テレビでの出演者の発言とネットの反応を組み合わせた「こたつ記事」がずらりと並んでいる。「○○アナの姿に「すてき、可愛い」と大反響」「ネット騒然、□□に対する発言が炎上」など、芸能人やアナウンサーのテレビやラジオでの発言に、ネットの反応を付け加えた記事を見たことがある人も多いだろう。コストが安く手軽にページビューを稼ぎたいメディアと、人々が望む記事を提供するポータルサイトやキュレーションサイトは「共犯」関係にある。

確認が不十分な「こたつ記事」によって、謝罪や訂正をする事態が相次いでいると「朝日新聞」は指摘している。その背景には、ニュースの流通をポータルサイトやキュレーションサイトが押さえてしまったことで、新聞などの既存メディアもページビューを求めざるをえなくなったという構造問題があると「Yahoo! トピックス」元編集長の奥村倫弘はコメントしている。(1)

ページビューで広告収入が決まる現在のインターネットのビジネスモデルでは、記事の中身や正確さを重視するのではなく、「こたつ記事」を製造することは最適解になる。マケドニアの若者がアメリカ大統領選挙のフェイクニュースを製造したのも、マケドニアの安いコストで広告費用を稼ぐことができたというビジネス的な側面がある。大手インターネット企業 DeNA が不正確な医療情報を大量に製造していた「WELQ（ウェルク）」問題も同様の理由である。現状のニュース生態系では、手間暇をかけて取材して内容の確認をするのはメディアからすれば「損」である。プラットフォーム企業が提供しているビジネスモデルは汚染を拡大しているだけでなく、良質なニュースも減少させている。

だが、「こたつ記事」の行き着く先は、マケドニアの事例のように人件費が安い海外に業務を移すオフショアリング、そしてＡＩ（人工知能）での記事の自動生成、もしくは、ＡＩより安価な人間の作業が残されることになるだろう。すでに、インターネット空間は「こたつ記事」と、そのコピーに埋め尽くされている。ポータルサイトや検索サイトに表示される情報は不確実なものであふれかえり、プラットフォームも機能不全を起こしている。

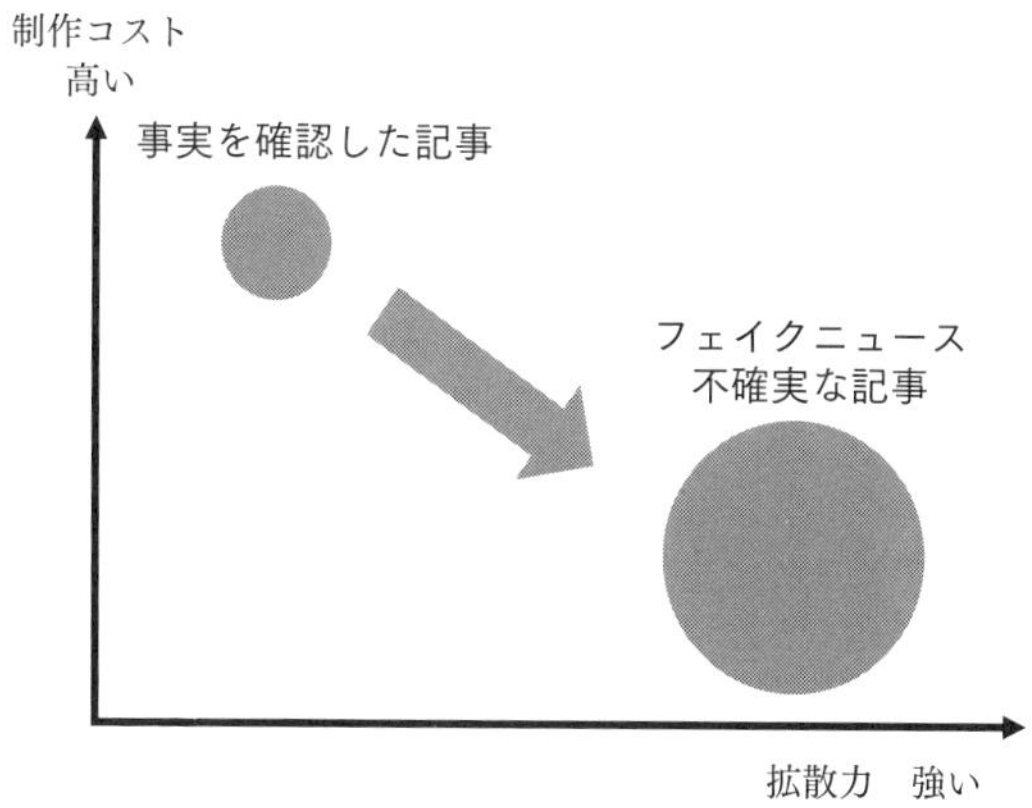
制作コスト
高い
事実を確認した記事
フェイクニュース
不確実な記事
拡散力　強い
図2　現状のビジネスモデルを続けると、制作コストが安く、拡散力が強いフェイクニュースや不確実な記事で埋め尽くされることになる

なかには有益な「こたつ記事」もある、といった意見もあるだろう。だが、どのような「こたつ記事」は有益なのか、という線引きは非常に難しい。その線引きに加えて、記事内容の事実確認をポータルサイトが負担することもまた現実的ではない。根絶とは「こたつ記事」のポータルサイトへの配信を停止し、検索サイトにも表示されないようにすることである。そうすれば、フェイクニュースや不確実なニュースは人々の目にふれることが少なくなり、

それらを人々が拡散する確率も減少する。「こたつ記事」の製造者はページビューを稼ぐことが難しくなり、広告収入が減少して「こたつ記事」を量産する意味が失われる。ニュース記事の制作過程から「こたつ記事」を根絶することで、フェイクニュースが生成する可能性が失われ、フェイクニュース・パイプラインも無効化できる。ここでは「こたつ記事」の根絶という事例を挙げたが、重要なことはニュース記事の制作過程にフェイクや不確実情報ができるだけ入り込まないようにすることで、それが新たなニュース生態系確立への第一歩になる。

拡散抑制——汚染者のネットワークを停止する

拡散の抑止には、関連するサイトやソーシャルメディアアカウントの停止や削除が最も効果的である。本書で明らかにしたように、フェイクニュースの拡散には特定のまとめサイトやアカウントが関わっている。例えば、二〇一七年の衆議院議員総選挙でフェイクニュースと判定された「アノニマスポスト」は、一八年の沖縄県知事選挙、二一年の新型コロナウイルス感染拡大時にも名前が出てきている。フェイクニュースを追跡していると、対象になるサイトやアカウントがすでに停止・削除されていることがあり、プラットフォームを運営する企業がそれなりに対応していることがわかる。だが、多くの場合はユーザー名を変えるなどして活動を再開するため、根本的な解決にはなっていない。これらのアカウントは、似たようなまとめサイトやソーシャルメディアのアカウントと独自のネットワークをもっているため、アカウントごとに停止・削除しても効果が乏しい。ネットワークをもつために回復も早い。個別のサイトやアカウントではなく、汚染者のネットワークを対象にした対策をしなければならない。

「Twitter 社はすでにアメリカ大統領選挙の投票日前日に投稿されたドナルド・トランプのツイートを非表示にしているが、これによって拡散が抑制される効果が出ている。(2) しかし、フェイクニュースは生態系によって拡散しており、個別のアカウントへの対応は根本的な解決にはならない。

特定の政治家のアカウントを停止・削除することは、政治的な対立を呼び起こす危険性がある。トランプのアカウントへの対応については、さまざまな議論がある。(3) トランプのアカウントへの対応はプラットフォーム企業が自ら実施しているが、判断理由について明確な説明はされておらず、同じようなケースがあった場合にどのようなプロセスで停止や削除がされるのかも不明だ。プラットフォームによる恣意的な対応がおこなわれれば、表現の自由が脅かされることになる。

そこで広告収入というビジネス面での制限を強める方法が考えられる。「YouTube」では「迷惑系 YouTuber」という、騒ぎを起こすことで注目を集め、登録者やページビューを稼ごうとする動きが絶えない。(4) フェイクニュースやヘイトスピーチもページビュー稼ぎが背景にある。第6章「フェイクニュースのなかを生きる若者」（藤代裕之）でみたように、「YouTube」は若者に影響を与えている。迷惑系 YouTuber も、過激な言動を見てそこから距離を取る若者も、ビジネスとして人々の欲望を突き動かしているプラットフォーム企業の犠牲者でもある。

オックスフォード大学は、新型コロナウイルス感染症に関する偽の治療法などを発信しているサイトの運営を、プラットフォーム企業がサーバーや開発ツールの提供などで支えていることを明らかにし、プラットフォームを運営する企業がサービスを止めることが対策になると指摘している。(5)

これは汚染者のネットワークが活動するためのツールにも目を向ける必要があるということだ。アカウントの停止や削除は、開発ツール、広告、決済などの仕組みも含めておこなう必要があるが、[6]運営企業に判断を委ねるということは、表現の自由もまた委ねるということになってしまう難しさがある。[7]

共同規制でチェック体制を整える

そこで、インターネットの表現の自由を確保しながら、プラットフォームが社会的な責任を担うため、政府の最低限の規制と業界などの自主規制とを組み合わせる共同規制[8]も検討したい。

フェイクニュースの検証作業は報道機関やファクトチェック団体がおこなっているが、第5章「ファクトチェックが汚染を引き起こす」（藤代裕之）でみたようにファクトチェックの「武器化」も起こっていて、推進団体だけでは対応が難しい段階に入っている。

テレビにはBPO（放送倫理・番組向上機構）が存在していて、視聴者などから問題があると指摘があった番組を検証している。第三者性を保つためにテレビ関係者以外によって委員会が構成される運営方法を含めて参考になる。BPOはテレビ局に再発防止策の提出とその報告を求めることはできるが罰則があるわけではなく、強制力は乏しい。インターネットメディアにはニュースを検証し、自主的に品質を向上させる組織さえ存在していない。

汚染者に資金を供給する広告業界

汚染は広告業界の責任でもある。二〇二一年、広告関係三団体がデジタル広告品質認証機構（JICDAQ）を設立し、広告のクリック数を水増しする不正行為であるアドフラウドなどに対応すると表明した。[9]広告関連団体はこれまでにも対応を進めてきたが、効果は上がっていない。一七年にはヘイトスピーチをおこなうまとめサイトなどがトヨタやキリンといった大手企業の広告を表示していると報じられたが、[10]二一年にもアメリカ大統領選挙の不確実情報を拡散しているまとめサイトが大手企業の広告を表示していたと報道されている。[11]広告業界は、汚染者がネットワークで活動する資金を供給し続けている。

このように、これまでの取り組みでは対応が不十分であり、既存メディア、インターネットメディア、プラットフォーム企業などが協力した新たな第三者機関が必要である。例えばファクトチェックの国際団体である International Fact-Checking Network（IFCN）のように、守るべき原則を定め、問題があった場合の対応が求められる。反メディアの考え方が根強いインターネットで有効に機能するためには、対策を取るだけで満足するのではなく、活動に対するチェック機能、説明責任を仕組みとして構築しなければ信頼が得られない。フェイクニュースを検証する報道機関やファクトチェック団体は、この第三者機関に加盟し、常に活動に対するチェックを受けることで透明性や公平性を確保する必要がある。

検証によって問題が指摘されたサイトやアカウントなどの汚染者のネットワーク情報は、第三者機関を通じてプラットフォームや広告関連団体に共有されて対処する。プラットフォームや広告関連団体は、サイトやアカウントの広告を停止する。ビジネス的な側面から問題があるネットワーク

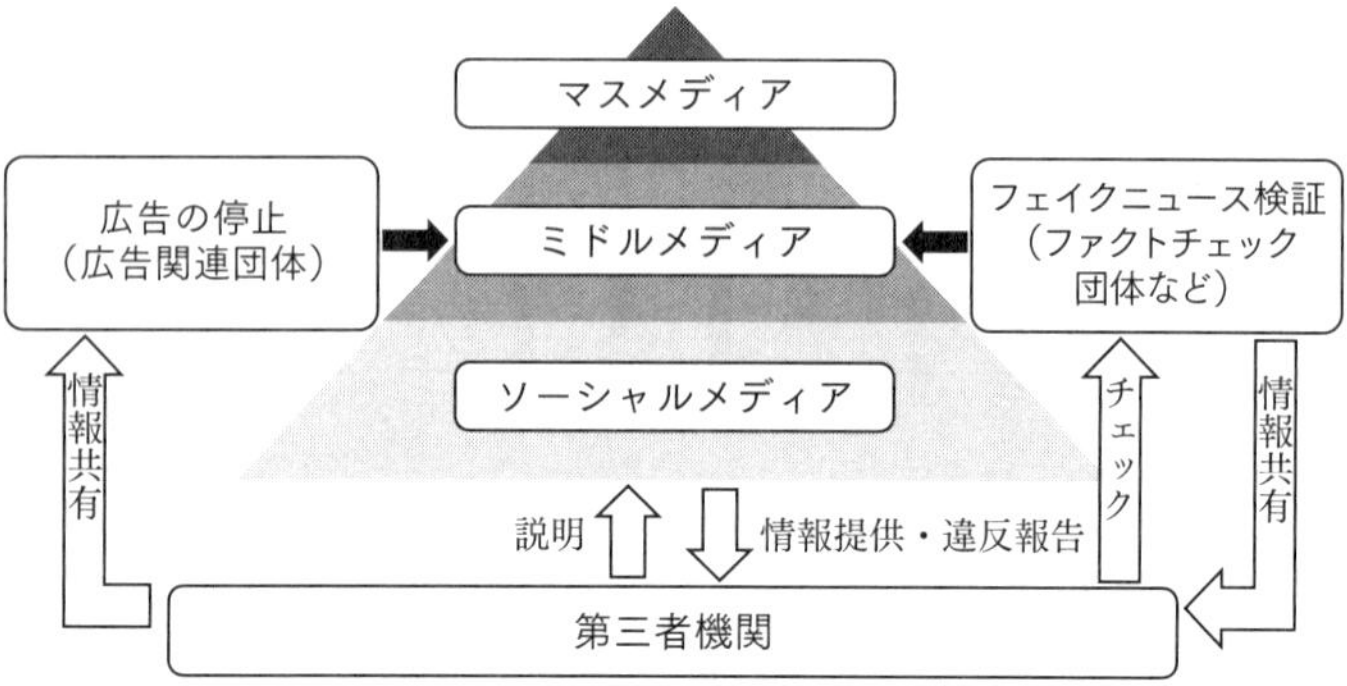

図3　第三者機関による共同規制の仕組み案。汚染の連鎖を断ち切るための活動もまたチェックを受ける

を抑制することで、生態系における汚染の連鎖を断ち切ることができる。特に生態系の中核であるミドルメディアを対象に検証することは高い効果があると考えられる。

報道機関やファクトチェック団体の判定を参考にしてサイトへの広告を停止することは、大手企業がフェイクニュースやヘイトスピーチをおこなうサイトに広告を表示させてしまう問題をクリアにし、大手企業が安心してインターネットに広告を出すことができるようになる。

第三者機関の制度面や運用面などについては詳細な検討が必要だが、ここに示した共同規制は第1章「フェイクニュースとは何か」（耳塚佳代）で紹介したような、国家や政治家の恣意的な利用を防ぎながら表現の自由を確保するひとつの方法である。

このような規制が、新たなサービス創出の妨げにならないように注意したい。第2章「フェイクニュースはどのように生まれ、広がるのか」（藤代裕之／川島浩誉）などで述べているように、国内のニュース生態系ではポータルサイトの影響力が強いが、メッセンジャーアプリでは

「LINE」のシェアが高く、「SmartNews」や「NewsPicks」などのキュレーションサイトも存在感があり、勢力が分散している。このような多様性は、生態系にとって重要である。「Facebook」や

「Google」といった一部のプラットフォーム企業が利用者を独占すると、生態系を変化させることが難しくなる。多様なプレーヤーが参入し、育まれていくことが豊かなニュース生態系にとって大切である。

プラットフォームとメディアを区分する

プラットフォームという言葉があいまいに使われてきたことも汚染を深刻にしてきた要因の一つである。ポータルサイトなどは、インターネットで大きな影響力をもつメディアでありながら、自らをコンテンツを掲載する場所＝プラットフォームであると主張し、その立ち位置と責任をあいまいにしたことで、「誰も責任をもたない荒野のような状況が生まれ、メディアとプラットフォームの隙間から、偽ニュースの汚染が拡大している」[12]。プラットフォームとメディアを区分する必要がある。

マスメディアの時代は、新聞もテレビもメディアでありプラットフォームだった。コンテンツの生成と拡散のどちらも担う社会の拡声器だった。ソーシャルメディアの時代は、既存メディアも、インターネットメディアも、ニュース生態系のなかに組み込まれ、混然一体となっている。

二〇二〇年末には、インターネットメディアの「cakes」が炎上した。ホームレスを取材した記事の描写が問題になって、編集長が交代した。運営会社の代表は、書き手を段階的に増やして「メ

ディアのプラットフォーム」にしようと考えていた[13]と記している。「Twitter」「Facebook」「YouTube」のように誰もが登録さえすれば投稿できるサービスだけでなく、「cakes」のようなコンテンツを集めるサイトもプラットフォームという言葉を使っていることがわかる。プラットフォームという言葉は都合よく使われている。

だが、発信者を選ぶサービスは、プラットフォームではなくメディアである。発信者を選別するのが人だろうとAIだろうと、選別というプロセスが入る以上はポータルサイトもキュレーションサイトもプラットフォームではなくメディアとして位置づけ、言論に対する責任を負う。そもそも、プラットフォームを運営する企業が責任を免れてきたのは、誰もが自由に発信できるからである。玉石混交で、ときに怪しげで不確実な情報があるのもプラットフォームの特徴である。誰もが自由に発信できるプラットフォームだからこそ、その運営企業による不透明なアカウントの対応ではなく、第三者機関の判定によるべきだ。

プラットフォーム上のアカウントも、一定以上のフォロワー数／ページビューがある場合や広告収入がある場合は、メディアとして位置づければいい。例えば、収益化のプログラムに参加している「YouTube」チャンネルはすべてメディアとする。YouTuber が広告収入を求める場合、カードや銀行口座などの登録と本人確認を義務づけるようにしておけば、責任を追及することは現在よりも容易になる。一方で、フォロワー数も少なく、日常的な内容の発信にソーシャルメディアを利用しているユーザーはどうだろう。ソーシャルメディアは公私の区分があいまいで、何げなく投稿したものが批判されたり、「炎上」に巻き込まれたりすることがある。基本的に発信者自身はメディアではあるが、多くの一般利用者にその責任を求めるのも難しい。前述したように、複数回にわたって問題があると第三者機関が判定した場合にアカウントの停止や削除を速やかにおこなえば、汚染の連鎖は起きづらい。プラットフォームは責任を免責されるかわりに、自ら判断せずに第三者機関に従う。メディアは自由に発信するが、その責任は問われるとすればいい。

ニュース記事の制作手法を見直す

ここまで書いたような対策と並行して既存メディアの記事制作手法の見直しも必須である。「こたつ記事」についてはすでに述べたが、それだけではなく、メディアが相互作用するニュース生態系では共感や反発といった感情を刺激する報道は大きな問題であるという理解が不可欠だ。

社会学者の伊藤守は『情動の社会学』(14)で、マスメディアに独占されてきた言論空間が、インターネットの登場で新たなメディアやジャーナリズム活動、市民の発言にも開かれた部分を認めながら、制御不可能な情報の流れが「発信した人物やそれを中継した人物の意思など無関係に、彼らが制御できないリアリティを構築していく」と指摘している。ソーシャルメディアで「いいね！」をしたりシェアをしたりしている私たちは、ニュース生態系の一員として主体的に活動しているように見えて、実は主体性を失っているということになる。

本書では、発信する私たちだけでなく既存メディアも、このような制御不能な情報の流れに組み込まれ、「デマ」を作り出し「話題の捏造」をおこなってきたことを明らかにした。

第2章などで紹介したプロパガンダ・パイプラインに関わるニュースサイトは、嫌悪感や怒りといった感情を刺激していた[15]が、既存メディアもまた同様だ。「朝日新聞」のパブリックエディターである法学者の山本龍彦は「新聞とは、「お客様」をスカッとさせるメディアだったのか」と疑問を呈している。正しさもまた、共感を強化し、異なる意見を攻撃するように感情を刺激する。山本はインターネットのビジネスモデルの問題を指摘したうえで、「私的空間を支配する裸の感情が公共空間にそのまま流れ込むことを防ぎ、熟議のための理性的コミュニケーションを作出するものだったはずである」とジャーナリズムの役割について述べている。[16]怒りや正しさといった感情から距離を置き、公共空間での議論をつなぐのも報道の役割である。

だが、既存メディアはその役割を理解しているようには見えない。第3章「汚染されたニュース生態系」（藤代裕之）では、記事制作手法の課題が、記事とツイートの「ズレ」や東京と地方の「ズレ」を生んでいたが、その「ズレ」は、山本の意見に対する「朝日新聞」編集委員の記事にもみられる。インターネット時代になってから新聞・雑誌の紙誌面というパッケージは崩壊し、ポータルサイトなどへの配信で記事がバラバラに読まれるようになった[17]が、「バラ売りのことは私の頭になかった[18]」というのだ。既存メディアの記事制作手法の課題は自らの記事がどのように読者に届くのかというニュース生態系への理解不足にある。

既存メディアが取り組むのは、「こたつ記事」ではなく、他社よりも早い「スクープ」でもなく、人々が知りたい情報にフォーカスした、ゼロから作り出す記事である。デジタルの世界ではコピーは簡単で、「こたつ記事」のようにニュースは簡単に増幅される。行政の発表をいち早く伝える「スクープ」も、行政や政治家のソーシャルメディアのアカウントから発表され、サイトではデータも提供される。調査報道などの独自取材こそが、多様な情報が存在しているニュース生態系をより豊かにする。既存メディアの記事制作手法が見直されれば、インターネットメディアのニュースも変化していくだろう。

ニュース制作が見直され、調査報道などがおこなわれても、ページビューがすべてを決めるビジネスモデルが変わらなければコストをかけて記事を制作するインセンティブははたらかない。コストをかけた社会的価値があるニュースに、プラットフォームから正当な対価が支払われるべきである。また第6章で取り上げた選挙時の情報のように必要なニュースをどう届けるかも重要な視点だ。インタビュー調査で選挙に関心をもった若者が「Twitter」を検索してフェイクニュースに接触していたことを思い出してもらいたい。人々が選挙のような民主主義社会にとって重要な出来事に興味を抱きニュースにふれようとするときに、ポータルサイトやソーシャルメディアは対応ができていなかった。フェイクニュースではなく、既存メディアの記事が手軽に接触できるようにプラットフォームは必要なニュースを届ける仕組みを構築する必要がある。

3　正しさへの希求から抜け出す

最後に個人の取り組みについて述べる。現状の汚染されたニュース生態系での究極の防御策はソーシャルメディアを利用しないことだが、これだけ人々の生活にソーシャルメディアが浸透し、利用されているなかで、一人だけ利用しないことは不可能である。そのため第6章で紹介したようにソーシャルメディアから距離を置き、受動的であろうとする若者の姿勢が生まれたといえる。この姿勢と正反対なのが、メディアリテラシーで重視される批判的な思考を重視するアプローチである。第7章「汚染とメディアリテラシー」(耳塚佳代)でも述べたが、このアプローチの危険性をあらためて確認しておく。

メディア研究者の水越伸は、ソーシャルメディアの影響力が拡大しつつあった二〇〇五年に、メディアを生態系としてとらえる『メディア・ビオトープ』[19]を著した。そのなかで水越は新聞やテレビを人工林と呼び、コミュニケーション不全の要因であると批判した。ミニコミ誌やコミュニティーFMなどに注目し、それらの小さなメディアをビオトープ(生物の生息に適した空間)になぞらえ、ビオトープがネットワークでつながり、マスメディアやメディア資本を批判的にとらえ、対抗しながら影響を与え合うことで生態系が変化することを期待した。水越はソーシャルメディアを、マスメディアが独占する生態系を変革する手段として位置づけ、希望を見いだしている。

筆者も水越と同様に、ソーシャルメディアの登場は、マスメディア=送り手、視聴者や読者=受け手という一方向的な関係が双方向になり、人々が生態系の一員としてメディアと主体的に関わっていく契機になると考えた。しかしながら、ニュースの生態系は「Google」などのプラットフォームを運営する巨大なグローバル企業に支配され、人々はそのなかに組み込まれていった。ソーシャルメディアが登場したとき、希望や可能性を見いだしたのは、自らが考える理想的な利用方法やあるべき姿を前提に議論を進めていなかっただろうか。前述したように、ソーシャルメディアに代表されるプラットフォームは誰もが参加し、多種多様で、玉石混交だからこそ多くの人々が利用するようになったということだ。

水越は、啓蒙主義的なメディアリテラシー教育は「新しいものの見方やパースペクティブを手に入れたときの、目からウロコが落ちるような新鮮な驚きもなければ、実際の日常生活や社会のなかでそれらを実践してみることから得られる「腑に落ちる」感覚もない」と述べている。いま、汚染された生態系で新鮮な驚きを提供しているのは、フェイクニュースである。

第6章でみたように、フェイクニュースに関わるアカウントが伝える、マスメディアが取り上げないような荒唐無稽な情報は面白く、人を魅了する。これまでにふれたことがないような陰謀論やヘイトスピーチのような極端な意見は新鮮な驚きに満ちている。一度これらのコンテンツに出合えば、自分が見たい情報しか見えなくなるフィルターバブルや自らの考えを増幅するエコーチェンバーと呼ばれる現象が人々を包み込む[20]。プラットフォーム企業のテクノロジーが「納得」や「正しさ」を後押しするのだ。

利用者の閲覧履歴を解析するアルゴリズムは、生態系に散らばるニュースを集めて届ける。そのニュースは利用者側からすれば、検索したり、クリックしたり、拡散したりといった主体的な行動の結果として目の前に現れる。そのため、情報接触を自らが主体的に組み立てたように感じるのである。同じようなコンテンツが次々と出現し「納得」を促す。インターネットの根底に流れる反マスメディア的な考え方が「マスメディアが報道しない真実」を強調することで、独自の「正しさ」を強固なものにしていく。二〇二一年に国内で起きたトランプ支持デモの参加者は「既存メディアによるファクトチェックが真実とはかぎらない。トランプが目覚めさせてくれた」[21]と取材に答えているることがそれを裏付ける。汚染されたニュースの生態系はフェイクニュースやヘイトスピーチを涵養するビオトープになってしまった。

メディアリテラシーに関する議論で抜け落ちている視点は、自分の考えや思想、立ち位置を疑う姿勢ではないか。批判的に情報を読み解くことは、自らの考えの正しさを求める姿勢と表裏一体である。そもそも情報はあいまいなものであり、社会には正解がないことも多い。テクノロジーは驚きに加えて同じ意見に包まれる心地よさも提供する。どこかに正しい情報があると考え探せば探すほど、フェイクニュースの世界に陥っていく。これは個人だけの問題ではなく、第5章のファクトチェックの調査でみたように汚染されたニュース生態系に組み込まれた既存メディアやインターネットメディアも同様に、正しさを求める姿勢からの転換が求められている。

新たなニュース生態系が、多様なメディアと多様な考えの人々が生み出されるとしても、異なる考えを理解したり受け止めたりしなければ同じ生態系内に共存することはできない。メディアと人々が正しさへの希求から抜け出したとき、フェイクニュースも力を失い、豊かなニュース生態系が多様性に満ちた豊かな社会を作り出すだろう。

注

(1)「MediaTimes「こたつ記事」謝罪・訂正続々」「朝日新聞」二〇二〇年十二月十九日付

（2）The Election Integrity Partnership, "The Long Fuse: Misinformation and the 2020 Election," Stanford Digital Repository, 2021. (https://purl.stanford.edu/tr171zs0069)［二〇二一年七月二十五日アクセス］

（3）「耕論 大統領ＳＮＳの凍結」「朝日新聞」二〇二一年二月六日付、「ＳＮＳ凍結は「表現の自由」侵害か トランプ氏のアカウント、ツイッター社が永久停止」「朝日新聞」二〇二一年二月二十三日付、など。

（4）高橋暁子「「迷惑系 YouTuber」逮捕されても反省しない理由――山口県知事も激怒「へずまりゅう」とは何者か」「東洋経済オンライン」二〇二〇年七月十八日（https://toyokeizai.net/articles/-/363706）［二〇二一年七月二十五日アクセス］

（5）オックスフォード大学の調査は Vincent Kiezebrink, Jasper van Teeffelen, "Profiting from the Pandemic: Moderating COVID-19 Lockdown Protest, Scam, and Health Disinformation Websites," 2020. (https://demtech.oii.ox.ac.uk/research/posts/profiting-from-the-pandemic/)［二〇二一年七月二十五日アクセス］、「ワシントンポスト」の記事は Craig Timberg, "Covid disinformation sites often use tools from Google, Facebook and Apple, report finds," The Washington Post, 2020. (https://www.washingtonpost.com/technology/2020/12/04/covid-scam-disinformation/)［二〇二一年七月二十五日アクセス］。

（6）山本龍彦は、言論に関わるプラットフォームについて、少なくとも①ＳＮＳアプリの層、②これに場を与えるインフラ層、③クラウド基盤を提供する層があると分類し、②と③は基盤的性格が強く、排除すると社会的に消滅する。思想市場の健全性を保つには、競争政策と安全保障の視点をも組み合わせた規律が必要だと指摘している（「思想が競争できる環境を 政治とコミュニケーション」「日本経済新聞」二〇二一年二月八日付)。

(7)プラットフォーム企業に対してニュース記事の対価を支払うよう求める圧力が世界的に高まっている。「Google」は記事の対価を支払う「ニュース・ショーケース」を開始した(「朝日新聞」二〇二一年二月十九日付、「日本経済新聞」二〇二一年三月十四日付、など)。これらの動きは望ましいが、ニュースとは何かをプラットフォーム企業が決めかねないという危険性も伴う。

(8)生貝直人『情報社会と共同規制――インターネット政策の国際比較制度研究』勁草書房、二〇一一年

(9)「広告関係3団体は「デジタル広告品質認証機構(JICDAQ)」を設立いたします」「日本インタラクティブ広告協会」二〇二〇年十二月一日(https://www.jiaa.org/news/release/20201201_jicdaq/)[二〇二一年七月二十五日アクセス]

(10)「ネット広告の闇」「東洋経済」二〇一七年十二月二十三日号、東洋経済新報社

(11)「デマ拡散サイトに大手広告10社 自動配信気づかず」「読売新聞」二〇二一年三月七日付

(12)藤代裕之『ネットメディア覇権戦争――偽ニュースはなぜ生まれたか』(光文社新書)、光文社、二〇一七年

(13)加藤貞顕「cakes 一連の件についてのお詫び」「note」二〇二〇年十二月十五日(https://note.com/sadaaki/n/nf4b8ffdf6f47)[二〇二一年七月二十五日アクセス]

(14)伊藤守『情動の社会学――ポストメディア時代における〝ミクロ知覚〟の探求』青土社、二〇一七年

(15)Yochai Benkler, Robert Faris and Hal Roberts, *Network Propaganda: Manipulation, Disinformation, and Radicalization in American Politics*, Oxford University Press, 2018.

(16)「刺激競争が覆い尽くさぬ世に」「朝日新聞」二〇二〇年十二月十五日付
(17) 前掲『ネットメディア覇権戦争』
(18) 高橋純子「多事奏論 記事バラ売り時代 悩み抜く、「スカッと」なくとも」「朝日新聞」二〇二一年一月六日付
(19) 水越伸『メディア・ビオトープ――メディアの生態系をデザインする』紀伊國屋書店、二〇〇五年
(20) フィルターバブルについては、Eli Pariser, *The Filter Bubble: What the Internet is Hiding from You*, Penguin Press, 2011（イーライ・パリサー『フィルターバブル――インターネットが隠していること』井口耕二訳〔ハヤカワ文庫〕、早川書房、二〇一六年）を、エコーチェンバーについては、Cass R. Sunstein, *Republic.com*, Princeton University Press, 2001（キャス・サンスティーン『インターネットは民主主義の敵か』石川幸憲訳、毎日新聞社、二〇〇三年）を参照。
(21)「トランプ氏支持、日本でも 都内で市民らデモ「愛国者」共感、既存メディア批判」「琉球新報」二〇二一年一月二十一日付

巻末資料　The commitments of the code of principles

耳塚佳代／藤代裕之訳

Principle#1 A commitment to Non-partisanship and Fairness

1　党派的ではなく公正であること

Signatory organizations fact-check claims using the same standard for every fact check. They do not concentrate their fact-checking on any one side. They follow the same process for every fact check and let the evidence dictate the conclusions. Signatories do not advocate or take policy positions on the issues they fact-check.

加盟団体は、すべてのファクトチェックに同じ基準を用いる。ファクトチェックは、いかなる側にも偏らない。すべてのファクトチェックは同様の手順でおこなわれ、証拠に基づいて結論が導き出される。ファクトチェックをおこなう話題を擁護したり、政策的ポジションを取ったりしない。

Principle#2 A commitment to Standards and Transparency of Sources

2　検証に関する情報の透明性を確保すること

Signatories want their readers to be able to verify findings themselves. Signatories provide all sources in enough detail that readers can replicate their work, except in cases where a source's personal security could be compromised. In such cases, signatories provide as much detail as possible.

加盟団体は、読者が自分自身でファクトチェックの結果を検証できるよう努める。そのために、読者が判定結果を再現できるだけの詳細を含んだ、すべての情報を提示する。情報提供者の安全が脅かされる場合は除くが、そうした場合でも、できるかぎりの詳細を提示する。

Principle#3 A commitment to Transparency of Funding & Organization
3　資金と組織の透明性を確保すること

Signatory organizations are transparent about their funding sources. If they accept funding from other organizations, they ensure that funders have no influence over the conclusions the fact-checkers reach in their reports. Signatory organizations detail the professional background of all key figures in the organization and explain the organizational structure and legal status. Signatories clearly indicate a way for readers to communicate with them.
加盟団体は、資金源に関する透明性を担保する。他組織からの資金援助を受ける場合には、その組織がファクトチェック結果にいかなる影響も与えてはならない。資金を提供する組織に属するすべての主要人物の経歴を詳細に提示し、組織構造と法的地位を説明する。資金援助を受けている組織に読者が連絡するための方法を明確に提示する。

Principle#4 A commitment to Standards and Transparency of Methodology
4　検証手法の透明性を確保すること

Signatories explain the methodology they use to select, research, write, edit, publish and correct their fact checks. They encourage readers to send claims to fact-check and are transparent on why and how they fact-check.
加盟団体は、ファクトチェックの対象選定、リサーチ、記事執筆、編集、掲載、訂正に関して用いる手段を説明する。ファクトチェック対象となる言説に関する情報提供を読者に促し、なぜ、どのようにファクトチェックをおこなうのかに関する透明性を担保する。

Principle#5 A commitment to an Open & Honest Corrections Policy
5　オープンで誠実な訂正がおこなわれること

Signatories publish their corrections policy and follow it scrupulously. They correct clearly and transparently in line with the corrections policy, seeking so far as possible to ensure that readers see the corrected version.

加盟団体は、訂正に関する方針を明示し、その方針を遵守する。訂正方針に沿って、明確かつ透明性を保ったかたちで修正をおこなう。訂正情報が読者に届くようできるかぎりの努力をおこなう。

［著者略歴］
耳塚佳代（みみづか かよ）
1985年、長野県生まれ
テキサス大学オースティン校博士課程。通信社記者を経て独立、ニューヨーク大学大学院修士課程修了
「フェイクニュース調査のためのフィールドガイド」の邦訳を担当。論文に「「フェイクニュース」時代におけるメディアリテラシー教育のあり方」（「社会情報学」第8巻第3号）

川島浩誉（かわしま ひろたか）
1980年、千葉県生まれ
電通コンサルティング エキスパートマネージャ
専攻は科学計量学、科学技術政策

［編著者略歴］
藤代裕之（ふじしろ ひろゆき）
1973年、徳島県生まれ
法政大学社会学部教授。徳島新聞社、NTTレゾナントを経て現職
専攻はソーシャルメディア論
著書に『ネットメディア覇権戦争』（光文社）、『発信力の鍛え方』（PHP研究所）、編著書に『ソーシャルメディア論・改訂版』（青弓社）、共著に『アフターソーシャルメディア』（日経BP）など

青弓社ライブラリー103
フェイクニュースの生態系《せいたいけい》
発行――2021年9月7日　第1刷
　　　　2021年10月25日　第2刷
定価――1600円＋税
編著者――藤代裕之
発行者――矢野恵二
発行所――株式会社青弓社
〒162-0801 東京都新宿区山吹町337
電話 03-3268-0381（代）
http://www.seikyusha.co.jp
印刷所――三松堂
製本所――三松堂

ISBN978-4-7872-3497-1　C0336

樋口喜昭

日本ローカル放送史

「放送のローカリティ」の理念と現実

戦前のラジオ放送から戦後のテレビの登場、ローカルテレビ局の開局、地上デジタル放送への移行という歴史をローカル放送の制度・組織・番組という視点から多角的に検証する。　定価3000円＋税

大内斎之

臨時災害放送局というメディア

大規模災害時に、正確な情報を発信して被害を軽減するために設置されるラジオ局＝臨時災害放送局。東日本大震災後に作られた各局を調査して、メディアとしての可能性を提示する。定価3000円＋税

柴田邦臣／吉田仁美／井上滋樹／歌川光一 ほか

字幕とメディアの新展開

多様な人々を包摂する福祉社会と共生のリテラシー

映像の字幕・キャプションは、合理的な配慮やコミュニケーション促進の側面から多分野で注目を浴びている。字幕がもつ福祉的・社会的な意義や経済的なポテンシャルを解明する。　定価2000円＋税

石田美紀

アニメと声優のメディア史

なぜ女性が少年を演じるのか

日本アニメ特有の「女性声優が少年を演じるということ」を軸にアニメと声優の歴史をたどり、性を超越してキャラクターを演じる意義やファンとの関係、「萌え」について分析する。　定価2000円＋税